L'antirégime
Maigrir pour de bon

Michel Desmurget

L'antirégime
Maigrir pour de bon

8, rue Férou – 75278 Paris Cedex 06
www.editions-belin. com

© Éditions Belin, 2015   ISBN 978-2-7011-9500-1

« Vous avez fait des régimes ?
Le régime protéiné !
Et vous avez perdu combien ?
Mille euros. »

Mince Alors! Comédie cinématographique,
Charlotte de Turckheim, 2012

AVANT DE COMMENCER

Des nombreux commentaires qui ont suivi la parution de mon dernier livre, il en est un qui m'a particulièrement interpellé. Déposé par *Blue* sur le site internet de la Fnac, en 2011, il commençait comme suit : « *Ce livre est riche, complet, très bien référencé (trop en fait, ça nuit un peu à la fluidité de la lecture).* » Lorsque j'ai attaqué le présent ouvrage, j'ai repensé à cette note. Je me suis alors demandé s'il ne serait pas préférable, effectivement, d'écrire au fil de l'eau sans indications de sources. J'ai renoncé pour deux raisons.

Premièrement, ces références ne sont, au fond, pas si pesantes. Elles apparaissent dans le corps du texte, généralement à la fin d'une phrase, sous la forme d'un numéro porté en exposant : par exemple[1]. Parfois, ce numéro est accompagné d'un certain nombre de comparses : par exemple.[1, 59, 144-147] Chaque valeur renvoie alors à une référence bibliographique précise détaillée en fin d'ouvrage. La forme[144-147] veut dire de 144 à 147 (ce qui inclue les chiffres 144, 145, 146 et 147). Si le lecteur juge suffisantes les précisions apportées dans le texte il peut ignorer ces références sans le moindre regret. Lorsque des précisions méthodologiques ou conceptuelles sont apportées, elles apparaissent directement au pied de la page, sous forme de notes. Ces dernières sont indiquées par un astérisque dans le corps du manuscrit : exemple*.

Deuxièmement, le fait de devoir énoncer la source scientifique d'une affirmation empêche bien des dérives. Il est facile d'écrire, par exemple, que l'organisme ne stocke pas les calories fournies par les protéines ou que l'on peut le matin au petit-déjeuner se gaver, sans grossir, des fromages les plus gras. L'exercice se complique toutefois singulièrement quand il faut accoler à ce genre de propos une source expérimentale précise. Par accoler, j'entends produire la référence exacte des publications corroboratives. Cela exclut évidemment les boniments de bistrot du genre : « *Depuis 20 ans j'ai pu constater sur les milliers de patients que j'ai soignés que…* » Cela écarte aussi les formules toutes faites, dépourvues du moindre fondement, du type « *des études scientifiques ont montré que…* ».

Ainsi donc, bien que destiné au grand public, cet ouvrage se veut conforme aux principes scientifiques les plus rigoureux. En rédigeant les lignes qui suivent j'ai essayé d'anticiper une question qui pourrait légitimement se poser : pourquoi le lecteur devrait-il avoir plus confiance en ce que je dis qu'en ce que racontent d'autres « experts » porteurs, souvent, de titres académiques ou médicaux. Le fait est que je ne réclame nulle confiance préconçue et que je déteste par-dessus tout l'argument d'autorité qui substitue les titres (docteur, professeur, etc.) aux faits. Tout ce que j'avance dans ce texte reflète, non mes opinions personnelles, mais le résultat d'études scientifiques publiées dans les meilleures revues de la planète. Le lecteur pourra ainsi aller vérifier par lui-même l'authenticité des propos énoncés.

PARTIE I

Qui croire?

« Le problème majeur est là : n'importe quel éditeur peut promouvoir n'importe quel régime, certains avec des noms à consonance médicale (qui n'hésitent pas à se faire appeler « Docteur ») sans s'assurer en aucune manière de leur sérieux. [...] La nutrition est une science qui doit être étayée par des preuves. Chassons les fumistes de l'amaigrissement! »

Arnaud Cocaul, médecin nutritionniste[1]

Il y a maintenant presque quatre ans, en regardant mes filles dormir, j'ai soudain pris conscience de ma situation sanitaire catastrophique et du fait qu'il me fallait absolument maigrir de toute urgence, si je ne voulais pas risquer un accident majeur. J'avais jusque-là essayé plusieurs régimes commerciaux «à la mode», évidemment sans le moindre succès. Ce soir-là, je saisis enfin le taureau par les cornes. Dans un premier temps, j'acceptai de renoncer à l'espoir d'un miracle et aux fables ridicules des best-sellers de gare. Ensuite, je décidai de me pencher sérieusement sur la question de l'amaigrissement d'une manière à la fois scientifique et rationnelle.

« Si stigmatiser les gros marchait, cela aurait fonctionné depuis longtemps. Les gens obèses sont déjà les individus les plus ouvertement discriminés dans notre société, avec des données publiées montrant que le stigma du poids est plus pénétrant et intense que le racisme, le sexisme et d'autres formes de préjugés. »

Janet Tomiyama et Traci Mann, chercheurs en psychologie cognitive, université de Californie[2]

Au lendemain de cette résolution je me connectai à *Pubmed*, la plus grosse base de données médico-scientifique de la planète*. Cette visite inaugurale marqua le début d'une longue quête bibliographique qui allait me conduire à éplucher minutieusement la littérature existante. Pendant plusieurs mois je consacrai une large part de mon temps libre à la lecture d'articles spécialisés, ce qui me donna souvent la désagréable impression que j'avais ramené mon travail à la maison. Je suis en effet neurobiologiste, directeur de recherche au sein d'une institution publique, l'Institut national de la santé et de la recherche médicale (INSERM).

Dans un souci de pragmatisme, je choisis de réduire mon espace d'intérêt à l'évaluation successive de cinq questions fondamentales.

1. Quels bénéfices sanitaires, psychologiques et sociaux peut-on réellement attendre d'une perte de poids (ou, en d'autres termes, est-ce que les bénéfices obtenus valent vraiment les efforts consentis et les risques encourus) ?

2. Les régimes restrictifs les plus médiatisés (par exemple hyperprotéinés, hypocaloriques, hyperlipidiques, etc.) sont-ils efficaces, et surtout sont-ils sans danger ?

---

* Pubmed offre un accès gratuit à une base de données nommée Medline. Cette base de données internationale, médico-scientifique, est de loin la plus importante. Elle regroupe près de 6 000 journaux et plus de 20 millions d'articles de recherches (www.ncbi.nlm.nih.gov/pubmed).

3. Sommes-nous tous capables de maigrir si nous le désirons vraiment, ou certains doivent-ils, en raison d'un patrimoine génétique pénalisant, se résigner à vivre obèses en essayant simplement de limiter au mieux les conséquences négatives liées à leur état?

4. Quel est le régime alimentaire optimal pour maigrir sans danger, sur la durée?

5. Quels sont les principaux facteurs non alimentaires susceptibles d'optimiser le processus d'amaigrissement à court et long terme?

J'ai labouré obsessionnellement chacune de ces questions. J'ai alors découvert une réalité passionnante, à mille lieux des élucubrations rocambolesques affichées par tous les gourous du régime médiatique. La littérature scientifique montre clairement que maigrir sainement sur la durée est non seulement possible, mais aussi, au fond, assez simple pour qui le veut vraiment. Cependant, il faut se garder de confondre simplicité et facilité. Maigrir exige des efforts, surtout au début. Il faut d'abord, pour parvenir au but, renoncer à l'espoir dévastateur d'une solution miracle. Il faut ensuite accepter de «travailler» un peu intellectuellement. Cela veut dire, à minima, comprendre un certain nombre de principes fondamentaux de l'amaigrissement et adapter ces derniers à sa propre situation. C'est la raison d'être de ce livre que d'exposer ces principes de façon accessible. Une fois synthétisés, coordonnés et organisés, les savoirs scientifiques

> *« Nombre de croyances persistent sur l'obésité en l'absence de preuves scientifiques corroboratives (présomptions); d'autres persistent malgré des preuves contradictoires (mythes). »*
>
> Krista Carraza *et al.*, chercheurs en nutrition et santé publique, université d'Alabama[3]

patiemment amassés depuis plus de 50 ans dessinent une méthode d'amaigrissement remarquablement saine, optimale et efficace.

Mais avant d'entrer, si je puis dire, dans le vif de cet ouvrage et d'aborder les questions évoquées ci-dessus, il m'a semblé important d'exposer brièvement les fondements personnels de ma démarche. Il s'agit de dire à ceux qui veulent maigrir qu'ils ne doivent surtout pas baisser les bras, même s'ils se sentent englués dans des problèmes de poids apparemment insolubles. Vos revers passés sont aussi les miens et ceux de plus de 90 % des individus qui ont finalement réussi à perdre du poids avec succès sur la durée[4]. Ces déboires successifs témoignent moins de votre nature propre que de la structure désastreuse des approches employées. Pour qu'aucun doute ne subsiste sur ce point, je me permettrai d'ailleurs aussi de comparer rapidement au sein de cette courte introduction la crédibilité respective des régimes médiatiques à succès et du savoir scientifique si aisément décrié par les businessmen de l'amaigrissement.

J'espère vraiment, mon ami(e) d'infortune qui à ton tour désir maigrir, que les éléments réunis dans le présent ouvrage te seront utiles et t'aideront à sortir pour de bon de l'ornière du surpoids.

Petite promenade
au pays des baleines
et des régimes miracles

Enfant, déjà, j'étais un peu « rond », comme disait ma mère. Au rugby, l'entraîneur m'avait d'ailleurs baptisé « bouboule ». À l'école, les autres élèves trouvaient amusant de m'appeler, au choix, « gros sac », « gros lard » ou « gros porc ». Mon père avait opté pour un sobre « bouffi ». Je faisais face. Je riais. Pourtant, chacun de ces surnoms ajoutait à l'incommensurable dégoût que j'avais de moi-même. Heureusement, à l'adolescence, tout changea brusquement, comme par miracle. Je me mis à grandir et commençai à jouer au tennis comme un forcené. J'ai adoré ce sport, formidable d'intensité et de finesse. Mon corps aussi. Rapidement, celui-ci prit vie en s'affinant. Les quolibets disparurent. Je finis presque par oublier que j'avais été « gros ».

Une fois adulte, je réussis à contrôler mon poids avec plus ou moins de bonheur en alternant prises et pertes pondérales. Souvent, notamment au moment des vacances, des fêtes, ou lorsque le travail m'empêchait de faire du sport, je grossissais. Je me mettais alors au régime, ce qui pour moi signifiait simplement manger moins de cochonneries (confiseries, charcuterie, frites, etc.) et augmenter la dose d'activité physique. En quelques semaines j'arrivais à ramener mon poids en des zones raisonnables. Une fois, au début des années 1990, je connus une alerte plus sérieuse qui me vit dépasser assez largement la barre fatidique des 100 kg pour un mètre soixante-quinze. Je poursuivais alors mes études tout en travaillant comme professeur de tennis 30 heures par semaine et je venais de me mettre en couple. Cocktail fatal… heureusement rapidement résorbé. Quelques jours après que madame m'eut fermement prié d'aller promener ailleurs mes bourrelets superflus, le ministère de la recherche m'octroyait une bourse de doctorat. Grâce à cette dernière je pus redonner à mon emploi du temps un visage presque humain. Un peu de sport, un sommeil restauré, des légumes frais à la place du McDo et des plats préparés me permirent de retrouver, pour un temps, un semblant de normalité ; avant une nouvelle rechute en fin de thèse. Ce jeu de yoyo pondéral perdura bon an mal an pendant une bonne quinzaine d'années.

Un premier régime miracle pour lancer l'engrenage

C'est alors que survint l'an de grâce 2005. Nouveau bouleversement : un mariage, deux filles adorables et un séjour professionnel exigeant de 24 mois dans une grande université américaine. À mon retour en France, fin 2006, je dépassais de nouveau largement les 100 kg. Ébranlé par ce constat, je décidais d'agir énergiquement. La solution m'apparut dans un grand aéroport californien. Alors que j'arpentais le terminal international, en attente de mon avion, je tombai sur un ouvrage au titre prometteur : « La nouvelle révolution diététique du Dr Atkins : version complètement remise à jour. »[5] J'avais entendu parler de ce régime « miraculeux ». Je décidai d'essayer. L'idée était simple et tentante : très peu de glucides*, mais de la viande, de la charcuterie, du poisson, des œufs et du fromage à volonté. En quatre semaines, je perdis 12 kilogrammes. Mais le prix de cette fonte se révéla bien plus coûteux que les quelques dollars du livre et les centaines d'euros abandonnés à la boucherie-charcuterie du quartier. J'exhalais une haleine de chacal, je souffrais de constipation chronique, mes rares selles étaient imbibées de sang, j'éprouvais de lancinants maux de tête, j'étais victime de très douloureuses crampes musculaires, et le moindre effort physique m'épuisait. Pour adoucir ce long chemin de croix, je décidais de passer à la phase 2 du régime qui autorisait une prise de glucides un peu plus importante. Après quatre semaines d'efforts je n'avais pas perdu un gramme supplémentaire. Pire, j'avais repris 2 kg. J'interrompis cette pénible expérience avec un évident soulagement. En 12 mois tout le poids perdu reprit place, avec un petit supplément de 3 kg. Pour la première fois de mon existence, j'atteignais le poids pharaonique de 107 kg. Dire que le choc fut rude serait un euphémisme.

Suite à cet épisode, mon poids continua à dériver imperceptiblement, bien en dehors de ses limites antérieures. C'est comme si ce régime dément, d'une violence inouïe pour le corps, avait déréglé tout mon système de contrôle pondéral. À l'automne 2009, j'atteignais 117 kg. Mon épouse Caroline et moi-même travaillions beaucoup, nos enfants accaparaient la

---

* Certains auteurs préfèrent la terminologie (plus ancienne) « hydrates de carbone ». Les deux expressions sont synonymes.

quasi-totalité de notre temps libre et nous préférions octroyer à notre vie de couple, plutôt qu'à la salle de gym, les rares instants de liberté que nous parvenions péniblement à détacher de nos existences frénétiques. Pour ne rien arranger, Caroline se révéla porteuse du terrible gène «de la mère nourricière», héritage évolutif particulièrement étrange qui associe, chez certaines femmes, amour et gavage. En première approche, on peut résumer l'idée comme suit : «*Je t'aime donc je prends soin de toi, donc je te fais "bien" manger [c'est-à-dire riche, gras et abondant à l'image de mon amour], donc [c'est là que la logique commence à déraper] si tu ne manges pas c'est que je suis une mauvaise mère/épouse, et si je suis une mauvaise mère/épouse mon enfant/mari ne m'aimera plus, et donc [c'est là que la logique devient vraiment peu évidente pour le commun des mortels] si tu ne manges pas c'est que tu ne m'aimes pas!*» D'autant plus imparable que, comme le dit l'adage, quand on aime on ne compte pas.

Une spirale incontrôlable

C'est ainsi qu'arriva le 29 septembre 2009. Je me rappelle parfaitement ce jour; c'était l'anniversaire de notre petite Valentine. L'ascenseur était en panne. Nous habitions au cinquième étage. Les courses dans la main gauche, la petite sous le bras droit, j'attaquais vaillamment l'escalier. Quelques minutes plus tard, je parvenais au port, en apnée totale, le visage cramoisi, la bouche spumeuse, les poumons brûlants et le corps pétrifié. Je pus voir brièvement un soupçon d'inquiétude sur le visage interrogateur de mon épouse, alors que la petite singeait rigolarde, du haut de ses 4 ans, ma respiration convulsive de vieillard asthmatique. Ce fut comme un déclic, une prise de conscience aussi brutale qu'inattendue. Quelques jours plus tard je prenais rendez-vous chez un médecin généraliste. Celui-ci me pesa tout habillé, m'ausculta rapidement, trouva ma tension satisfaisante, déclara que les résultats de la prise de sang qu'il m'avait prescrite étaient parfaitement normaux et m'annonça qu'il serait quand même préférable, « *effectivement* », que je perde « *un peu de poids* ». « *Plus de 115 kg, c'est trop pour votre taille* », me dit-il. L'homme m'expliqua ensuite qu'il était adepte des régimes hyperprotéinés car ce sont « *les plus efficaces et les plus rapides* ». Pour assurer ses dires, il me tendit le dépliant publicitaire d'une société spécialisée dans la vente d'aliments en sachets. « *Tout est expliqué dans la brochure, c'est très simple à suivre, vous verrez.* » Consigne me fut donnée de revenir six mois plus tard « *pour faire le point* ». Fin de la consultation. De retour chez moi, j'examinai ma prescription. « *Efficacité scientifiquement reconnue* », claironnait la page de garde. À voir les produits proposés, je l'admis volontiers. Je me demandai en effet qui pourrait avoir envie de manger des trucs pareils, surtout à un prix aussi exorbitant ! Je décidai donc, sans le moindre regret, de renoncer aux sachets, mais conservai dans un coin de ma tête l'allégation selon laquelle rien ne valait une bonne cure de protéines pour venir à bout des kilos superflus.

Je vis alors, dans un magazine féminin, un article flatteur sur la chrononutrition. Sur le papier, l'idée était magique. Je pris rendez-vous chez une spécialiste du domaine, nutritionniste, docteur en pharmacie, chaudement recommandée par une collègue de mon épouse. Pour 90 euros, je repartis avec une liste de grands principes généraux. Le matin je devais manger gras et riche mais sans sucre (du fromage ou du beurre avec une tranche de pain, par exemple *). À midi j'avais le droit

---

* Comme si les glucides du pain n'étaient pas techniquement des sucres.

de consommer de la viande avec quelques féculents, mais sans gras (un steak avec des pâtes par exemple*). À quatre heures, des fruits, des oléagineux ou du chocolat noir. Le soir, des légumes à l'eau avec du poisson ou un peu de viande blanche. J'essayais, avec rigueur, mais sans grande illusion il me faut l'avouer. Je ne perdis pas un gramme. Pire, en deux mois je pris 3 kg. Je mis sans regret un terme à cette affligeante absurdité.

Rien ne paraissait pouvoir arrêter la spirale infernale dans laquelle je m'étais enfermé. Je travaillais comme un âne, je ne pratiquais plus aucune activité physique digne de ce nom, je dormais moins qu'un insomniaque épileptique et je bâfrais comme un goret concupiscent. En juin 2010, j'affichais 124 kg sur la balance. C'est à ce moment-là que mon poids finit enfin par se stabiliser. Pour la première fois depuis ma triste expérience « Atkins », je restai de longues semaines sans prendre un gramme. Soulagé, je décidai, un matin, qu'un nouveau jean ne serait pas de trop. Accompagné de mon épouse, je pris la direction du centre commercial de la Part-Dieu, à Lyon. Nous commençâmes par le magasin C&A dont je savais qu'il stockait des tailles élevées. J'essayai un 40, puis un 42, puis un 44 et puis… plus rien. J'eus beau chercher frénétiquement un 46, je n'en trouvai aucun. « *Il faut vous rendre dans un magasin spécialisé pour les "grandes tailles", me dit soudain la vendeuse avec un air sincèrement affligé ; ici vous ne trouverez rien au-delà du 44.* » Deux ados entendirent la remarque et lancèrent à la cantonade avant de s'éloigner, visiblement satisfaits de leur trait d'esprit : « *Y'a un rayon baleine chez Nature et Découvertes.* » Même Caroline ne trouva rien à dire.

---

* Comme si la viande, notamment rouge, n'était pas une source majeure de gras.

Un ultime désastre en guise de déclencheur

René, mon père, disait souvent que la désespérance est mère des pires sottises. J'eus le tort d'oublier cet adage de bon sens. Encore accablé par mon passage chez C&A, je décidai de tenter un nouveau régime miracle: le régime «Dukan». Ce nom sonnait en 2010 dans les médias comme une absolue panacée. J'achetai le dernier ouvrage de ce médecin nutritionniste à l'allure sympathique et aux promesses assurées[6]. Les premières pages du texte ne faisaient d'ailleurs pas dans la dentelle. « *La méthode que je propose. J'ai du mal à l'écrire, tant cela peut paraître immodeste, mais je pense fondamentalement que, de toutes celles proposées à ce jour, c'est, et de très loin, la meilleure d'entre elles. [...] Elle me parait être la meilleure façon actuelle de maigrir et surtout de ne pas regrossir. Je milite pour que cette méthode devienne un standard de référence dans la lutte contre le surpoids dans le monde.* »

Au menu, très peu de glucides et une orgie, à volonté, de protéines plus ou moins maigres (filet de poulet, côte de veau, rosbif, saumon, tofu, œufs, etc.). Je suivis le programme à la lettre, d'abord la «phase d'attaque» de six jours (protéines pures), puis la phase de croisière pendant un mois (alternance de cinq jours de «protéines pures» et de cinq jours de «protéines + légumes»). Sur toute cette période, je bus beaucoup et pris consciencieusement, chaque matin, mes petites gélules de vitamines. En un peu plus d'un mois je perdis 10 kg. Malheureusement, mon corps ne toléra pas plus longtemps que je le brutalise de la sorte. Il me le fit savoir par l'intermédiaire d'une effroyable crise de goutte, témoignage douloureux du calvaire que j'étais en train d'infliger à mes organes rénaux et hépatiques*. Immédiatement je décidai de

---

* La goutte est en effet due à un excès d'acide urique dans le sang; excès lié lui-même, notamment, à une consommation trop élevée de viandes et fruits de mer[7,8].

cesser cette folie. Quatorze mois plus tard, ma goutte n'était plus qu'un mauvais souvenir, mais j'avais (évidemment) repris tout le poids si péniblement perdu, plus un petit bonus. Je me stabilisais finalement autour de 129 kg. Comment échapper à l'évidence? Plus j'essayais de perdre du poids, et plus j'en prenais!

Lire pour maigrir,
écrire pour partager

Au regard de la classification défendue par l'Organisation mondiale de la santé (OMS), je venais d'atteindre l'ultime stade de ce qui est aujourd'hui reconnu comme une véritable maladie par la plupart des grandes institutions sanitaires nationales et internationales : l'obésité[9]. J'étais désormais un obèse de classe III, porteur d'un risque de morbidité *« très important »*. Traduction : ou je trouvais une solution, ou je risquais à brève échéance de finir au mieux entre quatre planches, au pire comme un légume. Ce stade du légume, je l'avais d'ailleurs déjà rencontré, enfant, avec mon père. Un homme brillant et magnifique, terrassé un beau jour par un accident vasculaire cérébral. J'étais en sixième, c'était un mercredi. Lorsque je revins du collège, à midi, l'ambulance était là. Jamais je ne revis mon père. L'épave qui au bout de quelques semaines rentra de l'hôpital n'était qu'une illusion informe, une ombre incontinente à l'esprit défaillant. J'ai aimé cette ombre de toute mon âme d'enfant. Durant des années, je l'ai accompagnée plein d'espoir, nourri des mensonges répugnants et sordides d'un médecin méprisable. J'aurais donné n'importe quoi pour retrouver mon père «d'avant», ne serait-ce qu'un instant. J'aurais donné davantage encore pour que l'on daigne me dire la vérité. Ce genre de déchirement, il n'était pas question que je l'impose à mes filles. Si je n'arrivais pas, pour moi-même, à résorber l'ampleur de mon obésité, il faudrait que j'y parvienne, pour elles, pour préserver mes proches.

Substituer aux illusions trompeuses l'étude des faits scientifiques

Armé à la fois de ma tristesse d'enfant et de mes peurs d'adulte, j'entrepris donc de trouver seul ce que les marchands de rêves et d'illusions n'avaient su m'apporter. Un peu perdu et ne sachant vraiment par où commencer, je finis par me rappeler que j'étais chercheur au sein d'une institution publique prestigieuse et que j'avais eu la chance, étudiant, de côtoyer certains des plus grands esprits de la planète. Le professeur Marc Jannerod, éminent neuroscientifique aujourd'hui disparu, était de ceux-là. Alors que je venais d'arriver dans son laboratoire, il passa un matin devant la porte de mon bureau, me demandant comment se passait mon intégration. «*Bien*, lui répondis-je en le remerciant. *En fait, je ne fais pas grand-chose, je lis.*» Visiblement cette réponse agaça prodigieusement celui qui allait devenir mon directeur de thèse. «*Si vous n'aimez pas lire*, me tança-t-il, *il faut changer de métier. Un bon chercheur passe plus de temps à la bibliothèque qu'à la paillasse.*» Ce message, j'en fis rapidement l'un des piliers de mon travail. Après des années d'errances et de régimes aussi douteux que menaçants, sans doute était-il temps que je m'en souvienne et étende la démarche au champ privé de mon obésité.

Le moins que l'on puisse dire c'est que mes efforts ne furent pas vains. En un peu moins de trois ans, je passais de 129 à 78 kg, soit une chute de 50 kg correspondant à 40 % de mon poids initial ; presque une moitié de moi ! Cette chute représente, en moyenne, un peu plus de 300 grammes par semaine. Après plusieurs mois de stabilisation, non seulement je n'ai pas repris le moindre gramme, mais j'ai continué à maigrir doucement pour atteindre, à l'heure où j'écris ces lignes, un poids de 74 kg. Mon bilan biologique est aujourd'hui aussi satisfaisant que celui d'un bébé. Même si les choses ne furent pas toujours simples à gérer, à aucun moment je n'eus à souffrir du manque ou de la faim. Jamais je ne ressentis de fatigue excessive. Jamais non plus je ne mis mon corps en danger. Oubliés, les infernales crises de goutte, l'haleine de chacal et les chèques à rallonge chez le fromager du coin ou le marchand de volaille. Finis, les regards moqueurs des passants, la honte de déborder de mon siège dans le métro et les jeans taille baleine de C&A. Terminée, cette petite voix qui chaque soir murmurait perfidement à mon oreille, après que j'ai dit bonsoir à mes filles et passé ma journée à voir des patients au cerveau mutilé, « *à demain… si je suis encore là* ».

Ne plus avoir au-dessus de ma tête cette véritable épée de Damoclès fut une libération. J'y repensais il y a quelques jours, en portant la petite sur mes épaules, après qu'elle s'était fait mal au pied en jouant dans un parc à Lyon. Il ne me fallut malheureusement pas longtemps pour oublier cette belle pensée et percevoir combien la charge était lourde et ma démarche pénible… c'est alors que j'ai réalisé, que quelques mois auparavant, chaque pas que je faisais m'imposait de supporter, en plus de mon poids actuel, le poids de deux enfants identiques à la mienne. Dire que cela illumina ma soirée serait un euphémisme. La vie s'avère tellement plus belle et prolifique quand le corps est valide et gaillard. Fort de ce constat, j'ai même recommencé à jouer au tennis avec un plaisir infini.

Je suis convaincu que le chemin qui fut le mien* pourra être utile à d'autres et notamment à ceux qui n'ont ni le temps, ni les moyens financiers, ni la formation académique pour plonger dans une littérature scientifique certes généreuse de connaissances mais aussi onéreuse d'accès[10] et difficile d'abord. Le message principal qui se dégage des milliers d'études et dizaines d'ouvrages que j'ai pu consulter pour finir par maigrir durablement est prodigieusement simple : les régimes miracles ne fonctionnent pas. Ils sont un leurre commercial, à la fois nuisible sanitairement et ruineux économiquement. En pratique, ces approches se développent dans leur quasi-totalité sur une espèce de bouillie pseudo-scientifique dont il n'est pas besoin d'interroger longuement les fondations pour percevoir la vacuité grotesque. *« Une silhouette musclée sans effort »* grâce à la chrononutrition[11], *« un programme efficace et facile pour retrouver la ligne en 15 jours »* grâce aux soupes brûle-graisses[12], une méthode *« simple pour détoxifier son organisme et perdre du poids sans danger et sans effort »* grâce au régime citron[13], une approche *« sans privation ni frustration »* pour *« perdre jusqu'à 8 kg en 4 semaines, en dormant »* grâce aux biorythmes[14], une martingale intergalactique pour faire *« fondre vos kilos superflus en suivant les cycles lunaires »*[15], etc. ; tout cela ne semble guère sérieux.

---

* Ce mot me valut, lorsque je l'écrivis, un fort joli lapsus. Ce n'est pas « mien » que je tapais alors automatiquement, mais « bien ». Difficile d'y voir une erreur de frappe tant le « m » et le « b » sont éloignés sur le clavier. Inconscient, quand tu nous tiens…

Le miracle ne dure jamais longtemps

Cependant, et c'est bien là l'origine du désastre, toutes ces méthodes fonctionnent à merveille au début. Il n'est pas un régime miracle, aussi débile et farfelu soit-il, qui échouera, pendant sa phase initiale, à effacer quelques kilos de la balance. Un petit nombre (par exemple les hyper-protéinés) vous conduira à éliminer temporairement quelques litres d'eau en vous faisant uriner comme un soiffard incontinent. Une large majorité se révélera simplement hypocalorique, une fois évacuées les formulations et préconisations plus ou moins exotiques[16]. À l'unanimité, ils vous amèneront à prendre conscience de vos comportements alimentaires, à faire attention à ce que vous consommez effectivement et sans doute à vous peser plus fréquemment, comportements qui, nombre d'études l'ont démontré, conduisent à manger substantiellement moins.[17-22]

Malheureusement, tous ces effets ne peuvent être que fugitifs. Il y a à cela trois raisons principales. D'abord, les attraits du changement sur la motivation sont par définition fragiles et éphémères, condamnés à s'estomper rapidement. Ensuite, nul ne peut uriner à l'infini et le miracle hydrofuge atteint rapidement ses limites. Enfin, et surtout, il arrive toujours un moment où le corps se rebelle contre les pratiques alimentaires dangereuses et restrictives qui portent atteinte à son intégrité. Ce dernier point est fondamental. En effet, en dernière analyse, et abstraction faite de leurs préconisations spécifiques souvent contradictoires, si les régimes miracles ne fonctionnent pas sur le long terme c'est avant tout parce qu'ils exposent l'organisme à de lourdes carences et le condamnent dès lors, *in fine,* à une profonde détresse physiologique[16].

Et votre corps devient votre pire ennemi

Quand la volonté doit affronter la chair, la victoire revient toujours à cette dernière. Si vous mettez votre corps en souffrance, il se battra. Si vous l'obligez à prendre les armes contre vous, il le fera avec toute la puissance et l'âpreté dont il est capable. Vous gagnerez bien sûr quelques batailles, au commencement, mais à terme, votre défaite s'avérera inéluctable. Pour l'organisme, le surpoids n'est pas perçu comme une menace vitale. Le manque si, qu'il soit calorique ou spécifique de certains nutriments. À terme, votre être tout entier finira par devenir l'ennemi irréductible de vos résolutions. Il se défendra avec une énergie farouche, soumettant votre volonté à des envies de plus en plus sauvages et convulsives. Fatalement, vous vous épuiserez. Puis, imperceptiblement, vous commencerez à fléchir, jusqu'à perdre totalement pied. Alors, tout le poids si durement effacé reviendra irrévocablement. Vous vous sentirez coupable et misérable. Vous aurez perdu non seulement votre combat contre les kilos, mais aussi votre motivation et votre estime personnelle. À terme, peut-être trouverez-vous finalement la force de récidiver, porté par un nouvel espoir extravaguant. Vous perdrez une fois de plus du poids... que vous reprendrez inexorablement. Malheureusement, ces fluctuations ne sont pas seulement frustrantes et décevantes. Elles sont aussi, j'y reviendrai, usantes et dangereuses pour la santé.[16, 23, 24] Heureusement, la bonne nouvelle, c'est que contrairement à ce que l'on a cru longtemps[25], le fait d'avoir suivi plusieurs régimes n'altère en rien notre capacité à reperdre du poids lors d'une nouvelle tentative.[26, 27]

Si vraiment vous voulez arriver au terme de votre voyage, surtout ne violentez jamais votre fidèle carcasse, ne la mettez jamais en posture d'affliction ou en état de rupture. Menez votre barque avec douceur et tempérance, et vous augmenterez considérablement vos chances de parvenir au but. Si vous respectez votre corps, si vous renoncez à le violer, à l'agonir, à le martyriser, alors il vous suivra sans protester ni résister. « Qui veut aller loin ménage sa monture », dit l'adage. Dans cette perspective, nombre de recherches ont révélé que plus un individu possède une connaissance et une appréhension fines des concepts fondamentaux de la nutrition, plus il a de chances de se nourrir sainement, et moins il court le risque d'être obèse.[28-35] Selon les conclusions d'une étude récente impliquant plusieurs milliers de sujets ayant perdu en moyenne 30 kg sans rechute sur une période supérieure à cinq ans, « *perdre du poids avec succès, sans le reprendre, nécessite de savoir d'une part ce qu'il faut faire (c'est-à-dire quels comportements adopter) et d'autre part comment faire pour maintenir ces changements à long terme* »[36].

Plus vous parviendrez à adapter finement les caractéristiques de votre régime alimentaire aux spécificités de votre situation personnelle, plus vous arriverez à faire, par vous-même, au quotidien, les « bons choix », plus votre motivation s'appuiera, non sur des injonctions arbitraires imposées de l'extérieur, mais sur votre désir propre, et plus vous aurez de chances d'aboutir à des résultats épanouissants, positifs et durables.[25, 37-40] À ce sujet, plusieurs études ont montré l'effet fortement bénéfique des programmes d'aides visant à renforcer l'autonomie individuelle et la conviction intime que l'on maigrit pour soi-même et pas pour se conformer à une image médiatique souvent déraisonnable ou faire plaisir à un conjoint qui nous trouve trop gros(se).[41-46] D'autres travaux ont aussi établi, à l'inverse, que les interventions déresponsabilisantes visant à offrir au sujet des solutions toutes faites et autres incitations extérieures, par exemple financières, étaient au mieux inefficaces[47] et au pire délétères[48]. Comme l'indiquent les auteurs d'une large synthèse des études scientifiques disponibles sur la question de l'auto-nomie individuelle, «*lorsque les institutions – familles, écoles, entreprises, et équipes sportives, par exemple – se focalisent sur le court terme et choisissent de contrôler le comportement des gens, elles courent le risque d'exercer une action négative substantielle à long terme*»[49]. Un constat que valident sans détour les spécialistes de l'Agence nationale de sécurité sanitaire (ANSES) quand ils écrivent dans un rapport récent que si «*à court terme, le régime préétabli simplifie la tâche du praticien et lui fait gagner du temps [...] à long terme, il garantit l'échec de tous*»[16].

C'est donc pour toutes ces raisons que j'ai obstinément tenu, au sein de cet ouvrage, à expliquer le pourquoi et le comment des choses.

Mon gourou médiatique m'a dit

Commençons par nous pencher sur le gouffre méthodologique qui sépare la démarche scientifique des fulgurances brumeuses des vendeurs de régimes. Ces derniers sont souvent prompts à évoquer, en gage de compétence, les dizaines de milliers de patients qu'ils auraient vu en consultation et/ou les millions d'ouvrages qu'ils auraient vendus dans tous les pays du monde.[5, 11, 50] À ce jeu, Pierre Dukan, dont le régime bat tous les records d'usage et de popularité[51], affiche une incontestable virtuosité. «*Après trente-cinq ans d'expérience quotidienne,* nous dit ce nutritionniste, *j'ai acquis la conviction que [ma méthode] était la meilleure de toutes celles que je connaissais! Des preuves? Plus de 3 millions de français l'ont essayé et 10 ans après sa parution l'ouvrage est en tête de toutes les ventes de livre, derrière Harry Potter.*»[52]

Nul discours n'est plus à même de désespérer le monde scientifique, et ce pour au moins deux raisons. Premièrement, la science s'est construite dans la douleur, sur les cendres du bon sens, en substituant progressivement l'expérimentation à l'expérience.[53, 54] Assise sur les difformités de notre subjectivité cette dernière s'avère, en effet, profondément trompeuse. Ainsi, par exemple, comme l'écrivait Lactance, précepteur de l'un des fils de l'empereur romain Constantin et précurseur des positions de Saint-Augustin concernant la possible sphéricité de la Terre : « *Qui serait assez insensé pour croire qu'il puisse exister des hommes dont les pieds seraient au-dessus de la tête, ou des lieux où les choses puissent être suspendues de bas en haut, les arbres pousser à l'envers, ou la pluie tomber en remontant ?*»[53] Personne, évidemment. « *Une terre [plate], immobile et plantée au centre de l'univers,* nous dit d'ailleurs à ce sujet Daniel Boorstin dans l'un des plus beaux livres qu'il m'ait été donné de croiser *: est-il rien de plus évident pour nos sens ? C'est bien pourtant par la négation de cette évidence-là que commence la science moderne.* »[53] Un exemple parmi des milliers, d'où il ressort qu'en appeler à l'expérience personnelle ou au sens commun pour justifier quelque théorie que ce soit est aussi pertinent que de demander à un aveugle d'expertiser les enluminures d'un missel.

Cela nous amène à notre second point et au problème de la preuve. Ma méthode est la meilleure, nous dit Dukan, trois millions de Français l'ont essayée. Impressionnant. Mais dénué du moindre sens et de la plus petite portée. En effet, à un premier niveau il semble pour le moins osé d'associer succès éditorial et démonstration de vérité. Si l'on choisissait d'accorder crédit au paralogisme de Monsieur Dukan (et de ses nombreux collègues qui usent d'une stratégie similaire en dégainant phalliquement leurs chiffres de vente), il nous faudrait immédiatement convenir de l'existence de Dieu. En effet, la bible est l'ouvrage le plus lu au monde, traduit dans 2 454 langues, elle s'est vendue à 25 millions d'exemplaires aux États-Unis pour la seule année 2005, largement devant *Harry Potter*.[55-56] Tout cela est d'autant moins sérieux que le chiffre avancé par Monsieur Dukan est totalement invérifiable. S'il n'en fallait qu'une preuve, celle-ci pourrait se trouver dans la valse ridicule des affirmations numériques produites par les différents ouvrages de cet auteur. Plus de trois millions de Français ont essayé la méthode, selon la préface de *Je ne sais pas maigrir*[52]. Une valeur toutefois contredite par la quatrième de couverture du même ouvrage selon laquelle «*on évalue aujourd'hui à plus de dix millions le nombre de personnes adeptes de ce régime en France*». En 2009, le résumé de *La méthode Dukan illustrée* annonçait un million de lecteurs ayant adopté la méthode Dukan, depuis 2001[6]. Dans l'introduction, on obtenait toujours ce même million mais pour l'ensemble des individus ayant simplement lu le livre dans plus de 20 pays. Alors, un, trois, dix millions? Dans un ou vingt pays? Ayant simplement lu l'ouvrage ou effectivement suivi le régime? À un instant donné ou en valeur cumulée depuis 2001? Choisissez, de toute façon personne n'en sait rien.

Des promesses fumeuses et invérifiables

Ce problème d'intelligibilité des chiffres est tout à fait central. En effet, loin de ne porter que sur les valeurs d'adhésion, il renvoie souvent, aussi, à des promesses d'efficience. Perdez «*jusqu'à 8 kg en 4 semaines maxi*»[57], «*jusqu'à 8 kg en 4 semaines, en dormant*»[14], «*jusqu'à 7 kg en 15 jours et ne les reprenez plus jamais*»[58], «*jusqu'à 3 à 5 kg en deux semaines*»[59], «*8 kg en 14 jours sans jamais les reprendre*»[60], etc.

Qu'est-ce que cela peut bien vouloir dire? Qu'une étude quantitative a été réalisée? Que l'auteur nous offre obligeamment une valeur «à vue de nez» parce que celle-ci lui semble plausible et/ou vendeuse? Que les adeptes perdent tous sept ou huit kilos sur la période considérée? Que les adeptes perdent, en moyenne, sept ou huit kilos sur la période considérée? Qu'un adepte, un jour, a perdu sept ou huit kilos pendant que les autres concédaient péniblement 50 grammes? Et que dire de ce ridicule *« ne les reprenez jamais »*. Qui peut décemment faire une telle promesse, sachant que l'écrasante majorité des candidats aux régimes commerciaux reprennent inexorablement, en quelques mois, tout le poids perdu. Car, encore une fois, le principal problème de l'amaigrissement ne réside pas tant dans la perte de poids elle-même que dans l'incapacité de l'organisme à maintenir le poids perdu.[16, 24, 61-66]

Sur le fond, l'affirmation d'irrévocabilité de la perte pondérale est d'autant plus préoccupante qu'elle offre au lecteur de pernicieux espoirs et se retrouve chez nombre d'auteurs à succès dont, par exemple, évidemment, le célèbre Pierre Dukan. Selon les dires de ce nutritionniste, 40 % des patients traités par sa méthode ne reprennent jamais le poids qu'ils ont perdu[67]. Quarante pour cents de réussite définitive, le chiffre est colossal; en moyenne, presque 10 fois plus important que celui typiquement rapporté dans les études scientifiques*. Impossible cependant de savoir d'où sortent ces données** et de localiser le moindre travail académique susceptible d'en corroborer la teneur. C'est d'autant plus ennuyeux que Pierre Dukan reconnaissait lui-même quelques mois auparavant dans l'un de ses ouvrages: *« Je ne connais pas hélas la proportion de celles et ceux qui ont suivi le régime proposé, encore moins de celles et ceux qui ont atteint leur juste poids, qui l'ont consolidé, et surtout qui ne l'ont jamais repris. »*[6] Dans ce même ouvrage, toutefois, on nous expliquait aussi péremptoirement que *« plus d'un million*

---

* Cf. *Un échec généralisé*, p. 115
** La journaliste qui a interviewé Pierre Dukan pour un grand quotidien national a évidemment rapporté le chiffre tel quel sans s'inquiéter de sa provenance ni de sa crédibilité.

de lecteurs de Je ne sais pas maigrir *ont adopté la méthode de Pierre Dukan et ont maigri durablement».* Il faut quand même pas mal de culot pour, au sein d'un même manuscrit, reconnaître que l'on n'a pas la moindre idée de l'efficacité à court et long terme d'une méthode tout en clamant que celle-ci a permis à un million d'individus de maigrir durablement.

Des preuves introuvables

Il arrive fréquemment que nos «hommes de terrain» invitent la science à leur table. J'avoue que cela peut se révéler très divertissant. La palme, en ce domaine, revient incontestablement à Alain Delabos, père fondateur de la chrononutrition. Ce médecin, nous explique dans son dernier ouvrage que «*le professeur Rapin, chercheur en pharmacologie, [a permis] en 1996 au Dr Delabos, médecin chrono-nutritionniste, de valider scientifiquement son expérience clinique de la rééducation alimentaire naturelle*»[11]. Vivement intéressé par cette affirmation, je décidai de me lancer sur la piste des travaux en question. Je ne découvris aucune amorce d'embryon de résultat susceptible d'étayer les thèses chrononutritives du Dr Delabos. Je ne pus identifier aucun article relatif à ce sujet précis, signé par le Pr Rapin*. Nullement découragé, je finis par envoyer un email à l'Institut de recherche européen sur la nutrition et la santé (IREN'S), créé par Alain Delabos, pour demander

---

* Les travaux du professeur Jean-Robert Rapin sont à la fois d'excellente qualité et dûment référencés sur *Pubmed* (89 articles répertoriés pour le mot clé: Rapin JR [author]). Toutefois, après les avoir consultés en détail, j'ai beaucoup de mal à voir comment ces travaux peuvent offrir la moindre «*confirmation scientifique*» aux théories chrononutritives du Dr Delabos. La combinaison du nom Rapin et du mot chrononutrition ne retourne d'ailleurs aucune référence (Rapin JR [author]) AND (chrononutrition OR Chrono Nutrition). (Accès le 15/11/2014).

les références des travaux que je pourrais éventuellement consulter. Peine perdue. En désespoir de cause, je décidai de contacter directement le Pr Rapin. Celui-ci me répondit que «*en effet, il y a peu d'articles* référencés *à* Pubmed; À *part les deux derniers* [de 2010 et 2012; ce qui, par parenthèse, nous place très loin de l'année 1996 évoquée par M. Delabos comme celle de la validation scientifique originelle de ses théories]. *J'ai beaucoup publié dans les journaux médicaux sur ce sujet. Pour vous rendre service je peux vous adresser des tirés à part.*» Curieux, j'allai voir sur *Pubmed* pour constater que les derniers articles de Pr Rapin n'avaient en fait aucun rapport avec la chrononutrition et les assertions de Monsieur Delabos*. Je renvoyai donc un message au Pr Rapin lui demandant si j'avais identifié les bons articles et lui signalant que j'aimerais bien, effectivement, recevoir les papiers corroboratifs qu'il avait publiés sur le sujet. J'attends toujours une réponse à cette demande. En résonance avec ces déboires, deux nutritionnistes concluent d'ailleurs dans un ouvrage récent que la chrononutrition est un «*régime très complexe et codifié [...] Aucune étude scientifique ne prouve qu'actuellement le fait de suivre ses rythmes biologiques permettent de maigrir. La chrononutrition est un régime "gras", riche en acides gras saturés.*»[72] Cela ne veut pas dire, évidemment, que l'avenir ne finira pas (qui sait!) par donner raison à Alain Delabos. Mais, cela signifie clairement que, pour le moment, les déclarations péremptoires de notre bon docteur sur l'assise scientifique de ses théories chrononutritives manquent cruellement de substance.

---

* Je pus identifier quatre articles entre 2010 et 2012. L'un portait sur les pathologies microvasculaires[68]; le deuxième sur le fructose et les désordres cardiométaboliques[69]; le troisième sur le rôle de certains éléments chimiques peu concentrés (zinc, lithium, etc.) dans les désordres glucométaboliques[70]; le dernier sur la perméabilité intestinale[71].

Une affligeante bouillie pseudo-scientifique

Cela étant dit, en l'absence de preuves identifiables, le mieux consiste encore, sans doute, pour évaluer les dires du Dr Delabos, à se pencher sur les présupposés théoriques de sa méthode. Le résultat ne manque alors pas d'un certain piquant. Ainsi, selon les mots mêmes de notre spécialiste : «*Il n'y a qu'une façon de se nourrir correctement afin d'avoir un corps mince et en bonne santé : c'est celle que nos lointains ancêtres suivaient d'instinct pour survivre, obéissant aux lois de la nature, comme le font encore les animaux sauvages [...] L'être humain primitif était carnivore-frugivore et suivait, comme tous les autres mammifères, un schéma alimentaire journalier et saisonnier permettant sa survie [...] Un animal carnivore-frugivore va manger inéluctablement : gras le matin ; dense le midi ; sucré l'après-midi. Si l'on se réfère aux études des paléontologues, il apparaît que l'être humain primitif, régi par ses pulsions instinctives, suivait pour se nourrir une immuable chronologie quotidienne de la nutrition. Omnivore, cet être primitif était chasseur et cueilleur, conditionné pour : boire au lever ; chasser et tuer sa proie ; manger toujours en premier les organes riches en graisses (foie, cerveau) et en sucres lents (entrailles remplies de végétaux prédigérés) s'il s'agissait d'herbivores ; laisser ensuite sa proie se ressuyer (sécher) à l'air, au vent et au soleil, puis manger les muscles riches en protéines ; enfin à la réapparition de l'appétit dans la journée, cueillir fruits, graines ou racines suivant les saisons et l'environnement.*»[57]

Ah, ce bon vieux sauvage si cher à Rousseau. Quelle existence captivante! Je l'imagine fort bien, heureux et prospère, buvant le matin un nectar délicieusement frais avant de partir chasser l'âme légère, se nourrissant du produit de son ouvrage : d'abord un bon cerveau bien gras, puis, plus tard quelques quartiers de muscles appétissants, rôtis sous les ors du soleil, et enfin, le soir une poignée de fruits frais ou de baies succulentes. Un régime tellement crédible et efficient, qu'il permit à nos aïeux de jouir d'une extraordinaire « *bonne santé* » comme en témoigne la phéno-ménale espérance de vie atteinte à cette époque bénie : 30 ans[73].

Franchement, que d'âneries ! Comment savoir si nos ancêtres directs, dont les plus anciens étaient tous, rappelons-le, essentiel-lement herbivores,[74, 75] mangeaient d'abord le foie, la cervelle, le fessier ou le quadriceps de leurs proies ? Alors qu'*Homo ergaster*, par exemple, a laissé de nombreux indices suggérant qu'il consom-mait effectivement le tissu musculaire de ses prises, il n'est pas du tout certain qu'il ait atteint le savoir-faire requis pour fracasser le crâne de ces dernières et manger leur cerveau[74]. Comment établir d'ailleurs, avant même d'aborder cette question chronologique, que les organes disponibles ne se voyaient pas simplement répartis entre les différents membres du groupe, de telle sorte que chacun consommait, non la belle succession théorique du Dr Delabos, mais un morceau de viande spécifique[76] ? Comment concevoir un seul instant que les premiers hominidés réservaient la viande au matin et les fruits à la tombée du jour ? Il suffit de regarder nos plus proches cousins, les chimpanzés, pour voir que ces animaux « carnivores-frugivores » organisent leur recherche de nourriture de façon strictement opportuniste. La quête alimentaire occupe alors la quasi-totalité du temps de veille et les repas sont faits, au hasard des rencontres et des circonstances, de fruits, de végétaux divers, de fourmis, de termites, d'œufs d'oiseaux et/ou, parfois, de petits vertébrés.[74, 75, 77-79] Les études menées sur diverses sociétés humaines ancestrales de chasseurs-cueilleurs confirment ce point en démontrant que les comportements alimentaires primitifs ne suivent nullement « *une immuable chronologie quotidienne* ». Ils varient massivement en fonction des collectivités, des situations géographiques, de l'âge, du sexe, des saisons, des opportunités, du statut social des protagonistes, de la taille du groupe, etc.[80-82]

Je ne sais pas bien à quels anthropologues se réfère Alain Delabos pour justifier ses dires, mais ceux dont j'ai pu lire les travaux confirment clairement *«qu'il n'y avait pas de régime nutritionnel universel pour l'homme de l'âge de pierre».*[83, 84] Comme le souligne une récente et excellente synthèse de la littérature scientifique, *« le régime paléolithique est caractérisé par une alternance de périodes d'abondance et de famine. À travers leur histoire évolutive, les humains se sont adaptés à un approvisionnement alimentaire hautement nutritif mais limité et imprévisible et à un cycle régulier d'accumulation et de déplétion des réserves de graisses [...]* [Cette période] *est marquée par des conditions d'extrêmes fluctuations [...] L'amélioration des capacités de stockage des graisses durant les périodes d'abondance a permis de fournir l'énergie nécessaire à un haut niveau d'activité physique, d'assurer la survie durant les périodes de pénurie et de soutenir les besoins énergétiques du large cerveau humain ainsi que le développement de ce dernier durant l'enfance et l'adolescence»*[85].

En d'autres termes, nos ancêtres ne mangeaient pas *« inéluctablement, gras le matin, dense le midi, sucré l'après-midi».* Ils consommaient ce qu'ils trouvaient pendant les périodes fastes et stockaient tout le surplus énergétique disponible pour affronter les épisodes de disette. C'est cette nécessité vitale qui a conduit à la sélection progressive, au cours du processus évolutif, d'un véritable *«génotype d'épargne»* dont nous faisons aujourd'hui les frais.[82, 84-87] En effet, l'obésité n'explose pas, comme le suggère Alain Delabos, parce que nous avons renoncé à notre supposée diète de bon sauvage primitif. Elle se déchaîne au contraire parce que notre corps continue de fonctionner comme il le faisait il y a des millions d'années, lorsqu'il supportait un niveau d'activité physique apparemment très supérieur à celui que nous connaissons aujourd'hui[88, 89] et devait emmagasiner obsessionnellement toute parcelle d'énergie disponible pour ne pas périr.

« D'un point de vue génétique, les humains d'aujourd'hui sont des chasseurs-cueilleurs de l'âge de pierre déplacés à travers le temps dans un monde qui diffère de celui pour lequel notre constitution génétique a été sélectionnée [...] Notre discordance actuelle a peu d'effet sur le succès reproductif; elle agit toutefois comme un puissant promoteur de maladies chroniques : athérosclérose, hypertension essentielle, nombre de cancers, diabète mellitus et obésité, entre autres »[84]. Prôner, pour vaincre ces maladies et en particulier l'obésité, *« un retour aux principes ancestraux [...] qui pendant des centaines de milliers d'années ont permis à l'animal humain primitif de survivre »* n'a aucun sens d'abord parce que ces principes n'existent pas et ensuite parce que je doute que nous soyons prêts à revenir à l'âge des cavernes et aux charrues à bras pour aligner notre activité physique actuelle sur celle de nos ancêtres.

Ainsi, ce n'est pas parce qu'un auteur claironne sur tous les tons que sa fumeuse théorie est scientifiquement validée, que la moindre preuve scientifique existe effectivement. Cette remarque n'est évidemment pas spécifique de la chrononutrition. Elle concerne la plupart des régimes à la mode comme cela a pu être montré, par exemple, pour la méthode Dukan[90] ou celle des « groupes sanguins ».[72, 91, 92]

Des vérités tronquées

Il arrive parfois que certains auteurs de régimes à succès citent une étude scientifique précise à l'appui de leurs affirmations. Il est dans ce cas possible, et c'est fort agréable, d'aller vérifier à la source la validité des propos exprimés. Le moins que l'on puisse dire, c'est que l'œil aguerri relève alors souvent un bien triste hiatus entre la nature effective des données mentionnées et l'interprétation qui en est faite par nos gourous médiatiques. Prenez Michel

Montignac, par exemple. Le site web officiel dédié au régime amaigrissant de cet ancien étudiant de Sciences Po reconverti dans le business de l'amaigrissement nous explique que, «*contrairement à l'affirmation de tous les nutritionnistes, il n'y a pas de corrélation entre l'obésité et le niveau calorique des apports alimentaires*»; en d'autres termes, que «*la prise de poids ne dépend pas des apports caloriques*»[93]. À l'appui de cette conclusion stupéfiante apparaît une étude de 1997 montrant qu'entre 1980 et 1990, l'obésité a augmenté de 31% aux États-Unis alors que les Américains ont, sur la même période, diminué leurs apports énergétiques de 4% et leur consommation de graisses de 11%. L'argument semble donc solide... Mais en réalité, ce paradoxe apparent entre augmentation de l'obésité et diminution des apports caloriques s'explique simplement par le fait que la période considérée a aussi enregistré, selon les termes mêmes des auteurs de l'étude, «*une diminution massive de l'activité physique totale associée à la dépense énergétique*»[94]. En d'autres termes, si les Américains ont grossi, c'est parce que la légère diminution de leur ration calorique s'est avérée inapte à compenser le lourd affaissement de leurs dépenses physiques. Contrairement à ce que dit le site Montignac, l'apport calorique est bien un élément central de l'équation obésigène*, puisque c'est la différence entre cet apport et la dépense énergétique qui conditionne les fluctuations pondérales de l'individu[95]. On peut noter, pour être complet, que des études récentes portant sur une plus longue période ont infirmé l'idée selon laquelle les Américains grossiraient en mangeant moins. Entre 1971 et 2008 la consommation calorique moyenne a augmenté de 8,4% chez l'homme, et de 17,4% chez la femme aux États-Unis[96].

En fait, contrairement à ce qu'affirme Michel Montignac, on peut difficilement parler de révolution iconoclaste quand on

---

* Est dit obésigène tout comportement ou aliment qui favorise l'obésité.

regarde de près le cœur de son régime[50]. Parmi les principaux conseils prodigués : éliminer le sucre (fruits au sirop, soda, pâtisseries, etc.) et privilégier les aliments glucidiques à faible index glycémique (légumineuses, légumes, fruits, céréales complètes, etc.) ; limiter la consommation de boissons alcoolisées ; éviter la consommation de graisses saturées (beurre, charcuterie, crème fraîche, viandes grasses, etc.) ; et, si le repas est gras, éviter qu'il soit aussi riche en sucres (et inversement).

N'importe quel individu (ou presque) qui respecterait ces règles diététiques de base, préconisées par à peu près toutes les grandes institutions sanitaires de la planète,[97-104] perdrait du poids. Au fond, si l'on en croit les conclusions de l'ANSES, derrière le baratin d'usage, le régime Montignac est juste un régime hypocalorique mal fagoté car dangereusement déséquilibré dans le sens d'une sévère carence glucidique (et donc d'un fort excès protéino-lipidique)[16].

Une mauvaise foi dangereuse

Bien sûr, les ficelles employées par nos vendeurs de régimes ne sont pas toujours aussi épaisses que dans le cas évoqué ci-dessus. Parfois, l'offense faite aux données est bien plus subtile. Une récente interview de Pierre Dukan au *Figaro* nous en fournit un exemple non seulement édifiant, mais aussi important. Selon les termes de notre nutritionniste, «*plusieurs études scientifiques confirment la justesse de mon approche. En 2009, l'étude européenne* Diet, obesity and genes (Diogenes) *menée par le professeur Arne Astrup de l'université de Copenhague observait ainsi que l'apport en protéines est la clé du maintien du poids après un régime*»[105]. Impressionnant en effet... mais tristement trompeur. L'étude Diogenes ne conclut pas du tout cela. Elle indique que « *dans cette large étude européenne, une augmentation modeste de la part protéique et une* réduction modeste *de l'index glycémique conduisent à une amélioration [...] du maintien de la perte de poids* »[106]. Emporté, sans doute, par l'enthousiasme, Monsieur Dukan oublie la moitié glucidique de l'équation (représentée par la réduction de l'index glycémique) et il confond allègrement « *amélioration du maintien de la perte de poids* » et « *maintien du poids* » (dans les faits, les membres du groupe hyperprotéiné ont simplement repris un peu moins de poids – 0,9 kg – que ceux du groupe normo-protéiné). Notre homme oublie aussi de préciser que cet effet était essentiellement associé au sous-groupe des individus qui avaient reçu leur nourriture directement des expérimentateurs. Aucune influence significative de la supplémentation en protéines ne fut observée chez les sujets qui avaient simplement reçu des « instructions diététiques » (ce qui est la norme dans la vie courante). Enfin, pour la partie protéique, Monsieur Dukan omet de s'arrêter sur le terme « *modeste* » qui fait pourtant toute la différence.

Comme nous le verrons ultérieurement, un grand nombre de travaux soulignent effectivement la possible action positive des approches dites hyperprotéinées sur le processus d'amaigrissement, à court et moyen terme. Toutefois, au sein de la littérature scientifique, cette expression désigne classiquement des régimes pour lesquels la part des protéines dans l'apport énergétique total est stabilisée autour de 25 % (comme dans l'étude *Diogenes*) voire 30 %[107]. Chez Dukan, on atteint, selon les estimations de l'ANSES, 55 % en phase d'attaque et plus de 40 % en période de consolidation – qui peut durer plusieurs mois[16].

Jouer sur l'ambiguïté du terme « hyperprotéiné » pour justifier l'orgie protéique que représente le régime Dukan relève d'une mauvaise foi d'autant plus insupportable que les conséquences de cet amalgame pourraient ne pas être anodines. Au niveau pondéral tout d'abord, plusieurs études ayant suivi des centaines de milliers de participants pendant plusieurs années ont montré qu'un accroissement de la part des protéines dans l'alimentation augmente très significativement, sur la durée, non les chances de maigrir, mais les risques de devenir obèse.[108-110] Ainsi par exemple, si vous augmentez aujourd'hui de 5 % la part des protéines animales dans votre alimentation vous multipliez par presque 5 vos chances d'être obèse dans sept ans[109]. Un résultat d'autant moins rassurant qu'il s'accompagne d'un inquiétant faisceau de périls sanitaires. À ce jour, nul ne peut sérieusement exclure la possibilité qu'une surconsommation protéique de long terme soit dangereuse pour l'intégrité rénale, le risque cardiovasculaire ou la survenue de certains cancers.[111-114] Plusieurs travaux récents chez l'animal ont montré l'existence d'une part de dommages rénaux significatifs lorsque la part protéique de l'alimentation passait de 15 % à 35 %[115, 116] et, d'autre part, d'un effondrement massif de l'espérance de vie ($\approx$ 30 %) lorsque le régime passait d'un statut hyperglucidique-hypoprotéiné à un statut hyperprotéiné-hypoglucidique[117]. Dans le même ordre d'idée, chez l'être humain, une étude ayant suivi plus de 42 000 femmes de 30 à 49 ans, pendant 12 ans, a établi que le risque de décès par maladie cardiovasculaire était multiplié par 2,4 lorsque la proportion de protéines dans l'alimentation passait, sur la durée, de 10 % à 23 %[118]. Comme il est d'usage pour ce genre de travail, les analyses furent bien sûr menées sur la base d'outils statistiques éprouvés permettant d'isoler l'action de la variable d'intérêt. En d'autres termes l'influence de la proportion de protéines sur le risque de décès fut alors mesurée «toutes choses égales par ailleurs», c'est-à-dire en maintenant constante la prise énergétique totale, le niveau de consommation de graisses saturées (les «mauvaises graisses») et un grand nombre d'autres variables non nutritionnelles (poids, indice de masse corporelle*, statut tabagique, consommation d'alcool, niveau d'activité physique, éducation, etc.). Une autre étude a montré, chez des sujets âgés de 50 à 65 ans, suivis pendant 18 ans, qu'un accroissement du taux de consommation protéique de 9 % à 24 %, induisait une augmentation de 75 % du risque global de mortalité et un quadruplement de la probabilité de décès par cancer ou diabète de type 2.[119, 120]

Il y a quand même là, il me semble, de quoi se poser quelques questions. Celles-ci paraissent d'ailleurs d'autant plus légitimes que des régimes comme Dukan ou Atkins préconisent sur de longues périodes, une consommation illimitée d'aliments dont il est aujourd'hui établi qu'ils sont puissamment nocifs à la santé lorsqu'ils sont ingérés en trop grande quantité.[121-127] C'est le cas, notamment, de la viande (en particulier la viande rouge telle que rosbif ou steak de bœuf) et des œufs.[5, 6, 52] Chaque 100 grammes supplémentaires de viande rouge par jour conduisent à une augmentation de quasiment 30 % du risque de cancer colorectal[128] et de 15 % du risque total de décès[129]. Si la viande a été industriellement transformée, cette dernière valeur grimpe à 20 %. De la même manière, les hommes qui consomment 2,5 œufs ou plus par semaine augmentent de plus de 80 % leurs chances de développer un cancer létal de la prostate en comparaison de leurs congénères qui en mangent moins d'un demi[130]. Au niveau coronarien, il a récemment été suggéré que le jaune d'œuf pourrait avoir sur nos artères le même effet dévastateur que le tabac[131].

---

* L'indice de masse corporelle est une grandeur permettant de mesurer la corpulence d'un individu et de déterminer si celui-ci est obèse, en surpoids, dans la norme, ou en état de maigreur. Nous reviendrons largement sur cette grandeur au chapitre suivant. Cf. *Trois paramètres clés,* p. 60.

Oh bien sûr, les vendeurs de régimes vous gratifieront généralement des tournures préventives les plus prudentes et les plus empathiques. Ainsi, par exemple, on vous dira comme Pierre Dukan qu'un « *rein malade et en insuffisance rénale supporte mal l'excès de protéines, qui lui impose un travail supplémentaire. Une prise de sang suffit à le signaler.* »[105]. Une remarque de bon sens qui semble en accord avec les conclusions d'un rapport officiel de 2007 : « *Il est établi que les patients atteints d'insuffisance rénale trouvent un bénéfice à la consommation de régimes à teneur limitée en protéines.* »[132] En d'autres termes, « *il apparaît qu'une ingestion élevée de protéines animales ou végétales accélère le processus pathologique sous-jacent* »[133].

Malheureusement, l'insuffisance rénale est souvent une maladie silencieuse dont l'obésité représente un facteur de risque majeur.[134-138] Ainsi, bien des obèses souffrent, sans le savoir, du fait de leur état, d'une déficience rénale plus ou moins lourde. On peut dès lors, à raison, se demander combien d'adeptes des régimes hyperprotéinés se soumettent à un bilan biologique préalable pour vérifier qu'ils ne se mettent pas potentiellement en danger lorsqu'ils adhèrent à ces méthodes. Sans doute pas la majorité, comme le confirment, par exemple, les résultats d'une étude IFOP de 2011 pour le site « RegimeDukan.com ». Seuls 40 % des gens qui se sont inscrits sur ce site et sont arrivés en phase de stabilisation définitive avaient déclaré avoir subi un bilan sanguin avant de commencer[139]. Là encore, le constat est loin d'être rassurant. Mais sans doute se comprend-il mieux si l'on veut bien considérer que l'amaigrissement constitue, pour nombre de sociétés spécialisées, un business terriblement lucratif dont le chiffre d'affaires planétaire est estimé à plusieurs centaines de milliards d'euros[140] ; et, malheureusement, l'argent ne fait pas toujours bon ménage avec l'éthique comme l'ont très bien montré les pratiques des industries du tabac[141] ou du médicament[142].

La littérature scientifique m'a dit

Cette capacité à dire n'importe quoi, sans source ni autre autorité que celle de l'expérience personnelle est évidemment parfaitement étrangère aux scientifiques. Les « *affameurs de rats* », comme aime à les nommer Monsieur Dukan[67], ont en effet pour obligation absolue de justifier chacune de leurs affirmations. Par exemple, un scientifique ne pourra pas se contenter de proclamer que « *la théorie des calories est totalement obsolète* ». Il devra expliquer que « *la théorie des calories est totalement obsolète, comme cela a été établi de telle façon, dans telle(s) étude(s), par telle(s) équipe(s)* ». De même, un chercheur ne pourra jamais affirmer que son régime est « *le meilleur* » et qu'il permet à 40 % ou 50 % des sujets de perdre du poids « *définitivement* ». Notre spécialiste pourra juste dire, après avoir réalisé une expérience contrôlée, impliquant plusieurs groupes de sujets homogènes* soumis chacun à différents régimes et suivis pendant plusieurs années, que tel régime s'est révélé pour

---

* C'est-à-dire similaires par leurs caractéristiques sociales, démographiques et sanitaires.

47

la population considérée plus efficace que tel(s) autre(s) et que N % des patients n'ont pas repris le poids perdu au bout de X années. Et encore, avant d'en arriver à ce favorable épilogue, notre chercheur aura dû soumettre son travail à l'approbation de la communauté scientifique. C'est-à-dire qu'il aura dû envoyer ce dernier, pour évaluation, à une revue internationale spécialisée.

Cette étape est tout à fait cruciale, au sens où elle offre seule au lecteur une garantie minimale de rigueur. En effet, préalablement à son éventuelle publication, le papier soumis est confié à plusieurs experts qui le désossent et évaluent en détail ses questionnements, sa méthodologie, ses outils statistiques d'analyse et la pertinence de ses conclusions. Les moindres failles sont alors traquées et toute faiblesse aboutit au rejet du manuscrit par l'éditeur. Plus le journal est prestigieux (ex. *Lancet, JAMA, New England Journal of Medicine*), plus le filtre est sévère. Certes, cela n'implique évidemment pas que le système soit exempt d'erreurs et de publications défaillantes, mais cela limite quand même drastiquement le taux d'absurdités. Il est clair à ce titre que la science de l'amaigrissement ne sait pas tout. Elle reste percluse de doutes, d'obscurités et d'incompréhensions. Toutefois, par sa méthode, sa rigueur froide et son processus très contrôlé de publication, elle produit, me semble-t-il, un savoir infiniment plus fiable et bienfaisant que les affirmations fumeuses des gourous médiatiques.

Il faut ici comprendre que l'univers des idéologies médiatiques et celui des faits scientifiques sont parfaitement irréconciliables. Il n'est pas un rapport scientifique récent qui ne dénonce avec vigueur non seulement l'inanité à long terme, mais aussi la dangerosité des régimes miracles.[16, 23, 143] À l'inverse, il n'est pas un gourou de l'amaigrissement qui ne dénigre avec acrimonie l'incompétence d'une caste de chercheurs enchaînés aux dogmes dépassés d'un pseudo-savoir préhisto-rique.[11, 50, 67, 93] Pour ma part, après avoir étudié et expérimenté de près les arguments des deux camps, il ne fait plus aucun doute que je préfère confier ma santé aux *« affameurs de rats »* qu'aux pipeaulogues de bazar.

Nouilles, chips ou poulet... même dénouement

En dernière analyse, une chose doit être parfaitement claire : vous ne parviendrez à perdre durablement du poids que si vous acceptez de modifier profondément et irrévocablement vos habitudes de vie. Si vous concevez le régime comme une simple période de privation transitoire, au-delà de laquelle il vous sera possible de revenir sans danger à vos comportements initiaux, alors vous aurez forcément tout faux et votre échec sera inéluctable. Étymologiquement, le mot « régime » vient d'ailleurs du latin *regimen* qui signifie « diriger, administrer »[144]. Il en résulte que « suivre un régime », ce n'est pas s'assujettir à une punition brutale et temporaire, mais bien s'astreindre à un mode de vie équilibré, soutenable sur la durée. Ne nous méprenons pas cependant, sur le sens de ces mots. Ils ne signifient nullement qu'il faille, pour contrôler son poids, se condamner à manger éternellement comme un moine ascétique en période de carême. Au contraire ! Un régime performant à long terme ne peut qu'être varié dans son offre et sa composition. En théorie, aucun aliment ne doit donc *a priori* être banni. Cela étant, il est bien évident, comme nous le verrons en détail ci-après, que certaines denrées favorisent outrageusement le risque obésigène tout en nuisant profondément à l'intégrité sanitaire de l'organisme.

C'EST QUOI, UNE CALORIE ?

Dans cet ouvrage, la Calorie (symbole Cal) désigne une «grande calorie» ou une kilocalorie, soit 1 000 calories. Une calorie (symbole cal) qualifie la quantité de chaleur nécessaire pour élever la température d'un gramme d'eau d'un degré Celsius sous une pression atmosphérique normale. La valeur nutritionnelle d'une pomme, par exemple, est de 50 Calories ou 50 Cal ou 50 kcal, soit 50 000 calories ou 50 000 cal.

Au fond, loin des grands discours clinquants et chimériques, la construction d'un protocole d'amaigrissement efficace sur la durée revient à traiter deux questions particulièrement simples : premièrement, mes besoins minimaux en micronutriments (essentiellement vitamines, minéraux et oligo-éléments) et macronutriments (essentiellement glucides, protéines, lipides, fibres, et eau) sont-ils couverts ? Deuxièmement, ma balance énergétique (c'est-à-dire la différence entre apports et dépenses caloriques) est-elle conforme à mes objectifs, c'est-à-dire négative si je désire maigrir, positive si je veux grossir et nulle si j'affiche pour ambition de maintenir mon poids ? Je sais bien, je l'ai déjà évoqué, que tous les gourous de la Terre aiment à disserter sur la nature ringarde, archaïque et obsolète de la notion de calorie. Pourtant, des dizaines d'études confirment au-delà du moindre doute que la répartition des macronutriments importe peu[*] : à charge calorique égale, l'amaigrissement est identique quelle que soit la proportion respective des protéines, graisses et glucides dans le régime. Clairement, il n'est pas d'autre moyen pour maigrir à long terme que de contrôler l'ampleur de nos entrées et sorties caloriques.

---

[*] Cf. *Une simple histoire de calories,* p. 102.

C'est d'ailleurs, en fait, ce que proposent la plupart des régimes médiatiques sous des formes plus ou moins déguisées. *Weight Watchers*, par exemple, ne se cache pas. Cette approche, plutôt équilibrée[16], attribue à chaque aliment un nombre de points et spécifie, pour chaque individu, en fonction de ses caractéristiques personnelles, un capital quotidien maximum à ne pas dépasser. La célèbre méthode Montignac est moins ostensible. Alors qu'elle n'a pas de mots assez durs pour dénoncer le concept de calories,[50, 93] elle se classe, en pratique, comme l'a souligné un rapport de l'ANSES en 2010[16], dans la catégorie des régimes hypocaloriques ($\leq 1\,500$ Cal/jour). Dans ce rapport, c'est en fait une large liste de régimes commerciaux qui ont été évalués sur le fond dont, en plus de *Weight Watchers* et Montignac, les méthodes Dukan, Atkins, Cohen, Miami, Chrononutrition, Californien, Flicker, etc. Les résultats montrèrent que plus de 60 % de ces régimes étaient hypocaloriques au sens clinique du terme ($\leq 1\,500$ Cal/jour)*. Dans près de 80 % des cas, les méthodes proposées étaient associées à un apport alimentaire quotidien inférieur à 1 650 Calories, ce qui représente un seuil suffisant pour entraîner une perte de poids substantielle chez la quasi-totalité des postulants à l'amaigrissement.[145-147] Seules la méthode Chrononutrition et la phase de stabilisation du régime Dukan proposaient des apports caloriques supérieurs à 2 000 Calories par jour. La phase initiale du régime Dukan, souvent qualifiée de «foudroyante» par son créateur, fut évaluée autour de 1 800 Calories, ce qui reste largement assez bas pour produire une perte de poids chez la grande majorité des gens. À titre illustratif, ce chiffre peut d'ailleurs être rapproché des données fournies, lors d'une expérience récente, par un professeur de nutrition de l'université

---

* Les différentes phases d'un même régime sont ici comptées indépendamment.

du Kansas.[148, 149] Fatigué d'entendre tous les pipeaulogues *es* régime de la galaxie alimentaire vilipender la notion de calories, ce chercheur en surpoids (1,78 m, 91 kg) décida de se mettre au régime, sous l'égide d'une triple contrainte: premièrement, limiter sa prise alimentaire à 1 800 Calories par jour; deuxièmement, ingérer deux tiers d'aliments parfaitement malsains, gras, sucrés et obésigènes (gâteaux industriels, chips, *doughnuts*, céréales de petit-déjeuner hypersucrées, etc.); troisièmement, ne rien changer à sa vie en dehors des deux premiers points (en particulier ne pas augmenter son activité physique). En 10 semaines, notre homme perdit un peu plus de 12 kg! Ce résultat est somme toute assez proche de celui qu'a obtenu un enseignant obèse de biologie qui décida de manger uniquement au McDonald pendant 12 semaines, sous une double contrainte quotidienne: marcher 45 minutes; limiter sa consommation énergétique à 2 000 Calories. Au terme de l'aventure, l'homme avait perdu 17 kilos[150].

Même si aucune personne sensée n'oserait recommander ce genre de régime, aussi dangereux pour la santé qu'impossible à tenir sur la durée, il peut être intéressant de comparer les résultats obtenus avec ceux fournis par le site internet de Pierre Dukan suite à un sondage IFOP impliquant les abonnés de ce site: 7 kg perdus en douze semaines[151]. Il faut croire qu'à charge calorique égale, le pouvoir amaigrissant de la chips, du hamburger et du *doughnut* peut être tout aussi foudroyant que celui du blanc de poulet et de la galette au son. Reconnaissons toutefois que les protéines ont l'avantage d'avoir des propriétés coupe-faim[107, 152-155] qui, même si elles s'avèrent temporaires[156], peuvent faciliter le suivi initial des régimes enrichis en protéines. Précisons cependant qu'«enrichi» ne signifie pas qu'il soit nécessaire pour bénéficier d'un tel effet de se gaver exclusivement de viande ou de tofu. C'est d'autant plus vrai que les glucides riches en fibres (ex : épinards, framboises, céréales complètes) ont eux aussi des propriétés coupe-faim, sans doute plus durables que celles des protéines.[157, 158]

Bien sûr, on peut penser qu'il sera plus facile de se sentir rassasié, pour un même apport énergétique quotidien (≈ 1 800 Calories), avec 1,7 kg d'escalopes de poulet ou 2,4 kg de filets de colin qu'avec 320 grammes de chips à l'ancienne ou de chocolat au lait. Cela étant, vous obtiendrez le même résultat si vous substituez à ces aliments une omelette de 23 œufs, 10 kg de tomates, 5,6 kg de haricots verts, 14 kg de radis rose, 4 kg d'ananas, 4,7 kg de framboises, 3,4 kg de purée de pomme, 1,8 kg de spaghettis à la bolognaise * ou une combinaison de tout cela. Au fond, si l'on fait abstraction des dangereuses carences qu'il impose[16], l'une des grandes forces du régime Dukan et de ses dérivés c'est de prescrire des aliments possédant une très faible densité énergétique. Pour dépasser les 1 600 à 1 800 Calories quotidiennes avec cette méthode, il faut vraiment avoir l'estomac tumescent d'un pachyderme hyperphagique ! Si l'on ajoute à ces données le caractère intensément diurétique d'une consommation protéique massive, il n'est pas

---

* Escalopes de poulet sans peau surgelées individuellement, issues de viande blanche de la poitrine (filet), 8 à 12 pièces, Picard, 109 kcal / 100 g. Filets de colin d'Alaska 100 % plein filet, qualité sans arête, en tranches emballées en sachets fraîcheur individuels, Picard, 76 kcl / 100 g. Chips à l'ancienne nature, Lays, 570 kcal / 100 g. Chocolat Milka, tendre au lait, 570 kcal / 100 g. Œufs de poules élevés en plein air, Carrefour, Calibre moyen (57 g / œuf en moyenne), 139 kcal / 100 g. Tomates en quartiers pelées et surgelées après récolte, Picard, 18 kcal / 100 g. Haricots verts extra fins Bonduelle, 32 kcal / 100 g. Radis long rose frais, Carrefour, 13 kcal / 100 g. Ananas sweet du costa rica, Carrefour, 45 kcal / 100 g. Framboises fraî. Purée de pommes AB, Côteaux Nantais, 53 kcal / 100 g Spaghetti à la bolognaise, Picard, 99 kcal / 100 g.

étonnant que la perte de poids initiale soit, comme aime à l'expliquer Pierre Dukan lui-même, «*foudroyante*»[6].

Le changement c'est maintenant

Voilà! Après ces quelques considérations introductives, il est maintenant temps d'entrer dans le vif du sujet. Ce ne sera pas toujours facile. Modifier des habitudes qui touchent aux dimensions les plus intimes de nos pratiques alimentaires n'est pas une sinécure. Cela revient un peu à devoir remplacer un vieux logiciel comportemental défaillant par un nouveau programme plus moderne, sensiblement différent. Il y aura des *bugs*. Au début, comme cela s'est produit lorsque vous avez appris à conduire, vous serez contraint à un fort investissement intellectuel. Il vous faudra être attentif à ce que vous mangez et buvez. Il vous faudra apprendre à construire votre régime au jour le jour en fonction de vos goûts, de vos objectifs et du temps dont vous disposez (ou non) pour cuisiner. Mais petit à petit, les choses s'automatiseront, jusqu'à devenir quasiment machinales. Quand cela arrivera, après quelques semaines d'application, souvent bien avant l'accomplissement total du processus d'amaigrissement, ce sera le signe que vous avez fait le plus dur. Le changement pourra alors s'installer dans la durée, vous garantissant la pérennité des efforts accomplis. Pour ma part, si je devais décrire ce parcours, je crois que j'emprunterais à ma grande fille Charlotte l'un de ses emportements récents: «*Whaooo sur le coup ça m'a pris la tête grave, mais maintenant c'est trop hypergénial!*»

PARTIE II

Ces régimes qui font grossir

*« Il est maintenant bien établi que plus les gens
font de régimes et plus ils gagnent de poids sur le long terme. »*

Kirsi Pietiläinen *et al.*, chercheurs en santé publique,
université d'Helsinki[159]

Depuis plus de 30 ans, le taux d'obésité a doublé à travers le monde pour atteindre aujourd'hui des niveaux alarmants.[162-165] Aux États-Unis, près de 70 % des adultes et 35 % des enfants présentent un poids excessif.[164, 165] En France, on est autour de 50 % et 20 %.[166-168] De manière frappante, ces changements pondéraux se sont accompagnés d'une généralisation massive des pratiques amaigrissantes. L'Amérique en est l'exemple le plus marquant et le mieux documenté. À chaque instant, c'est à peu près 40 % de la population de ce pays qui est au régime.[169-175] Sans surprise, cette inclination s'avère plus répandue au sein de la population féminine (≈ 45 %) que masculine (≈ 35 %). Si l'on s'en tient aux seuls sujets obèses, la banalité des régimes amaigrissants devient encore plus frappante, avec des taux de prévalence frisant les 70 %.[176, 177] Là

> *« Les régimes par privation, malheureusement, ne fonctionnent pas et ce, pour 3 raisons. Premièrement, notre corps lutte contre eux. Deuxièmement, notre cerveau lutte contre eux. Et, troisièmement, notre environnement quotidien lutte contre eux. »*
>
> Brian Wansink, chercheur en nutrition, université de Cornell[160]

encore, les femmes ($\approx$ 75 %) sont plus massivement impliquées que les hommes ($\approx$ 65 %). Dans la majorité des cas, les candidats à la perte de poids se débrouillent par eux-mêmes, hors de toute supervision médicale, en essayant de combiner des éléments de restriction calorique (suppression du grignotage et des aliments trop gras ou sucrés) et d'augmentation de l'activité physique.[169-172, 175-178]

Confrontés au double mouvement d'augmentation de l'obésité et de généralisation des régimes amaigrissants, les spécialistes ont fini par se demander si les protocoles classiques de prise en charge de l'obésité n'étaient pas finalement bien plus dommageables que bénéfiques.[16, 23-24, 61-62, 64, 66, 179-182] Pour surprenante qu'elle puisse paraître, cette réflexion est loin d'être idiote ou iconoclaste. Elle mérite vraiment qu'on lui prête attention. Au cœur de ses fondements théoriques se trouvent quatre lignes argumentatives essentielles dont les principaux supports expérimentaux seront discutés dans la suite de ce chapitre. Premièrement, bien des candidats à l'amaigrissement échouent parce qu'ils se lancent dans l'aventure pour de mauvaises raisons et/ou sans motivation suffisante. Deuxièmement, même quand la motivation est solide et les raisons de s'engager valides, les régimes amaigrissants s'avèrent inefficaces à long terme, et ce quel que soit le détail spécifique de leurs préconisations (hypocalorique, hypoglucidiques, hypolipidiques, hyperprotéinés, etc.). Troisièmement, le remède est souvent pire que le mal et les régimes amaigrissants peuvent se révéler, par les carences et excès qu'ils induisent, bien plus dangereux que le surplus pondéral qu'ils sont supposés traiter. Quatrièmement, il existe des alternatives crédibles à l'amaigrissement au sens où des changements comportementaux relativement minimes (faire de l'exercice, éviter les « mauvaises graisses ») permettent de limiter substantiellement les conséquences sanitaires et psychologiques négatives du surpoids (en d'autres termes, on peut être à la fois gros, heureux et jouir d'une relative bonne santé).

Sans doute est-il important de souligner, avant de poursuivre, que ces éléments visent tous les régimes amaigrissants, que ceux-ci soient d'obédience commerciale ou académique. En effet, ce qui est désormais remis en cause par la communauté médicale et scientifique ce n'est pas tant le détail de telle ou telle pratique, mais l'idée même de régime restrictif.[23, 24, 61, 62, 64, 179, 181]

Le propos pourrait se résumer comme suit : tout régime amaigrissant qui ne peut être tenu sur la durée est voué à l'échec car dès que le sujet recommence à manger « normalement » il reprend irrévocablement tout le poids perdu (et même davantage le plus souvent). Dès lors, tous les régimes usuels qui débutent par une phase « d'induction », se poursuivent par une étape de « consolidation » et s'achèvent par une période de « retour à la normale » condamnent leurs adeptes à de sérieux déboires. De même, tous les régimes carencés et déséquilibrés qui se révèlent intenables plus de quelques semaines, en raison du degré herculéen de volonté qu'ils exigent pour leur suivi, exposent leurs fidèles à de profondes déconvenues. En dernière analyse, nous disent

> « Les preuves sont extraordinairement claires : perdre du poids en suivant un régime [restrictif] est voué à l'échec. »
>
> David Levitsky et Carly Pacanowski, chercheurs en nutrition, université de Cornell[161]

avec sagesse nombre de spécialistes, il vaut infiniment mieux se stabiliser dans un état de surpoids sanitairement contrôlé que de se lancer à répétition dans ces régimes inutiles et dangereux.[24, 61, 179-182]

Mais voyons maintenant tout cela d'un peu plus près.

Êtes-vous trop gros?

Comment savoir si l'on est trop gros? La question est loin d'être triviale au sens où toute définition imposant une frontière numérique rigide à une réalité physiologique mouvante suppose une part d'arbitraire. Aux extrêmes, tout est clair. Une femme mesurant 1,75 m et pesant 130 kg est obèse. Sa sœur présentant la même taille pour seulement 45 kg est excessivement maigre, voire formellement dénutrie. Mais qu'en est-il lorsque le poids affiché par ces deux inconnues tourne autour de 60 ou 80 kilogrammes? Faut-il s'alarmer? Peut-on parler de maigreur, ou de surpoids? Il n'y a clairement pas de bonne réponse à ces questions tant ces valeurs se situent dans une espèce de zone grise indistincte[183]. Il appartient alors aux personnes concernées de trouver leur propre vérité. C'est pour cela qu'il est important que ces personnes soient parfaitement informées des tenants et aboutissants de leurs choix.

Trois paramètres clés

Les communautés médicale et scientifique retiennent généralement trois critères simples pour définir l'obésité et le niveau de risque que cette dernière fait courir à l'individu : l'indice de masse corporelle (IMC), le tour de taille et l'existence de possible facteurs aggravants – communément appelés comorbidités.[9, 184-187]

L'IMC s'obtient facilement à l'aide d'une calculette en divisant le poids formulé en kilogrammes par le carré de la taille exprimée en centimètres. Par exemple, en début de régime, mon IMC était de 42 kg/m² [129 / (1,75 x 1,75)]. Il est à l'heure où j'écris ces lignes de 24 kg/m² [74 / (1,75 x 1,75)]. En théorie, l'IMC fournit une approximation du taux de masse grasse chez le sujet adulte. La procédure reste toutefois assez grossière dans la mesure où le pourcentage de graisse varie d'un individu à l'autre en fonction, notamment, de l'origine ethnique, du sexe, de l'âge et des singularités personnelles. La valeur d'IMC n'a, par exemple, aucune dimension prédictive pour un culturiste. Dès lors, cette évaluation indirecte du niveau d'obésité doit être interprétée avec prudence, même si elle s'avère informative et globalement valide pour une très grande majorité de la population. Selon les critères de l'OMS[9], un IMC compris entre 18,5 et 25 qualifie un poids normal*, sanitairement optimal. En dessous de 18,5 le sujet est considéré en insuffisance pondérale. Entre 25 et 30, il se trouve en surpoids. Au-delà de 30, il s'avère obèse. Cette dernière catégorie comprend elle-même trois échelons renvoyant à des

---

* Pour éviter toute ambiguïté, précisons que l'adjectif « normal » est employé au sein de cet ouvrage dans son sens clinique le plus étroit : est normal ce qui correspond à la norme sanitaire de moindre risque. Nulle dimension morale n'est associée à l'usage de ce terme.

niveaux de risques croissants. Obésité de classe 1 (30 ≥ IMC < 35), de classe 2 (35 ≥ IMC < 40) et de classe 3 (IMC ≥ 40).

Par-delà sa relative grossièreté, l'IMC souffre aussi d'un manque de précision anatomique au sens où il ne dit rien de la répartition des amas graisseux. Or, depuis 20 ans un grand nombre de travaux ont montré que celle-ci permettait de prédire certains risques sanitaires, notamment cardiovasculaires, avec plus de précision que ne peut le faire l'IMC.[188-193] Dans ce contexte, la graisse abdominale apparaît particulièrement nocive. Pour évaluer cette dernière, le plus simple est encore de mesurer le tour de taille du sujet. La valeur obtenue doit alors toutefois, à l'image de ce qui se passe pour l'IMC, être interprétée avec prudence en raison de possibles biais liés au sexe, à l'âge, à l'origine ethnique et aux singularités personnelles.[9, 184, 185, 187] Il est évident, par exemple, que la circonférence abdominale ne fournira pas une estimation valide des dépôts graisseux abdominaux chez une femme enceinte.

En pratique, le tour de taille s'obtient aisément à l'aide d'un mètre de couturière. La mesure doit alors être prise, à la fin d'une expiration normale, un peu au-dessus du nombril. En termes érudits, et comme illustré sur la figure 1, cela signifie que le périmètre abdominal de référence se situe à mi-distance de deux marqueurs anatomiques assez facilement repérables au toucher : la limite inférieure de la cage thoracique (côte la plus basse) et la crête iliaque (arête supérieure de l'os de la hanche).[187, 194] Pour l'OMS, le risque sanitaire est « *augmenté* », chez les hommes de race blanche, lorsque le tour de taille dépasse 94 centimètres et « *sensiblement augmenté* » lorsqu'il se situe au-delà de 102 centimètres. Au sein de la population féminine, ces seuils sont respectivement de 80 centimètres et 88 centimètres[9]. Même si la question n'est pas encore totalement tranchée, il semble que ces valeurs, obtenues sur une population caucasienne (autrement dit blanche), puissent être étendues à d'autres groupes ethniques notamment hispaniques, noirs, ou moyen-orientaux. Pour les Asiatiques, la même conclusion paraît s'appliquer aux femmes, mais pas aux hommes dont le seuil de risque s'établit plus bas que chez les sujets européens, soit autour de 85 centimètres de tour de taille[195].

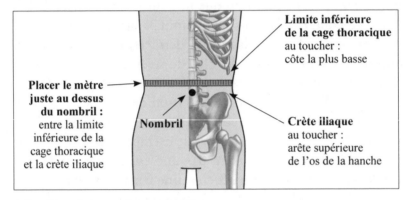

1. Procédure de mesure du tour de taille.

Associer les indicateurs de risque

D'un strict point de vue diagnostic, l'idéal est évidemment, comme l'illustre le tableau 1, d'associer le pouvoir prédictif des mesures d'IMC et de tour de taille. Cela étant dit, les spécialistes reconnaissent unanimement qu'une simple évaluation quantitative ne raconte pas, loin s'en faut, la totalité de l'histoire. Les conclusions alors dessinées doivent impérativement être modulées à l'aune d'un examen qualitatif. Ce dernier a pour objet d'évaluer l'existence de facteurs personnels susceptibles, par leur nature, de majorer les risques liés au surpoids.

Ainsi, par exemple, comme souligné ci-dessus, un tour de taille supérieur à 80 centimètres augmente sensiblement chez la femme le risque d'accident cardiovasculaire. Amandine et Sophie sont toutes deux à 82 centimètres. Cependant, à la différence d'Amandine, Sophie souffre d'hypertension, fume activement, n'exerce aucune activité physique et a vu sa mère, de corpulence normale, disparaître précocement suite à un infarctus. En outre, Sophie présente un IMC (28 kg/m²) légèrement trop important. Chez Amandine, ce dernier marqueur est normal et établi à 24 kg/m². À la lumière de ce tableau, il est évident que l'amas de graisse abdominale détecté chez Sophie est bien plus inquiétant que celui noté chez Amandine.

Théoriquement, les risques sanitaires participant de l'équation pondérale peuvent être scindés en deux catégories. À un premier niveau, on trouve les facteurs comportementaux qui additionnent leur action délétère à celle de l'obésité et, ce faisant, majorent l'ampleur globale du risque encouru.

		Indice de masse corporelle (IMC, kg/m²)				
		Normal 18,5≤IMC<25	Surpoids 25≥IMC<30	Obésité (1) 30≥IMC<35	Obésité (2) 35≥IMC<40	Obésité (3) IMC≥40
Tour de taille (T, cm)	H : T<94 F : T<80	Référence	Modeste	-	--	--
	H : 94≤T<102 F : 80≤T<88	Modeste	Moyen	Élevé	Très élevé	
	H : T≥102 H : T≥88	--	Élevé	Très élevé	Extrêmement élevé	

TABLEAU 1. Appréciation du risque sanitaire lié à l'excès pondéral à partir d'une prise en compte combinée de l'IMC et du tour de taille. Les cases vides (-) représentent des cas de figure inobservés. H : hommes ; F : femmes ; T : Tour de taille (en cm) ; IMC : indice de masse corporelle (en kg / m²). Adaptée d'après[9, 184]

La liste de ces facteurs comprend notamment l'alcoolisme, la sédentarité et le tabagisme. Ainsi, par exemple, le fumeur et l'obèse voient-ils, chacun, augmenter sensiblement leur probabilité de souffrir d'un cancer colorectal[196, 197] ou d'un accident vasculaire cérébral.[198, 199] En associant ces deux états, le fumeur/obèse cumule donc les périls. La nécessité d'un contrôle pondéral s'impose dès lors chez lui avec infiniment plus d'acuité que chez son voisin non-fumeur ne souffrant «que» d'un excès de poids.

Au second niveau de l'équation pondérale, on trouve toutes les affections induites par l'état même de surpoids. La liste inclut notamment, j'y reviendrai ultérieurement en détail, l'hypertension, le diabète, l'arthrose, les atteintes cardiovasculaires, les maladies non alcooliques du foie, le développement de calculs biliaires, l'asthme, les troubles respiratoires du sommeil, etc.[9, 23, 184, 200] En agissant sur l'ampleur de l'excès pondéral, on abaisse directement la gravité de ces manifestations pathologiques (ou la probabilité de leur survenue), et donc, le risque morbide.

Ainsi, la question de savoir si vous êtes «trop gros» et devez envisager de perdre du poids n'a rien de triviale. La «bonne» réponse impose que soient prises en compte à la fois votre anatomie corporelle et la liste de vos facteurs de risques. Dans ce contexte, la littérature fait consensus à trois niveaux. Premièrement, si votre IMC et votre tour de taille sont normaux, surtout ne touchez rien; vous auriez toutes les chances de dérégler votre système de contrôle pondéral et d'aboutir, non pas à une perte, mais à une prise de poids*. Deuxièmement, si vous êtes obèse (IMC ≥ 30), vous vous exposez à un risque sanitaire majeur qu'il serait souhaitable de juguler à travers une substantielle perte de poids. Troisièmement, et de la même manière, si vous êtes

---

* Cf. *Des régimes qui vous feront grossir… à la fin*, p. 110.

en surpoids, que votre tour de taille suggère une concentration importante de graisse abdominale et que vous présentez plusieurs facteurs de risque morbide (tabagisme, hypertension, etc.), vous avez tout intérêt à éradiquer quelques kilos de la balance.

En dehors de ces trois champs de certitudes, les choses s'avèrent moins claires. Ainsi, par exemple, si vous souffrez d'un simple surpoids ou présentez uniquement un amas de graisse abdominale, sans facteur de risque ni comorbidité, une simple stabilisation pondérale peut suffire à maîtriser votre risque sanitaire. En fait, dans ce genre de situations un peu grises pour lesquelles la science n'apporte aucune réponse tranchée, l'ultime juge de paix se situe, je crois, au niveau de vos motivations. Si, au fond, vous n'avez pas vraiment envie de faire les efforts qui seraient nécessaires pour perdre du poids, alors mieux vaut ne pas vous lancer dans l'aventure. L'échec serait quasiment garanti, avec au bout du compte le risque réel d'une substantielle prise de poids. À l'inverse, si votre désir de maigrir est intense, alors le jeu en vaut sans doute la chandelle. Par désir, cependant, j'entends désir personnel profond. Je ne parle pas de ces envies factices que nous affichons sans entrain, en réponse, le plus souvent, à la pression de notre environnement social ou intime. Une pression, qui, malheureusement, se fait de plus en plus dure et prégnante. En 50 ans, nos repères pondéraux ont ainsi glissé vers des canons d'extrême maigreur sous l'action conjuguée des médias, du marketing et des industries de la mode. Cela n'est pas sans conséquences et explique, il me semble, pourquoi tant de gens se lancent, au mieux sans envie et au pire sans besoin, dans des régimes amaigrissants redoutablement toxiques.

La tyrannie des régimes

Alors que nous étions en famille chez des amis, ma grande fille Charlotte se trouva exposée à un programme jeunesse relatant les déboires sentimentaux d'une bande d'adolescents aussi prodigieusement beaux que désespérément stupides*. Alors qu'elle fixait l'écran avec curiosité**, la petite demanda soudain à sa mère : « *Dis Maman, je suis grosse moi ?* » Questionnement tout à fait ahurissant de la part d'une enfant de 7 ans mesurant 1,26 mètre pour 19 kilogrammes ! D'autant plus ahurissant qu'il fut accompagné, dès le repas suivant, d'un refus catégorique de manger du pain au motif que « *ça fait grossir* ». L'affaire dura tout un été et il fallut à ma compagne des trésors d'écoute et de patience pour ramener Charlotte à une appréhension un peu plus éclairée de sa réalité pondérale... du moins en apparence. En effet, lorsque je vois cette enfant, aujourd'hui devenue une adolescente de 1,48 mètre pour 33 kg, consommer avec la plus farouche parcimonie tous les aliments

---

* *Cœur Océan*, diffusé sur France 2, août 2008.
** Nous n'avons pas la télévision à la maison, pour des raisons que j'ai exposées en détail dans un ouvrage précédent[201].

supposés «faire grossir» (gâteaux, pommes de terre, pain, etc.), je me dis que la bataille est loin d'avoir été gagnée.

J'admets bien volontiers que le programme télé qui a déclenché le comportement de Charlotte n'est sans doute pas seul en cause. Il est possible que des éléments précurseurs aient amené leur pierre à l'édifice dont, par exemple, la disponibilité de magazines féminins dans les toilettes familiales (*Cosmopolitan, Biba, Elle*, etc.) ou l'accès incontrôlé *via* les copines à divers contenus audiovisuels regorgeants de *barbies* en tous genres (clips musicaux, télé-réalité, séries, etc.). Pourtant, cela ne change rien à la nature du problème et au fait qu'une gamine plutôt fluette peut ressentir, dès l'âge de 7 ans, toute la tyrannie des normes d'extrême maigreur mises en avant par l'environnement médiatique.

Même s'il peut sembler anecdotique, le cas de Charlotte n'en est pas moins illustratif et conforme à d'autres observations similaires[202]. Il permet d'objectiver quatre données essentielles de la littérature scientifique. Premièrement, il existe une différence fondamentale entre l'état concrètement mesurable d'excès pondéral et le sentiment subjectivement éprouvé de surpoids. Deuxièmement, les médias visuels (télévision, magazines, affiches publicitaires, etc.) modèlent, en profondeur, notre perception de ce qu'est une apparence «normale». Troisièmement, les canons médiatiques de la beauté n'ont aucun lien avec la réalité physiologique du plus grand nombre. Quatrièmement, cette dissonance est capable, à travers la souffrance psychologique qu'elle induit, de pousser vers des pratiques alimentaires tout à fait hasardeuses des individus de corpulence parfaitement saine.

Pour l'ANSES, «*en l'absence d'excès de poids: les régimes à visée amaigrissante, qu'ils soient proposés par des médecins ou des non-médecins, sont des pratiques à risques. Le public doit donc être averti des conséquences néfastes à court, moyen ou long terme de ces régimes, d'autant plus qu'ils sont déséquilibrés, associés à des troubles sévères du comportement alimentaire, et peuvent conduire à terme à un possible gain de poids irréversible*»[203]. Dès lors, « *la recherche de perte de poids par des mesures alimentaires ne peut être justifiée médicalement que par un excès pondéral effectif*»[204]. Et malheureusement, ce principe de pur bon sens semble largement piétiné par nos contemporains. Bon an mal an, c'est à peu près un tiers des femmes et un dixième des hommes de corpulence normale qui déclarent être au régime lorsqu'on les interroge.[169, 171, 172, 205] En France, une étude de grande ampleur a montré que près de 50 % des femmes et 15 % des hommes jouissant d'un poids médicalement sain avaient suivi un régime lors des 12 mois précédant leur interview[16]. Ces chiffres s'avèrent cohérents avec d'autres données montrant, toujours chez les Français de corpulence normale, que quasiment 60 % des femmes et 30 % des hommes se trouvent trop gros et aimeraient peser moins[51].

La tyrannie par l'image

À l'évidence, la réalité du ressenti pondéral est différente pour chaque individu. Elle dépend de l'action conjuguée d'un grand nombre de facteurs liés au milieu social, au cadre familial, au groupe des pairs et à l'environnement médiatique[206]. Un consensus semble aujourd'hui exister au sein de la communauté scientifique pour accorder à ce dernier domaine une capacité d'endoctrinement tout à fait essentielle.[201, 206-217] Celle-ci opérerait directement, en modifiant les représentations propres de l'individu, et indirectement, en orientant l'action des autres sources d'influence possibles : pairs, familles, etc. À force d'être bombardés d'images figurant des types physiques tout à fait extravagants, nous finirions par croire que ces derniers représentent la normalité à laquelle tout être humain décent devrait se conformer. Pour évaluer la pertinence de ce propos, les spécialistes ont commencé par réaliser de larges études de contenus. Ils ont alors démontré que les médias visuels avaient de plus en plus tendance, depuis 30 ou 40 ans, à mettre en scène des personnages redoutablement atypiques, porteurs de morphologies anormalement musculeuses pour les hommes et excessivement filiformes pour les femmes.[207, 208, 212] Intéressons-nous d'abord à ces dernières.

En quelques décennies, les mannequins de mode ou de charme, les gagnantes des concours de beauté et les stars de nos écrans ont vu leur physionomie s'affiner drastiquement, pour atteindre aujourd'hui des niveaux non seulement inaccessibles au commun des mortels, mais aussi, très souvent, déterminatifs de l'anorexie.[218-227] Les lauréates du concours de Miss Amérique, par exemple, ont vu leur indice de masse corporel passer d'un raisonnable 21-22 kg/m² avant la Seconde Guerre mondiale à un inquiétant 18 kg/m² au seuil des années 2000[228]. Les icônes des défilés de mode ne faisaient alors guère mieux, en affichant un hallucinant 17,5 kg/m² [229]. Aux États-Unis, ces stars des podiums sont plus minces que 98 % de la population féminine.[230, 231] Dans ce pays, la femme moyenne mesure 1,62 mètre pour 75 kilogrammes[232] quand le mannequin typique affiche 1,80 mètre pour 55 kilos.[233, 234] Au sein des magazines féminins, on trouve onze fois plus de publicités et d'articles consacrés à l'amaigrissement que dans les magazines masculins[235]. Dans les séries télévisées de *prime-time*, près d'un tiers des personnages féminins sont en état de maigreur[236], pour une prévalence de seulement 2 % dans la population réelle[231]. À l'inverse, seules 3 % des actrices sont obèses[236], contre 33 % dans le monde réel[237]. Lorsque vous marchez dans la rue, vos chances de croiser une inconnue jouissant des mêmes proportions que la poupée Barbie sont, à peu près, d'une sur 100 000[238]. En fait, si une femme «ordinaire» décidait de ressembler à ce personnage mythique de bien des enfances féminines,[239, 240] elle devrait grandir de 61 centimètres, allonger son cou de 8 cm, affiner sa taille de 15 cm et augmenter le périmètre de ses seins de 13 cm[241]!

Un tableau sans doute divertissant lorsqu'il est présenté de la sorte, mais qui correspond, malheureusement, au désir de bien des femmes, sommées certes de maigrir des hanches, mais aussi de préserver les voluptueuses rondeurs de leur poitrine[225]. Comme l'explique Kristen Harrison, chercheuse spécialisée dans l'étude des troubles du comportement alimentaire à l'université du Michigan, l'équation n'est pas facile à résoudre par les voies naturelles. En effet, *« les seins sont composés principalement de gras, pas de tissus glandulaires. Parce que le gras des seins est corrélé positivement au niveau total de graisse corporelle, il est impossible de perdre de la graisse corporelle sans réduire la taille des seins [...] Cet idéal place les femmes sous le risque d'un "double dommage" organique, à travers des régimes extrêmes ou des troubles du comportement alimentaire pour réduire la partie inférieure du corps et* à travers *un recours à la chirurgie esthétique ou* à *des traitements par médicaments ou plantes pour préserver ou augmenter la partie supérieure »*[225]. D'ailleurs, pour s'assurer que le couteau de l'insatisfaction afflige suffisamment la plaie du désarroi, les magazines féminins ont de plus en plus recours à des logiciels de traitements d'images afin «d'améliorer» artificiellement la physionomie des mannequins présentés en les faisant apparaître encore plus sveltes qu'ils ne le sont en réalité.[212, 242, 243]

Les souffrances de l'insatisfaction

Cette célébration de l'anormale maigreur serait peut-être moins inacceptable si elle n'était accompagnée de lourds stéréotypes pondéraux.[213, 230, 236, 239, 240, 244-256] Les uns sont bienveillants et portent sur les attraits d'une sveltesse qu'ils relient à un large cortège de traits positifs comme le bonheur, l'opulence, l'intelligence, la volonté, la beauté et la réussite sociale. Les autres, à l'inverse, sont venimeux et s'appliquent au surpoids pour l'associer à une ample panoplie d'attributs délétères dont la veulerie, l'aboulie, la malpropreté, la déloyauté, l'impolitesse, la maladresse, la perversion, la paresse, ou l'inconvenance. Il est d'autant plus difficile d'échapper à cette tenaille qu'elle enveloppe, sans distinction, tous les espaces médiatiques. Et à force d'être martelés sur un mode plus ou moins implicite, ces messages finissent, même si nous n'en sommes pas toujours conscients, par imprégner en profondeur nos représentations et altérer la perception que nous avons du monde et de nous-mêmes.[201, 257, 258]

À ce sujet, plusieurs études indépendantes ont permis d'établir que nombre de femmes avaient tendance à comparer leur apparence à celle des icônes dénutries des médias de masse. Sans surprise l'aboutissement d'une telle comparaison est rarement favorable. Il conduit alors les femmes du «vrai monde» à cultiver de violents sentiments d'insatisfaction et à se trouver, quelle que soit leur stature effective, grosses, laides, moches, informes et malgracieuses.[209, 213, 214, 259, 260] Une fois que ces impressions ont contaminé la psyché, elles peuvent répandre leur venin et s'attacher à nourrir toute une gamme de détresses non seulement psychologiques (dépression, mésestime de soi, anxiété) mais aussi alimentaires (anorexie, boulimie, conduites de purge, régimes restrictifs).[207, 210, 217, 261-265]

La démonstration la plus convaincante de cet enchaînement causal a récemment été apportée au sein d'une large méta-analyse* intégrant les données de près de 80 études scientifiques[215]. Selon les conclusions des auteurs : « *L'exposition médiatique est liée à l'insatisfaction généralisée des femmes vis-à-vis de leur corps, à l'accroissement de l'investissement consacré à l'apparence et à une augmentation de l'acceptation des comportements alimentaires déréglés. Ces effets apparaissent robustes : ils sont présents à travers de multiples conséquences et sont démontrés à la fois dans les études expérimentales et de corrélations.* »

Pour ceux qui douteraient encore de la validité de ces conclusions, une étude plutôt astucieuse pourrait se révéler convaincante. Dans ce travail, les comportements alimentaires des adolescentes fidjiennes de la province de Nadroga furent comparés juste avant et trois ans après l'arrivée de la télévision[266]. La démarche séduisit d'autant plus aisément les chercheurs que la population étudiée affichait originellement un indice de masse corporel moyen sanitairement sain (< 25 kg/m²) et vivait dans une communauté attachée aux types physiques « généreux », perçus comme des symboles d'opulence. L'arrivée du poste changea profondément la donne. Par la grâce de notre brave petite lucarne, 74 % des jeunes Fidjiennes se découvrirent soudain trop grosses. Entre le début et la fin de l'expérience, le pourcentage d'adolescentes ayant suivi un régime passa d'un quasi-néant à 69 %. Le nombre de jeunes filles ayant adopté le vomissement comme stratégie de contrôle pondéral grimpa pour sa part de 0 à 11 %. La probabilité d'identifier une adolescente comme étant « à risque »

---

* Une méta-analyse est une étude de population qui agrège les résultats de plusieurs études individuelles pour accroître la puissance statistique et déterminer s'il existe un effet global du facteur considéré, au-delà des résultats isolés (parfois contradictoires) de chaque étude.

pour des pathologies du comportement alimentaire sur la base d'un test psychométrique standard fut multipliée par trois. Des entretiens qualitatifs poussés confirmèrent le rôle essentiel joué par les stéréotypes pondéraux audiovisuels dans ces évolutions. Est-il utile de préciser combien ces résultats s'avèrent exorbitants? Ils le sont d'ailleurs d'autant plus qu'ils ne prennent en compte que l'action de la télévision et omettent d'autres facteurs d'influence majeurs, dont la presse magazine[267].

Comme si tout cela ne suffisait pas, il faut aussi ajouter au panorama le poids des influences sociales indirectes. En effet, les idéaux médiatiques de minceur ne se contentent pas d'influencer leurs cibles féminines. Ils affectent aussi l'environnement social dans son ensemble, dont le cénacle des hommes. Ces derniers ont ainsi d'autant plus tendance à valoriser la minceur chez la femme qu'ils sont exposés aux stéréotypes quasi anorexiques des médias grand public.[268-270] Les conclusions d'une étude récente résument remarquablement le problème: «*L'exposition des hommes aux médias peut très bien être un problème pour les femmes et contribuer à la mise en place d'un environnement dans lequel les hommes en arrivent à rechercher des femmes de plus en plus minces, alors que les femmes deviennent exagérément préoccupées par leur apparence corporelle parce qu'elles craignent de perdre l'attention des hommes si elles ne sont pas extrêmement minces.*»[271] Le cercle vicieux devient alors aussi fatal qu'impitoyable. En plus des lourds diktats médiatiques qu'elles ont à affronter, nombre de femmes se trouvent confrontées aux regards et commentaires mortifiants d'un entourage intoxiqué de normes corporelles inaccessibles. Il faut être diablement équilibré pour échapper sans heurt à cette tenaille.

Les hommes aussi

Cela étant, que les femmes se rassurent, si je puis dire. Elles ne sont pas seules à être frappées. Même si les chercheurs ont un peu tardé à se pencher sur le sujet, ils s'accordent aujourd'hui à reconnaître que les hommes payent, eux aussi, une copieuse addition à la caisse médiatique du mal-être, de la mésestime de soi et de l'insatisfaction corporelle.[208, 212, 216, 271-275] Toutefois, ce n'est alors pas la minceur en tant que telle qui est le plus souvent mise en avant, mais plutôt l'apparence athlétique dont la minceur n'est qu'un corrélat naturel. Ainsi, selon les termes d'un travail relativement récent, « *de même que les femmes sont vulnérables à la culture de la minceur [...], les hommes sont soumis à une culture de la muscularité* »[272]. Eux « *aussi sont bombardés par la pression médiatique. Les photos de modèles "métrosexuels" minces, musculeux, parfaitement apprêtés sont omniprésents dans les magazines masculins* »[212], comme l'ont montré de larges études de contenus[276]. Cette tendance à la muscularité sèche, élancée et dépourvue de masse grasse s'est grandement accentuée au cours des dernières décennies[277], allant jusqu'à modifier la morphologie des figurines avec lesquelles jouent nos enfants[278]. À cela s'ajoute un biais drastique de représentativité des types corporels masculins au sein du média télévisuel. Dans les programmes de *prime time*, 12 % des personnages masculins sont en état de maigreur[236], pour une prévalence de seulement 1 % dans la population générale[231]. À l'inverse, seuls 7 % des acteurs sont obèses[236], contre 28 % des individus du « monde réel »[237]. Par ailleurs, tout comme les femmes, mais à un degré moindre semble-t-il[253], les hommes sont touchés par les messages présentant l'état de surpoids d'une manière avilissante, vexatoire et stigmatisante.[236, 246-252, 254, 279] Lorsque l'on additionne tous ces éléments, cela se traduit par un accroissement des troubles psychologiques (dépression, mésestime de soi, anxiété), comportementaux (prise de substances dopantes favorisant le développement musculaire) et alimentaires (conduites anorexiques et boulimiques, régimes restrictifs).[208, 264, 265, 272, 275, 280, 281]

Vouloir maigrir malgré un poids sain

Et c'est ainsi que la normalité pondérale quitte le champ sanitaire pour se perdre dans l'espace des vulnérabilités psychiques. Soumis aux diktats de l'extrême minceur, une large fraction des femmes et des hommes jouissant d'un poids sain finissent par se trouver « trop gros » et se mettre au régime[51]. Cette dernière décision porte en elle les germes d'un véritable désastre biologique. En effet, comme nous le verrons en détail plus loin*, les périodes de privations alimentaires se révèlent profondément nocives à au moins deux niveaux. Tout d'abord, elles possèdent une remarquable capacité à dérégler la mécanique pondérale et produire de l'obésité. Ensuite, elles renferment une aptitude tout à fait fascinante à être parfaitement inefficaces à long terme et dangereuse pour notre santé.

On ne peut nier, cependant, que le surpoids psychologique représente, pour ceux qui en pâtissent, une souffrance tout aussi réelle et corrosive que le surpoids physique effectif. Dire à quelqu'un qui se sent trop gros qu'il jouit d'un poids tout à fait normal est à peu près aussi pertinent que d'expliquer à un paranoïaque que l'univers n'est peuplé que d'inoffensifs bisounours. L'anorexie constitue, sans doute, l'un des exemples les

---

* Cf. *Les régimes restrictifs sont dangereux pour la santé*, p. 79 et *Les régimes restrictifs sont inefficaces*, p. 101.

plus frappants de cette déconnexion entre ressenti psychique et réalité sanitaire.

Mais alors que faire? Que dire à tous ces gens qui se trouvent gros malgré une corpulence normale? Deux choses, je crois. Premièrement, qu'ils ne doivent surtout pas entreprendre de régime restrictif. Ce serait non seulement dangereux mais aussi inefficace à long terme. Deuxièmement, qu'il est malgré tout possible (à condition de rester dans un intervalle d'IMC sain) de perdre sans danger quelques kilogrammes au prix d'aménagements alimentaires et environnementaux relativement indolores, dont nous explorerons le détail à la fin de l'ouvrage*. Comme l'explique Brian Wansink, chercheur au sein de l'université Cornell à New York, «*ces mêmes leviers quasi invisibles qui nous amènent à prendre progressivement du poids peuvent être actionnés en sens inverse pour nous aider, tout aussi imperceptiblement, à perdre peu à peu quelques kilos*»[160].

Le cas de mon épouse Caroline illustre, je crois, assez bien la logique et l'efficacité de cette approche «à petits pas». Lorsque j'ai tenté le régime Dukan**, madame a voulu essayer avec moi pour «*perdre 2 kg*». Du haut de son mètre soixante-dix, elle en pesait soixante depuis des années. En quatre semaines, elle remplit plus que son objectif pour afficher 56 kg sur la balance. Si elle avait alors pu élever au rang de Saint parmi les Saints ce brave Monsieur Dukan, elle l'aurait fait, je crois. Un an plus tard, malheureusement, comme cela était prévisible (mais elle ne le savait pas encore), elle était remontée à 64,7 kg, poids qu'elle n'avait jamais atteint auparavant, en dehors de deux périodes de grossesse. C'est à ce moment-là qu'elle décida de ne plus «se prendre la tête» et d'essayer une approche plus

---

* Cf. *Manger moins en trompant son cerveau*, p. 259, et *Démanteler les «semeurs de kilos» de son environnement*, p. 271.
** Cf. *Un ultime désastre en guise de déclencheur*, p. 21.

paisible. Nourrie (si je puis dire) des notes du présent texte, elle installa au cœur de ses anciennes habitudes tout un tas de petits changements anodins tels que remplacer par un modèle de petite taille les (très) grandes assiettes que lui avait offertes sa mère, laisser la nourriture sur le plan de travail de la cuisine afin qu'il ne soit pas possible de se resservir sans se lever de table, supprimer le verre de vin qu'elle dégustait chaque soir en guise d'apéritif, prendre systématiquement les escaliers plutôt que l'ascenseur pour monter les cinq étages qui mènent à notre appartement, remplacer le Nutella des tartines matinales par de la confiture de myrtille exempte de sucre ajouté, etc. En un peu moins de 12 mois elle redescendit sous les 60 kg, avant de voir son poids se stabiliser progressivement autour de 58 kg. En utilisant une approche similaire (mais évidemment plus drastique dans l'ampleur des changements mis en place), j'ai moi-même effacé plus de 50 kg du pèse-personne. À ce jour, aucun n'est réapparu (voir l'Épilogue).

Les régimes restrictifs
sont dangereux pour la santé

Je ne connais pas le prénom de la jeune fille dont je vais vous parler. L'article médical qui retrace son décès ne le mentionne pas[282]. Je sais juste qu'au début de l'histoire, la demoiselle était âgée de 16 ans, mesurait 1,72 mètre pour 80-85 kg, avait la vie devant elle et jouissait d'une parfaite santé (en tout cas, elle ne souffrait d'aucune pathologie connue). Un jour elle décida de se mettre au régime. Un régime hyperprotéiné / hypoglucidique, de type Atkins[5]. Le même que celui de sa mère. Deux semaines plus tard, la malheureuse adolescente mourrait d'un arrêt cardiaque brutal. L'autopsie ne révéla aucune anomalie toxico-logique. Les médecins notèrent simplement dans leur rapport l'existence d'une profonde hypokaliémie (c'est-à-dire d'un taux anormalement bas de potassium dans le flux sanguin). Cette condition, connue pour être un facteur causal de défaillance cardiaque[283], fut attribuée au régime alimentaire de la jeune fille en accord avec les résultats de plusieurs autres études ayant montré que les régimes de type Atkins peuvent entraîner hypo-kaliémies et dysfonctions cardiaques.[284-288]

Par-delà son caractère anecdotique, ce triste et dramatique exemple souligne combien les régimes amaigrissants peuvent être dangereux. Imposer au corps une réorganisation alimentaire radicale afin de provoquer une perte pondérale soudaine et massive n'est en rien anodin. La littérature scientifique le rappelle régulièrement à ses lecteurs et pas seulement pour le régime Atkins dont il vient d'être question. Toutes les approches amaigrissantes grossièrement déséquilibrées en termes de calories ou de nutriments font courir à l'organisme un risque morbide important pouvant conduire au décès. Fort heureusement, ce dénouement extrême reste exceptionnel, même s'il est loin d'être rarissime.[286, 287, 289-294] Dans la majorité des cas, les effets négatifs des pratiques alimentaires carencées sont, si je puis dire, plus subtils. Ils s'expriment à long terme et s'avèrent donc difficiles à identifier. C'est un peu comme avec le tabac. Il a fallu des années et de larges études épidémiologiques pour démontrer le caractère cancérigène de ce produit. Cela tient au fait que la maladie se déclare avec d'importantes latences, parfois même chez des gens qui ne fument plus depuis des années. Par exemple, pour un homme cessant de fumer à 60 ou 50 ans, le risque cumulé de développer un cancer du poumon à 75 ans est augmenté respectivement, par rapport à une population contrôle de non-fumeurs, de 10 % et 6 %[295], ce qui est loin d'être négligeable.

Cette difficulté à établir une preuve définitive de nocivité concerne aujourd'hui largement le champ nutritionnel. Prenez la méthode Dukan, par exemple. Celle-ci n'a pris son essor que depuis une dizaine d'années au mieux. Cela veut dire qu'il va falloir attendre encore deux ou trois décennies avant de pouvoir mesurer vraiment l'ampleur du risque sanitaire qu'elle fait potentiellement courir à ses adeptes, sur la durée. En attendant le moment de cette évaluation, il va être facile d'arguer qu'aucune preuve absolue ne démontre la nocivité du régime en question et de laisser entendre par là, en creux, qu'absence de preuve veut dire absence de risque. Cette logique, qui ne concerne évidemment pas que le régime Dukan, est heureusement facilement réfutable et ce à plusieurs niveaux. Premièrement, en l'absence d'étude épidémiologique de long terme, il peut paraître un peu irrationnel de vouloir jouer les cobayes, sachant que des approches sûres et efficaces sur la durée sont d'ores et déjà disponibles. Deuxièmement, même en l'absence de preuve définitive de nocivité, on peut trouver dans la littérature scientifique des éléments concordants d'inquiétude. Troisièmement, les régimes commerciaux «récents» ne surgissent jamais du néant; ils connaissent tous des prédécesseurs de même philosophie pour lesquels des données fiables de long terme sont souvent accessibles. Quatrièmement, depuis des années, les chercheurs ont pu analyser les risques liés à la consommation de tel ou tel aliment sur la santé, ce qui permet de mesurer le risque potentiel imposé par les régimes qui font un usage important (voire immodéré) de ces aliments, ainsi que nous l'avons déjà mentionné, par exemple, pour la viande rouge. Enfin, cinquièmement, des études récentes ont commencé à montrer l'effet sanitaire négatif des pertes de poids rapides, indépendamment de la méthode utilisée. Là encore, il est possible d'utiliser ces résultats pour évaluer le degré de dangerosité de tel ou tel régime particulier. Voyons maintenant tout cela d'un peu plus près.

Nécessaire diversité

Un large consensus se dégage aujourd'hui au sein de la communauté médicale et des principales institutions de santé publique de la planète pour reconnaître que la clé de voûte d'une alimentation sûre réside dans l'équilibre et la variété des apports nutritionnels.[23, 99, 102, 104, 111, 296, 297] Carences et excès sont les ennemis irréductibles de notre santé. Comme l'explique clairement le guide de bonne conduite nutritionnelle établi par le ministère australien de la santé, *« chaque aliment joue un rôle [...] aucun ne peut faire le travail tout seul. Les bébés peuvent s'épanouir à partir d'un seul aliment (le lait maternel apporte tous les nutriments nécessaires pour les 6 premiers mois de la vie et garantit qu'aucune carence ne survient), mais le reste de la population a besoin de manger une large variété d'aliments nutritifs pour s'assurer que ses besoins sont couverts. Chaque aliment a une contribution à apporter. »*[99] Une idée reprise dans des termes presque similaires, aux États-Unis, par le rapport de référence du Collège de nutrition de l'Institut de médecine. Selon les termes de ce rapport, *« un corpus de données grandissant montre qu'un déséquilibre en macronutriments, particulièrement pour certains acides gras et les taux relatifs de graisses et de glucides, peuvent augmenter les risques de plusieurs maladies chroniques. [...] Une large variété d'aliments de différents groupes alimentaires sont nécessaires pour couvrir les besoins nutritionnels. »*[111] Or, comme l'ont montré plusieurs évaluations exhaustives, la quasi-totalité de régimes commerciaux en vogue sont porteurs de déséquilibres importants tant au niveau des micro que des macronutriments.[16, 298, 299]

Trop de protéines

Considérons pour commencer, les régimes hyperprotéinés. En France, l'ANSES stipule que l'apport en protéines devrait représenter entre 11 et 15 % de l'apport énergétique total[300], avec une *« limite supérieure de sécurité »* égale à 40 %[132]. Aux

États-Unis, l'institut de médecine offre une fourchette sensiblement plus large, allant de 10 à 35 %[111], seuil au-delà duquel l'apport protéique a pu être qualifié de « *dangereusement excessif* »[112]. Les spécialistes du ministère de la santé australien sont plus circonspects et enclins à considérer qu'un apport de 25 % suffit à couvrir les besoins physiologiques tout en constituant, en l'état actuel de nos connaissances, un « *seuil supérieur prudent* »[301]. Ce seuil est d'ailleurs généralement retenu par la communauté scientifique pour qualifier un régime d'hyperprotéiné.[107, 112, 302] Parmi les régimes commerciaux les plus connus répondant à cette dénomination on trouve notamment Dukan[52], Atkins[5] ou South Beach (aussi nommé Miami)[303].

À court terme, cette famille de régimes peut se traduire par une large palette de problèmes plus ou moins graves : constipation, maux de têtes, vomissements, nausées, crampes, mauvaise haleine, chute de cheveux, fatigue, démangeaisons, saignements menstruels excessifs, sévère acidocétose*, altération du fonctionnement rénal et troubles cardiaques, le tout pouvant dans certains cas, comme signalé plus haut, aboutir au décès.[133, 284-291, 294, 304-310]

À long terme, des études chez l'animal ont montré qu'une consommation protéique à hauteur de 35 % de l'apport énergétique total avait des effets délétères significatifs sur les reins[115, 116] et le risque d'athérosclérose.**[311] Chez l'humain, un lien a été mis en évidence entre la consommation de protéines animales (particulièrement de viande rouge et de viandes industriellement transformées) et la formation de calculs urinaires,[312-314] l'apparition de diabète de

---

* Le terme acidocétose décrit une acidification excessive du sang.
** Le terme athérosclérose définit le dépôt d'une plaque de lipides (athérome) sur l'artère, ce qui entraîne une obstruction progressive du vaisseau et un risque d'accident vasculaire.

type 2,[119, 126, 315-318] l'amplification du risque cardiovasculaire,[118, 119, 122, 128, 129, 319-321] l'augmentation du risque d'infarctus cérébral,[123, 124, 322] l'accroissement de la fréquence d'un certain nombre de cancers (colorectal, œsophage, poumon, pancréas, estomac, vessie, prostate)[104, 119, 121, 122, 129, 323-329] et (ce qui est quand même le comble!) l'élévation du risque d'obésité ou de surpoids.[108, 110]

Par exemple, une recherche récente portant sur près de 2 000 adultes a montré qu'une augmentation de 9 à 14 % de la part des protéines animales dans l'alimentation multipliait par 4,6 le risque d'obésité, à échéance de sept ans[109]. De même, une étude épidémiologique impliquant plusieurs dizaines de milliers de femmes âgées de 30 à 49 ans a établi que le risque de décès par maladie cardiovasculaire était multiplié par 2,4 lorsque la part protéique passait, dans la ration énergétique quotidienne, de 10 % à 23 %[118]. Dans cette dernière étude, aucune dissociation ne fut malheureusement opérée entre protéines d'origine animale ou végétale. Une lacune toutefois partiellement comblée par un travail ultérieur ayant permis d'établir que l'effet négatif d'une surconsommation protéique était surtout lié à l'ingestion de protéines animales et ce *via* (en partie au moins) l'effet délétère de ces dernières sur le cycle d'une hormone peptidique (IGF-1), sécrétée par le foie et présentant une structure assez proche de celle de l'insuline (l'hormone qui régule le taux sanguin de glucose)[119]. Près de 6 500 personnes âgées de plus de 50 ans firent alors l'objet d'un suivi rigoureux pendant 18 ans. Ces participants furent répartis en trois catégories de consommation protéique: faible (moins de 10 % de la prise calorique totale; moyenne pour ce groupe 9 %); intermédiaire (de 10 à 19 %; moyenne pour ce groupe 15 %); forte (supérieure à 20 %; moyenne pour ce groupe 24 %)[120]. Parmi les individus ne présentant pas de diabète de type 2 au début de l'étude, les membres des groupes intermédiaire et fort virent leurs chances de mourir d'un diabète être multipliées respectivement par 23 et 73 par rapport aux sujets du groupe faible, toutes choses étant alors évidemment maintenues égales par ailleurs (âge, sexe, groupe racial, tabagisme, éducation, poids, régime durant les mois précédents, etc.). Pour la mortalité globale (toutes causes confondues) et le risque cancéreux, un effet significatif de l'âge fut observé. Chez les 50-65 ans, une augmentation de 75 % du risque global de mortalité et un quadruplement de la probabilité de décès par cancer furent identifiés pour le groupe fort par rapport au groupe faible.

Chez les plus de 65 ans, les données identifièrent toutefois une tendance inverse. Par rapport au groupe faible, le groupe fort enregistra une diminution du risque de mortalité global de 28 % et du risque décès par cancer de 60 %. D'après les auteurs, cette dernière observation serait liée au fait que l'influence négative d'une surcharge protéique sur l'organisme est, chez les sujets âgés, compensée par l'action positive d'un apport protéique augmenté sur le poids et la fragilité physique. En d'autres termes, chez les sujets âgés, ces deux derniers facteurs tuent plus vite que le premier, et il est dès lors statistiquement rationnel d'adopter une alimentation plus riche en protéines.

Cela étant dit, il peut être important de rappeler que nous parlons ici d'un seuil d'apport maximal moyen situé autour de 24 %[120], ce qui nous place très loin des orgies protéiques chères à nombre de régimes miracles. Ainsi, par exemple, selon les calculs de l'ANSES, la part de l'apport protéique est supérieure à 40 % pour les différentes phases d'amaigrissement et de consolidation du régime Dukan. Atkins est à plus de 30 % pour les deux étapes initiales de perte de poids et à 25 % pour la période finale de stabilisation, supposée s'étendre tout au long de la vie[16]. Cette dernière proportion s'avère identique à celle de la phase de croisière censément définitive de la méthode South Beach[16]. Tout cela n'apparaît ni raisonnable ni rassurant, c'est le moins que l'on puisse dire.

Trop de protéines… pas assez de glucides

Pour ne rien arranger, ces effets délétères sont démultipliés lorsque l'abondance de protéines est associée à un faible apport glucidique, comme il est d'usage dans la plupart de régimes hyperprotéinés populaires[16]. Adoptez ce type de combinaison alimentaire sur le long terme, en accord avec les préconisations de certains ouvrages commerciaux,[5, 303] et vos chances de mourir précocement d'un cancer, d'une atteinte cardiovasculaire ou de toute autre cause seront très significativement augmentées.[319, 330, 331]

Chez nos amies les souris, par exemple, il a été montré que l'espérance de vie diminuait de 125 à 90 semaines, soit un effondrement de près de 30 %, lorsque le rapport protéine / glucides passait de 0,07 (protéines 5 % ; glucides 75 % ; lipides 20 %) à 3 (protéines 60 % ; glucides 20 % ; lipides 20 %)[117]. Chez l'humain, où de telles investigations systématiques sont évidemment inconcevables, un travail épidémiologique ayant suivi plus de 42 000 femmes adultes pendant 12 ans, a permis d'établir que le risque de décès, toutes causes confondues, au cours de cette période, augmentait de 40 % chez les participantes qui suivaient un régime riche en protéine et pauvre en glucides, par rapport à celles qui avaient adopté un profil alimentaire inverse. Cet accroissement de risque était presque entièrement imputable à la mortalité cardiovasculaire qui croissait alors de 250 %[118].

En accord avec ce résultat une étude récente a d'ailleurs montré, chez l'animal, que les régimes pauvres en glucides et riches en protéines produisaient, par rapport à des régimes standards plus équilibrés, une augmentation substantielle du risque cardiovasculaire en raison d'une susceptibilité massivement accru à l'athérosclérose[332]. Quand la répartition glucides/protéines était inversée et passait de (43 % / 15 %) à (12 % / 45%), alors que la proportion de graisses était maintenue stable autour de 42 %, le nombre de plaques d'athérome* doublait. Le régime riche en protéines et pauvre en glucides altérait aussi très significativement la capacité des animaux à générer de nouveaux vaisseaux pour répondre à une situation d'ischémie**.

Le moins que l'on puisse dire, là encore, c'est que ces données ne sont guère rassurantes. On peut d'ailleurs remarquer, pour l'anecdote, que Robert Atkins, créateur du régime éponyme, connaissait apparemment, au moment de son décès, de sérieux problèmes cardiaques, d'hypertension et de surpoids[333]. Une observation qui prend tout son sens à la lumière d'une citation de ce pionnier des régimes hyperprotéinés/hypoglucidiques. Il expliquait que son régime n'était *« pas juste un moyen de perdre du poids, mais une méthode d'alimentation pour le reste de votre vie de façon à ce que vous puissiez être et demeurer svelte et en bonne santé »*[5].

Ce genre de promesse apparaît aujourd'hui d'autant moins crédible que des dizaines de travaux convergents démontrent, chez l'humain, qu'une consommation insuffisante de céréales complètes, fibres, fruits et légumes augmente substantiellement le risque de pathologies cardiovasculaires, de diabète, de cancer, de démence et de sénilité.[102, 104, 121, 334-344] Par exemple, en

---

* Dépôt, principalement graisseux, qui s'établit à la surface interne de la paroi des artères et menace ces dernières d'occlusion.
** On parle d'ischémie quand un tissu est partiellement ou totalement privé de sang en raison d'une lésion vasculaire.

augmentant de 10 grammes votre consommation quotidienne de fibres issues de fruits, vous réduirez de 35 % votre risque de mourir d'une atteinte cardiovasculaire[345]. Si ces 10 grammes proviennent de légumes, c'est votre risque de cancer colorectal que vous ferez décroître de 38 %[346]. Ces valeurs sont loin d'être marginales.

En France, l'ANSES stipule que l'apport en glucides devrait représenter entre 50 et 55 % de l'apport énergétique total[300]. Aux États-Unis, l'Institut de médecine offre un intervalle sensiblement plus large, allant de 45 à 65 %[111]. Pour cette institution, « *si un individu consomme au-dessous ou au-dessus de cette fourchette, il s'expose à la possibilité d'augmenter le risque de maladies chroniques connues pour affecter la santé sur le long terme* ». Or, selon l'ANSES, 81 % des régimes commerciaux courant se trouvent hors de ces bornes sécurisées*. Si l'on prend en compte la fourchette en vigueur au niveau français le taux d'exclusion monte à 97 %[16]. Le pourcentage de calories d'origine glucidique se situe, par exemple, en dessous de 20 % pour les différentes phases d'amaigrissement et de consolidation des régimes Dukan et Atkins. Montignac se place sous les 30 %. South Beach est au mieux à 25 %. Delabos atteint tout juste 35 % avec sa chrononutrition. Des chiffres pour le moins éloignés des normes de sagesse ! Bien sûr, tous ces « experts » vous diront que les chercheurs officiels n'ont rien compris, qu'ils mélangent tout, que leur savoir éculé à fait la preuve de son inanité, etc. Ma foi, à chacun de juger pour lui-même (et sa santé !) qui est le plus crédible.

---

* Les différentes phases d'un même régime sont ici comptées indépendamment.

Trop (ou trop peu) de graisses

Au-delà des glucides et des protéines, les graisses sont le troisième pilier de nos prises alimentaires. En France, l'ANSES stipule que l'apport lipidique devrait représenter entre 30 et 35 % de l'apport énergétique total.[300, 347] Aux États-Unis, l'Institut de médecine offre un intervalle un peu plus permissif, allant de 20 à 35 %[111]. Selon les termes mêmes de cette institution, ces valeurs « *sont associées à un risque réduit de pathologies chroniques* ». Lorsque la consommation de graisses et de glucides est confinée à l'intérieur des intervalles conseillés, « *le risque de maladie cardiovasculaire, d'obésité et de diabète, peut être maintenu au minimum* »[111]. Or, selon l'ANSES, 71 % des régimes commerciaux courants impliquent une consommation lipidique inadéquate. Si l'on prend en compte la fourchette en vigueur au niveau français, le taux d'aberration monte à 81 %[16]. Le pourcentage de calories d'origine lipidique se situe, par exemple, autour de 40 % pour les phases 2 (croisière) et 3 (consolidation) du régime Dukan. Les différentes étapes du régime Atkins se placent entre 52 et 59 %. Montignac se positionne entre 44 et 48 %. South Beach est à 50 % alors que Delabos dépasse les 40 %. À l'opposé de ces orgies graisseuses, Ornish se contente d'un famélique 9 %. Et malheureusement, en matière de lipides, ni les excès ni les carences ne sont très raisonnables.

Commençons par le risque d'insuffisance. Celui-ci tient au rôle indispensable des graisses dans le fonctionnement organique en général et cérébral en particulier. L'apport en acides gras dits essentiels (oméga-3, oméga-6) est spécialement critique dans la mesure où ces acides ne sont pas spontanément synthétisables par le corps humain. Ils doivent donc être extraits de nos assiettes. Or, selon l'Institut de médecine américain, cette extraction devient problématique lorsque l'apport lipidique total tombe en dessous de 20 % de l'apport calorique total[111], une valeur seuil que l'ANSES place pour sa part à 30 %.[347, 348] La difficulté tient au fait que les différents types d'acides gras ne se présentent pas de manière isolée mais mixte au sein des aliments.[102, 111, 349] Dès lors, en réduisant trop fortement l'apport lipidique total, on ne diminue pas seulement l'exposition aux graisses non essentielles ou même néfastes. On compromet aussi l'absorption des « bonnes graisses », sans lesquelles le corps ne peut fonctionner de manière optimale[111].

Cela ne veut pas dire, bien sûr, qu'il ne faille pas limiter drastiquement la prise des graisses les plus nocives que l'on trouve par exemple en masse dans les charcuteries ou les plats cuisinés industriels, au profit de leurs analogues les plus bénéfiques que l'on rencontre notamment dans l'huile d'olive ou le saumon *. Cela veut dire simplement qu'à trop vouloir éradiquer les graisses dans leur ensemble, on finit par éliminer aussi certains acides gras indispensables à notre santé. En d'autres termes, la part totale des graisses dans les régimes très hypolipidiques de type Ornish est tellement faible qu'une carence en acides gras essentiels (ceux, encore une fois, dont le corps a absolument besoin mais qu'il ne peut synthétiser : oméga-3, oméga-6), est quasiment certaine.

Au plan clinique, les alimentations hypolipidiques ont été associées à un risque accru d'athérosclérose, et donc de pathologies cardiovasculaires.[16, 101, 111, 350, 351] Cette observation est cohérente avec le rôle protecteur, maintenant largement établi, des acides gras essentiels sur l'occurrence de ces pathologies.[347, 352-361] Il existe aussi une relation inverse entre le niveau de consommation d'acides gras essentiels et la survenue d'un

---

* Cf. *Des acides gras vraiment essentiels*, p. 225.

diabète de type 2[362, 363] ou le risque d'occurrence de certains cancers (prostate, colorectal, sein).[347, 362, 364-366]

D'une manière plus générale, l'effet délétère d'une insuffisance en acides gras essentiels (notamment les oméga-3) a aussi été observé, conjointement à l'influence positive d'une supplémentation en ces mêmes acides, sur le développement, le fonctionnement et le vieillissement cérébral. En d'autres termes, un cerveau qui manque de ces acides gras se développe mal, fonctionne de manière sous-optimale au quotidien et vieillit prématurément. Parmi les champs cliniques alors affectés, on peut mentionner notamment l'hyperactivité avec troubles de l'attention chez l'enfant, la dyslexie, l'autisme, la dépression, le suicide, la schizophrénie, les démences (dont Alzheimer) et l'exacerbation du processus de déclin cognitif lié à l'âge.[347, 367-377] De quoi offrir, j'espère, quelques pistes de réflexion aux amateurs de régimes trop lourdement hypolipidiques.

Penchons-nous maintenant sur le cas opposé des alimentations hyperlipidiques. Là encore, le problème réside, en grande partie, dans la quasi-impossibilité de séparer finement les bonnes et les mauvaises graisses. Selon les termes l'Institut de médecine américain, « *lorsque la graisse est consommée dans les aliments ordinaires elle contient un mélange d'acides gras saturés, polyinsaturés et monoinsaturés. Même lorsque le contenu des acides gras saturés [les «mauvaises» graisses] est relativement bas au sein des graisses utilisées, la consommation de ces acides peut être élevée si la consommation de graisses est élevée. Par exemple, si toutes les graisses alimentaires consommées étaient pauvres en acides gras saturés (ex. 20 % de l'énergie lipidique), un apport total de graisses établi à 35 % de l'énergie totale conduirait à une consommation d'acides gras saturés représentant 7 % de l'énergie totale. La consommation d'une plus large variété de graisses alimentaires conduirait vraisemblablement à un pourcentage encore plus élevé d'acides gras saturés. Dès lors, d'un point de vue pratique, il s'avérerait difficile d'éviter des consommations élevées d'acides gras saturés pour la plupart des gens si la consommation totale de graisses excédait 35 % de l'énergie totale [...]. Des consommations de graisses excédant 35 % de l'énergie totale aboutissent à une consommation intolérablement haute d'acides gras saturés.* »[111]

En accord avec ces remarques, il apparaît effectivement très difficile de concevoir des menus pauvres en acides gras saturés et suffisamment riches en acides gras essentiels et insaturés (les « bonnes » graisses)[378]. La prise en compte des acides gras dits « trans »*, particulièrement nocifs comme nous le verrons plus loin, ne fait évidemment qu'accroître le problème. Considérant qu'aucun effet négatif d'une faible consommation en acides gras saturés ou trans n'a, à ce jour, pu être mis en évidence,[111, 347] les autorités sanitaires françaises et américaines ont suggéré de maintenir l'apport lipidique total en dessous de 35 % afin de pouvoir maintenir à un niveau acceptable l'apport en « bonnes » graisses (mono et polyinsaturées), tout en maintenant en dessous de 10-15 %[102, 347] la consommation de « mauvaises » graisses (trans et saturées).

Au plan clinique, les régimes alimentaires trop riches en lipides ont été associés à l'augmentation d'occurrence de certains cancers (sein, poumons, colon, prostate).[111, 121, 347] Par ailleurs, nombre d'études ont aussi mis en évidence une corrélation positive entre consommation d'acides gras saturés et fréquence des pathologies cardiovasculaires.[111, 347, 379-383] Toutefois, la plupart de ces études sont anciennes et plusieurs méta-analyses incluant des recherches récentes, sans doute

---

* Les acides gras *trans* sont des acides gras insaturés qui tirent leur nom de leur forme géométrique (ces acides gras ont au moins une double liaison en position *trans*, contrairement aux autres acides gras insaturés dont les doubles liaisons sont en position *cis*).

mieux conçues, n'ont pu confirmer l'authenticité de cette association.[384-386]

Est-ce à dire que l'on peut impunément se gaver de charcuteries, saucisses et autres pizzas dégoulinantes de graisses saturées ? Malheureusement non. En effet, certaines études suggèrent que la consommation d'acides gras saturés pourrait être associée à une réduction de l'espérance de vie chez l'animal[387] et à une altération du liquide séminal, donc de la fertilité, chez l'humain[388]. En outre, si nombre de recherches ont échoué à mettre en évidence l'influence délétère des acides gras saturés sur le risque cardiovasculaire c'est apparemment parce que la peste des mauvaises graisses ne vaut pas mieux que le choléra des méchants glucides. En d'autres termes, remplacer, comme le font spontanément bien des gens, les acides gras saturés par des glucides raffinés présentant un fort indice glycémique (ex. pain blanc, sucre) ne sert absolument à rien car ces nutriments ont sur le risque cardiovasculaire un effet encore plus nocif que les acides gras saturés.[389-393] À chaque fois que l'on remplace 5 % de ces derniers par 5 % de glucides à fort indice glycémique le risque cardiovasculaire augmente d'un tiers*. Une diminution de 12 % survient cependant si l'on opte pour des glucides à faible indice glycémique (ex. pain complet)[394]. De façon intéressante, la baisse s'avère encore plus marquée (≈ 50 %) lorsque les acides gras saturés sont remplacés par leurs analogues insaturés.[395-398]

Cela étant dit, le potentiel malfaisant de ces braves lipides saturés apparaît bien anodin au regard du pouvoir tout à fait dévastateur des acides gras trans. Ces derniers peuvent avoir une origine naturelle ou industrielle. Dans le premier cas, ils

---

* Le concept d'index glycémique sera présenté et évalué en détail au sein du chapitre suivant. Cf. *Indispensables féculents,* p. 247.

sont présents dans les graisses corporelles des animaux et le lait; dans le second, ils résultent notamment de la transformation des graisses par hydrogénation et se retrouvent en concentration importante dans les viennoiseries, les biscuits, les margarines, les barres chocolatées et nombre de plats cuisinés. Selon une simulation que les spécialistes estiment eux-mêmes prudente, ces graisses tueraient prématurément chaque année, plus de 30 000 personnes sur le seul territoire des États-Unis[399]. Ce véritable carnage passe par une modification profondément délétère de certains paramètres biologiques critiques: sous l'action de ces substances, le «mauvais» cholestérol augmente (LDL) quand le «bon» diminue (HDL)[400]. L'effet de ce double mécanisme est d'autant plus massif qu'il s'exprime pour des consommations extrêmement faibles d'acides gras trans.[111, 347, 401-405] Ainsi, par exemple, la probabilité de souffrir d'un accident cardiovasculaire augmenterait de près de 25 % à chaque fois que la contribution de ces acides au bilan énergétique global croît de 2 %[406].

Il semble donc prudent de rester aussi loin que possible de tous ces régimes populaires trop riches en graisses et donc, compte tenu de l'impossibilité de trier finement ces dernières en fonction de leur nature intime, en graisses saturées et trans.

La valse des micronutriments

Au-delà des glucides, protéines et lipides, se trouve aussi la question des micronutriments: principalement les vitamines, minéraux et oligo-éléments. Là encore, carences et excès augmentent lourdement les facteurs de risque pour diverses pathologies allant du cancer, aux maladies infectieuses, en passant par les atteintes cardiovasculaires ou squelettiques, les affections liées au vieillissement et (c'est bien le comble là encore) l'obésité.[407-414] Concernant ce dernier point, par exemple, une étude a montré que les femmes présentant un apport déficient en micronutriments ont près de deux fois plus de chances d'être obèses[415]. On peut penser que le métabolisme de ces femmes réagit à l'état de carence en augmentant, via des adaptations hormonales, la sensation de faim, ce qui permet d'augmenter l'apport en micronutriments. Comme nous le verrons en détail dans le chapitre suivant, ce type de compensation est aujourd'hui bien connu des scientifiques, tant chez l'humain que l'animal.

Malheureusement, concernant la question des micronutriments, le moins que l'on puisse dire, c'est que les régimes grand public sont loin de présenter une carte de visite avouable.[16, 416] Ainsi, la totalité (100 %!) des méthodes commerciales évaluées par l'ANSES se sont révélées déséquilibrées quant à leurs préconisations[16]. La phase de consolidation du régime Dukan (phase 3), par exemple, réussit vis-à-vis de la population féminine l'incroyable tour de force d'être hors limites pour tous les éléments analysés : manque de fibres, de potassium et de vitamine C, excès de fer, de calcium, de sélénium, de sodium, de magnésium et de vitamines B9, D et E. Difficile de trouver meilleure application de l'expression « cumuler les facteurs de risque ». Prenons le sodium, à titre d'illustration. La consommation optimale se situe sous les 1,5 gramme par jour (g/j). La consommation tolérable est pour sa part placée à 2,3 g/j.[101, 417] La phase 3 du régime Dukan est à 3,7 g/j, soit 2,5 fois la teneur idéale conseillée. Pour information, la phase 1 est à 5,2 g/j, la phase 2 à 3,3 g/j. Ces données ne peuvent être considérées comme anodines. En effet, la période de consolidation peut, pour ce régime, durer très longtemps : dans mon cas, selon les chiffres fournis par le simulateur du site « regimedukan.com », pour un «juste poids» de 85 kg (soit un amaigrissement d'à peu près 45 kg), elle se serait étendue sur plus de 15 mois, auxquels il aurait fallu ajouter le temps de l'amaigrissement (phases 1 et 2) soit 10 mois. Cela nous amène globalement à un peu plus de deux ans. Or, l'excès récurrent de sodium représente un risque majeur d'hypertension, d'atteinte rénale, de pathologies cardiovasculaires et (dans une moindre mesure), de cancers de l'estomac ou de la gorge.[104, 121, 418-420]

On pourrait évidemment remplacer le sodium par d'autres éléments et aboutir à des résultats tout aussi alarmants. Prenez le calcium, par exemple. Pour ce minéral, les grandes institutions sanitaires de la planète s'accordent à préconiser, chez l'adulte, une consommation inférieure à 1 000 milligrammes par jour (mg/j, voir 1 200 mg/j au-delà de 55 ans)*. La phase 3 du régime Dukan est à quasiment 1 900 mg/j, soit presque deux fois la norme. Pour information, la phase 1 est à 2 000 mg/j, la phase 2 à 1 600 mg/j. Or, au-delà de 1 400 mg/j, le risque de décès augmente de 40 % et les chances de faire un infarctus sont doublées[421].

Pas super-rassurant, surtout si l'on ajoute à tout cela les effets négatifs déjà évoqués d'un large excès protéique, d'un apport lipidique trop important et d'une carence glucidique massive. Il est facile de comprendre pourquoi les régimes restrictifs en général et ce genre de régimes surprotéinés en particulier inquiètent un grand nombre de spécialistes.[16, 90, 422, 423] Ramener ce débat à un simple problème de jalousie confraternelle, comme a pu le faire récemment Monsieur Dukan vis-à-vis de l'un de ses pairs, paraît un poil sommaire[424].

---

*Cf. *Doucement sur les produits laitiers*, p. 254.

Trop de régimes

À tous les facteurs de risque qui viennent d'être évoqués, il faut encore en rajouter un, plus général : l'inefficacité chronique des régimes restrictifs. Nous verrons en effet dans le prochain chapitre que ceux-ci se révèlent à long terme, dans la quasi-totalité des cas, au mieux inutiles et, au pire, franchement contre-productifs. Cela explique pourquoi les gens se contentent rarement d'un seul cycle d'amaigrissement. En Finlande, par exemple, 20 % des femmes ont perdu 5 kg entre une et deux fois durant les 10 dernières années et les ont repris. Pour 10 % d'entre elles, le cycle perte/reprise s'est reproduit plus de 3 fois[425]. Ces résultats sont cohérents avec ceux d'une autre étude américaine ayant suivi, pendant 20 ans, près de 45 000 femmes initialement âgées de 35 ans[426]. Parmi ces dernières, 27 % ont perdu et repris au moins 4,5 kg plus de trois fois. Dans 8 % des cas, la fluctuation pondérale s'est élevée à plus de 9 kg.

Bien sûr, ces pourcentages déjà importants à l'échelle de la population générale augmentent encore lorsque l'on s'en tient aux seules personnes ayant un jour mis le doigt dans l'engrenage infernal des régimes restrictifs. Typiquement, ces individus commencent par un premier essai, puis regrossissent, puis embrayent sur une seconde tentative, puis regrossissent à nouveau et recommencent au gré des modes éditoriales et des saisons, une fois, deux fois, dix fois. L'étude française « Nutrinet Santé » illustre remarquablement ce point[51]. Parmi les femmes ayant déjà fait au moins un régime : 26 % n'en ont suivi qu'un ; 47 % en ont suivi entre 2 et 4 ; 28 % en ont suivi plus de cinq, dont 10 % plus de 10 (!).

Si ces chiffres n'étaient que colossaux, on pourrait s'en amuser. Malheureusement, ils s'avèrent aussi profondément inquiétants d'un point de vue sanitaire. En effet, l'alternance de perte et reprise de poids semble constituer, indépendamment de toute autre variable, un facteur morbide important.[24, 64, 427, 428] Les individus sujets à de telles alternances présentent ainsi un risque accru d'hypertension,[429-432] de diabète,[430, 433] de pathologies cardiovasculaires,[430, 433-438] de calculs biliaires,[439, 440] de cancers,[438, 441] d'affaissement du système immunitaire[442], de modifications du profil hormonal dans le sens d'une stimulation de l'appétit[443] et, enfin, de réduction du nombre de calories consommées par l'organisme au repos[432]. Cette dernière observation s'avère notamment liée à une diminution progressive du pourcentage de masse maigre (muscle) par rapport à la masse grasse. En fait, à chaque fois que le sujet regrossit il reprend surtout de la masse grasse, moins « chère » à entretenir pour l'organisme que le muscle.[444-446] Une telle transformation exacerbe grandement le risque de prise de poids. En effet, lorsque le métabolisme de repos est abaissé, le corps a besoin de moins de calories pour maintenir un même poids par rapport à la situation d'avant régime.[447, 448]

Plusieurs études ont aussi montré que les désordres métaboliques induits par la succession des fluctuations pondérales accroissent très significativement la mortalité.[434, 437, 449, 450] Un travail ayant suivi près de 8 500 sujets pendant plus de 20 ans a ainsi observé, par exemple, un quasi-doublement de la probabilité de décès, toutes causes confondues, chez les individus présentant une forte instabilité pondérale[451].

Mis bout à bout, tous les facteurs de risques évoqués au sein des paragraphes précédents pourraient bien expliquer ce qui reste encore aujourd'hui, pour nombre de spécialistes, un profond paradoxe : alors que l'obésité est un facteur majeur de risque sanitaire, les obèses ayant maigri présentent parfois un niveau de mortalité significativement accru. En d'autres termes, maigrir pourrait bien, dans certains cas, non pas améliorer l'espérance de vie, mais avancer l'heure du départ.[24, 64, 428, 452-457] Au-delà de l'existence possible de biais méthodologiques dans l'interprétation de ces données,[458-461] un tel résultat pourrait refléter l'action délétère des carences alimentaires qui caractérisent la quasi-totalité des régimes restrictifs grand public. En accord avec cette idée, plusieurs travaux ont montré une amélioration très significative de l'espérance de vie chez des patients obèses traités chirurgicalement, après exclusion des problèmes liés à l'acte opératoire.[462-465]

* * *

Ainsi donc, maigrir serait positif… à condition de ne pas le faire n'importe comment. Une absence de régime vaut infiniment mieux qu'un régime mal conduit.

Les régimes restrictifs
sont inefficaces

Depuis près de 40 ans, plusieurs centaines d'études scientifiques ont évalué l'efficacité des régimes restrictifs. Les résultats de cette gigantesque littérature sont, compte tenu de la variété des méthodes utilisées par les chercheurs, étonnamment cohérents. Ils peuvent être résumés en quatre points.

Premièrement, quelle que soit sa composition fine en macronutriments (plus de protéines, moins de glucides, etc.), tout régime restrictif entraîne initialement une perte de poids grossièrement proportionnelle à la réduction calorique qu'il induit. Deuxièmement, sur 100 individus ayant suivi un régime alimentaire restrictif, 95 reprennent tout le poids perdu en moins de deux à cinq ans. Troisièmement, ce phénomène de reprise est très difficile à éviter tant l'ensemble de la machinerie métabolique s'adapte avec vigueur pour s'opposer à l'amaigrissement et en renverser les effets. Quatrièmement, perdre du poids à très long terme est malgré tout possible. Cependant, les sujets qui y parviennent ne suivent pas un régime au sens classique du terme. Ils modifient profondément et durablement tant leur mode de vie que leurs habitudes alimentaires. Pour le dire clairement, si vous pensez pouvoir faire un régime restrictif et recommencer ensuite à manger «comme avant», vous vous illusionnez gravement. Cette stratégie est irrévocablement vouée à l'échec. Voyons tout cela d'un peu plus près.

Une simple histoire de calories

Au cœur de bien des régimes populaires se trouve l'idée centrale selon laquelle la notion de calories serait aujourd'hui ringarde et obsolète. Pour nombre de gourous médiatiques, la clé de l'amaigrissement résiderait dans le savant dosage des macronutriments, dosage qui par d'obscurs mécanismes biophysiologiques empêcherait non seulement la prise de poids, mais conduirait l'organisme à puiser ardemment dans ses réserves lipidiques : gavez-vous de viandes et de protéines et vous maigrirez à la vitesse de l'éclair, promettent les méthodes Atkins et Dukan ;[5, 52, 105] bannissez tous les aliments à index glycémiques moyens et élevés et vous fondrez comme un bonhomme de neige au milieu du désert, assure Montignac.[50, 466] D'ailleurs pour ce dernier, «*compter les calories est une pratique absurde*»[93], d'autant plus absurde, confirme Dukan, que «*les protéines n'ont pas un rôle de carburant [...] L'organisme en fait un très faible profit*»[105].

Malheureusement, ces fables ne résistent pas longtemps à l'évaluation scientifique. En plus de 30 ans, des dizaines d'études ont montré que la perte de poids n'est pas liée à la répartition relative des différents macronutriments, mais au bilan calorique global, c'est-à-dire à la différence entre ce qui est consommé et ce qui est dépensé (voir l'encadré ci-contre).

En d'autres termes, vous pouvez modifier drastiquement la contribution respective des glucides, protéines et lipides dans votre alimentation, cela n'aura aucun effet si vous ingérez la même quantité d'énergie.[467-476]

LA PERTE DE POIDS DÉPEND
DU BILAN CALORIQUE GLOBAL

« Est-ce que les gourous de la presse grand public savent quelque chose sur les macronutriments et le poids corporel que la communauté scientifique ignore ? »
David Levitsky, professeur de nutrition à l'université Cornell[477]

« L'apport calorique global (et non la teneur variable en macronutriments) est un facteur majeur dans les effets pondéraux d'un régime. »
Agence nationale de sécurité sanitaire (ANSES)[16]

« Des preuves solides montrent qu'il n'y a pas de proportion optimale en macronutriments pouvant faciliter la perte de poids ou aider au maintien de l'amaigrissement [...] les preuves montrent que la question critique ne renvoie pas à la proportion relative des macronutriments dans le régime, mais au fait de savoir si l'alimentation est réduite en calories et si l'individu est capable de maintenir cette restriction calorique sur la durée. »
Ministères de la santé et de l'agriculture, États-Unis[102]

« Équilibrez l'apport énergétique et l'activité physique pour atteindre ou maintenir un poids sain [...] La composition en macronutriments d'un régime (i.e. la quantité de graisses, glucides et protéines) a peu d'effet sur la balance énergétique à moins que la manipulation des macronutriments n'influence la prise ou la dépense énergétique totale. »
Association américaine de cardiologie[101]

« Une perte de poids pour la plupart des gens sédentaires ne peut être obtenue qu'en réduisant l'apport calorique. Malgré l'hypothèse ancienne selon laquelle la composition du régime pourrait influencer la rapidité et la capacité totale à la perte de poids, des études contrôlées ont récemment

---

attesté qu'indépendamment des variations totales de consommations en protéines, glucides ou graisses, le facteur critique pour perdre du poids est l'adhérence à un régime qui réduit l'apport calorique total. »
Van Horn, éditorial
dans le Journal de l'association médicale américaine[478]

« *Tous les régimes hypocaloriques induisent une perte de poids. La composition en macronutriments ne semble pas jouer un rôle majeur.* »
Serdula *et al.* Synthèse de la littérature
dans le Journal de l'association médicale américaine[296]

« *La règle fondamentale du contrôle pondéral est que les gens grossissent quand ils ingèrent plus de calories qu'ils n'en consomment.* »
Centre américain de contrôle des maladies[479]

« *La principale nécessité d'une intervention visant une perte de poids est que l'apport énergétique total soit plus faible que la dépense énergétique.* »
Institut national britannique pour la santé et l'excellence clinique[480]

« *N'importe quel régime conduisant à consommer moins de calories produira une perte de poids.* »
Hill, Synthèse de la littérature
dans le Journal de la société internationale d'endocrinologie[481]

« *Y a-t-il un régime optimal pour perdre du poids ? Une revue de la littérature tendrait à suggérer que n'importe quel régime qui réduit l'apport calorique conduira à une perte pondérale.* »
Kennedy *et al.* Synthèse de la littérature
dans le Journal de l'association de diététique américaine[299].

Ainsi, par exemple, si les Français sont (encore) en moyenne moins gros que les Américains, cela ne tient pas en dernière analyse à je ne sais quelle miraculeuse spécificité du régime alimentaire hexagonal, comme on nous l'explique parfois[482], mais simplement au fait que les premiers mangent... moins que les seconds[483]. Une étude a confirmé explicitement cette observation[484]. Pendant deux ans, ses auteurs ont soumis plus de 800 individus en surpoids à des régimes alimentaires hypocaloriques identiques quant au déficit énergétique induit, mais extrêmement différents au regard de leur composition. Les variations allaient de 20 % à 40 % pour les graisses, de 15 % à 25 % pour les protéines et de 45 % à 65 % pour les glucides. Résultat : une perte pondérale de 6 kg en six mois avec reprise de 3 kg au cours des 18 mois suivants, sans aucune différence entre les groupes expérimentaux. Conclusion des auteurs : « *Un régime réduit en calories entraîne une diminution cliniquement significative du poids indépendamment des macronutriments mis en avant.* » Un résultat confirmé dans une étude similaire plus récente. Pendant un an, des sujets, cette fois fortement obèses, furent soumis à deux régimes alimentaires strictement identiques par leur charge calorique mais de composition différente : hyperprotéiné (protéines 34 % ; glucides 46 % ; lipides 20 %) et hyperglucidique (protéines 17 % ; glucides 63 % ; lipides 20 %). Résultat : une perte pondérale moyenne de 17 kg absolument similaire pour les deux régimes. Conclusion des auteurs : « *Le contenu en glucides et protéines du régime [...] n'influence pas la perte pondérale de patients en obésité sévère lorsque le niveau de graisses et d'énergie sont maintenus constants.* »[485]

Dans un autre travail, des scientifiques ont poussé l'analyse encore plus loin en modélisant avec une grande finesse la dynamique du contrôle pondéral[147]. Cela leur a permis de tester rigoureusement, sans jouer avec la santé des gens, l'effet de toute une gamme de régimes présentant d'énormes différences de composition. Résultat des courses : un effet quasi nul. Par exemple, une femme d'une quarantaine d'années mesurant 1,65 mètre pour 90 kg et ayant une activité physique modérée consomme chaque jour un peu plus de 2 300 Calories pour maintenir son poids. Si elle se contente de 2 000 Calories, elle perdra, selon le modèle proposé, à peu près 10 kg en un an, quelle que soit la part des différents macronutriments dans l'alimentation. Pour être précis, imaginons que notre inconnue opte pour une proportion en glucides dangereusement faible, comme dans la phase initiale des régimes Atkins ou Dukan (10 %) ou, au contraire, conforme aux recommandations des principales institutions sanitaires internationales (55 %). Cette femme atteindra, en un an, une perte de poids égale à 10 kg pour la situation équilibrée, contre 11 kg pour les approches hypoglucidiques. Une différence finale aussi minime vaut-elle vraiment le risque de fusiller sa santé*?

Imaginer une seule seconde que notre stabilité organique pourrait être affectée durablement par je ne sais quelles variations qualitatives des prises alimentaires, c'est faire gravement insulte aux capacités adaptatives de la biologie humaine. Selon les termes d'un récent travail collectif de chercheurs de l'université Columbia, de l'OMS et de l'Institut national de la santé américain, les études scientifiques *« montrent une régulation remarquablement fine de la sélection du combustible organique en fonction de la composition du régime en macronutriments. Loin d'être une conséquence de la première loi de la thermodynamique (communément exprimée à travers l'expression «une calorie est une calorie»), le fait que le poids et la composition corporels semblent si peu dépendre de la composition en macronutriments du régime nécessite un mécanisme de contrôle physiologique solide pour adapter les combustibles métaboliques à la composition du régime»*[147]. En d'autres termes, donnez n'importe quoi à votre organisme, pourvu que ce soit en quantité suffisante, et il sera toujours assez flexible pour parvenir à fonctionner normalement sans perte de poids ni altération majeure de sa composition, un peu comme

---

* Cf. *Les régimes restrictifs sont dangereux pour la santé,* p. 79.

une chaudière sophistiquée qui pourrait, sans tiquer, marcher au charbon, au gaz, au bois, au papier ou au mazout.

Des régimes qui marchent tous... au début

En accord avec ce qui vient d'être dit, certaines études ont testé directement l'effet des préconisations alimentaires prônées par les régimes commerciaux les plus courants (Atkins, Ornish, *The Zone, SlimFast, Weight Watchers,* etc.). Il en ressort que tous ces régimes sont capables d'induire une perte pondérale à court terme. Une large variation d'efficacité fut toutefois observée d'une étude à l'autre, y compris pour une même méthode, avec des amaigrissements moyens s'échelonnant de 2 à 10 kg sur six mois.[486-493]

Reprenant toutes ces données, une récente analyse a heureusement permis d'introduire un peu d'ordre dans le capharnaüm[494]. Lorsque l'ensemble des études disponibles (et correctement conduites) est agrégé, il devient évident que la méthode utilisée pour maigrir importe au fond bien peu. À six mois, la perte pondérale moyenne s'élève à 9 kg pour les régimes hypoglucidiques (type Atkins, the Zone), 8 kg pour les régimes hypolipidiques (type Ornish ou Rosemary Conley), et 7 kg pour les régimes hypocaloriques (type Weight Watchers ou Jenny Craig). Au bout de 12 mois, lorsque la reprise pondérale inhérente à ce genre d'approches restrictives a commencé, on se retrouve avec des amaigrissements respectifs de 7 kg (hypoglucidiques), 7 kg (hypolipidiques) et 6 kg (hypocaloriques). Typiquement, comme nous le verrons ci-dessous, cette reprise se poursuit ensuite de façon constante jusqu'à la restauration du poids initial[66].

Évidemment, il n'est nullement besoin d'aller chercher je ne sais quelle explication biophysiologique fumeuse pour expliquer l'amaigrissement induit par tous ces régimes médiatiques porteurs, en fonction des familles qu'ils représentent, de présupposés théoriques parfaitement opposés. Ornish et Atkins, par exemple, c'est juste le jour et la nuit... et pourtant ces deux méthodes conduisent au même résultat! En fait, l'efficacité initiale de ces régimes s'explique uniquement par une diminution globale des apports énergétiques.[477, 495-498] Dans plusieurs études, par exemple, les participants furent invités à suivre un régime de type Atkins autorisant «à volonté» les viandes, poissons, crustacés, œufs, fromages, beurres, et crèmes.[477, 499, 500] Le niveau de prise calorique s'effondra de 30 à 40%. En accord avec cette observation, un rapport déjà cité de l'ANSES a mis en évidence que les régimes commerciaux les plus populaires induisaient, dans près de 80% des cas, une consommation énergétique quotidienne inférieure à 1 650 Calories; un seuil suffisamment bas pour entraîner une perte pondérale chez l'écrasante majorité des postulants à l'amaigrissement.[145-147]

L'effet initialement favorable des régimes restrictifs sur la prise calorique n'est guère surprenant. Il reflète l'action souterraine de plusieurs mécanismes complémentaires. Le plus évident tient à la liste restrictive des aliments autorisés. Typiquement, ceux-ci sont peu denses en énergie (viandes maigres, poissons, légumes, etc.), ce qui amène les gens à diminuer sensiblement leur apport énergétique pour un même volume de nourriture ingérée. Par exemple, lorsque vous aurez avalé, sur trois repas quotidiens, 50 grammes de filet de poulet, 500 grammes de filets de colin, 500 grammes de jambon de Paris et 500 grammes de blanc de calmar, il y a des chances pour que vous soyez calé, malgré un bilan énergétique plutôt raisonnable ($\approx$ 1 650 Cal).

C'est d'autant plus vrai que l'appétit finit toujours par fléchir sous le joug de l'uniformité. Nombre d'études ont ainsi démontré que la faim s'étiole rapidement quand elle est confrontée à une liste alimentaire monotone.[501-505] Au bout d'un moment, les gens en ont tellement marre de la viande ou de la soupe au chou qu'ils préfèrent ne rien manger plutôt que de devoir avaler une bouchée supplémentaire! Nombre de régimes démultiplient encore cet effet de saturation en prescrivant une consommation massive d'aliments protéiques qui possèdent un effet «coupe-faim» solidement établi,[107, 152-155] mais malheureusement transitoire[156]. À toutes ces influences s'ajoutent aussi des mécanismes strictement psychologiques liés au fait que l'on mange significativement moins lorsque l'on fait attention à son comportement alimentaire ou, plus généralement, à son hygiène de vie. Il est ainsi démontré, par exemple, que le nombre de calories ingérées par un individu diminue, en dehors même de tout régime, lorsque cet individu prévoit à l'avance ses repas, fait attention aux nutriments qu'il consomme, répertorie ce qu'il avale dans un carnet ou monte régulièrement sur la balance.[17-22, 506]

Mis bout à bout, tous ces mécanismes expliquent l'effet initial positif d'à peu près n'importe quelle méthode restrictive, aussi dangereuse et incohérente soit-elle. On peut même penser, qu'un régime sera d'autant plus apte, dans sa phase initiale, à diminuer la consommation énergétique de ses adeptes, et donc à assurer un amaigrissement substantiel, qu'il s'avérera contraignant, uniforme, frustrant et farci de protéines jusqu'à l'indigestion. Le régime Atkins en est un bon exemple. Plusieurs études ont montré que cette méthode permet sur les six premiers mois d'intervention une perte pondérale légèrement supérieure à celle d'autres approches, elles aussi restrictives, mais moins monomaniaques. Toutefois, le miracle ne dure pas et ce bénéfice initial s'estompe assez vite pour disparaître complètement au bout d'un an.[487, 494, 507-509] En d'autres termes, les kilos perdus reviennent d'autant plus vite qu'ils ont disparu brutalement. D'autant plus vite, et bien souvent, d'autant plus nombreux !

Des régimes qui vous feront grossir… à la fin

En termes physiologiques, la précision du contrôle pondéral est d'une finesse quasi miraculeuse. Son fonctionnement s'apparente, chez l'humain, au mouvement d'une mécanique horlogère de haute précision. Malheureusement, un tel niveau de raffinement n'est pas «gratuit». Il se paye en fragilité. Altérez le moindre petit rouage du dispositif et c'est l'ensemble du système qui se trouve irrévocablement déséquilibré. Dès lors, une personne qui choisit de se mettre au régime court le risque de déclencher tout un chapelet d'adaptations comportementales et métaboliques[16], contre-productives à long terme[64].

Malheureusement, depuis 20 ans, un grand nombre de travaux scientifiques sont venus valider cette crainte en montrant que les régimes amaigrissants représentent sur la durée un facteur majeur, non pas de perte, mais de prise de poids.[448, 510-522] Ainsi, par exemple, une étude a montré que le risque d'être en surpoids à 25 ans, pour des sujets masculins qui présentaient un indice de masse corporel normal à 16 ans, était multiplié par 1,8 si ces sujets avaient suivi un régime restrictif entre 16 et 25 ans et par 2 s'ils en avaient suivi plusieurs. Pour les femmes, les mêmes chiffres s'établissaient respectivement à 2,7 et 5,2[159].

On pourrait arguer évidemment que ce type de résultats tient au fait que les gens qui suivent un régime sont aussi ceux qui, vraisemblablement, ont le plus tendance à grossir. C'est sûrement vrai pour partie. Mais pas complètement. En effet, et encore une fois, l'existence d'adaptations comportementales et métaboliques favorables à la prise de poids suite à une restriction alimentaire importante est aujourd'hui solidement démontrée, j'y reviendrai plus loin. Par ailleurs, l'effet délétère à long terme des régimes restrictifs sur le poids a été retrouvé dans des études impliquant des jumeaux vrais, parfaitement identiques d'un point de vue génétique et socio-démographique. La démarche est alors la suivante. Prenez deux jumeaux vrais. Imaginez que l'un se soit lancé dans un régime restrictif amaigrissant et pas l'autre. Attendez quelques années, toutes choses étant égales par ailleurs, puis collez nos deux compères sur un pèse-personne. Le jumeau ayant été soumis un régime restrictif pèsera significativement plus lourd que son double épargné[159].

Des régimes impossibles à suivre

Pour comprendre l'inefficacité chronique des méthodes restrictives, il faut d'abord se référer à ce que les chercheurs nomment «l'adhérence» aux consignes du régime. À peu près tous les régimes fonctionnent tant que vous suivez leurs préconisations ; dès que vous relâchez l'étreinte, votre poids repart d'où il est venu. Or, bien que ce genre de relâchement concerne à terme tous les régimes restrictifs, il survient avec une précocité sensiblement accrue en réponse aux méthodes les plus brutalement limitatives. En d'autres termes, si le régime Atkins entraîne initialement, comme nous l'avons vu, une perte de poids un peu plus importante, c'est parce qu'il cumule les facteurs de restriction calorique. Dans le même temps, c'est justement parce qu'il cumule ces facteurs de restriction que ce régime est particulièrement accablant et qu'il entraîne, à travers un renoncement rapide, une reprise de poids accélérée.

Un travail récent de l'équipe de Christopher Gardner à l'université Stanford illustre remarquablement ce mécanisme[492].

Ces chercheurs ont suivi, pendant un an, trois groupes d'une soixantaine de personnes soumis à des régimes différents : Ornish (très pauvre en lipides), Zone (répartition à peu près équilibrée des macronutriments), et Atkins (très pauvre en glucides). Sur les quelque 180 participants, un seul réussit à suivre strictement le régime qui lui avait été attribué (Ornish) ! Pour tous les groupes, il fut observé que le degré d'adhérence, déjà très imparfait au début de l'intervention, avait chuté graduellement tout au long de l'étude pour finalement atteindre un niveau qualifié de « *très bas* » par les auteurs. En moyenne, Atkins se révéla sans surprise être la méthode la plus difficile à suivre. Sur la durée de l'étude, les sujets les plus adhérents perdirent en moyenne 6 kg, avec peu de différences entre les régimes. Les moins adhérents n'en concédèrent qu'un. Conclusion des auteurs : « *De faibles niveaux d'adhérence sont vraisemblablement une indication de la difficulté qu'il y a à suivre étroitement les consignes de perte de poids des livres populaires de régimes.* » Une affirmation compatible avec les données d'un grand nombre d'autres travaux,[487, 489, 493, 523, 524] synthétisés on ne peut plus clairement dans une étude récente : « *Chez la plupart des sujets en surpoids il est vain de vouloir maintenir un faible apport en* glucides. »[484]

Ce phénomène d'usure ne touche cependant pas que la méthode Atkins et ses avatars carencés de tous poils. Il concerne tous les régimes hypocaloriques, même les plus équilibrés. Si ces régimes voient leur efficacité se retourner, avec une régularité quasi horlogère, au bout de six mois, c'est principalement parce que le niveau d'adhérence passe à ce moment-là en dessous du seuil minimal admissible[525]. Cette durée moyenne cache bien sûr de larges variations inter-individuelles. Sans surprise, celles-ci ne sont pas aléatoires. Elles dépendent en grande partie de la brutalité du régime mis en œuvre. Ainsi, plus la restriction énergétique est dure et moins le régime est efficace sur la durée, car moins il est suivi[526]. Cela peut paraître assez trivial. Ce qui l'est moins cependant, c'est que le niveau d'adhérence observé pendant la phase d'amaigrissement prédit aussi la capacité de maintien, à long terme, du poids perdu. Ainsi, un travail récent a pu montrer que des sujets ayant effacé 12 kg sur la base d'un régime violemment restrictif avaient tout repris au bout de deux ans[527]. À l'inverse, d'autres individus, plus patients, qui avaient obtenu le même niveau d'amaigrissement à partir d'une carence moins draconienne étaient parvenus, toujours deux ans après la fin de leur régime, à préserver la moitié de leur perte originelle (soit 6 kg). La différence tenait au fait que dans ce second cas, les participants avaient pu intégrer, à long terme, une partie des comportements vertueux qui leur avaient initialement permis de perdre du poids.

Même la volonté la plus farouche ne peut lutter longtemps

Les régimes restrictifs sont donc irrévocablement voués à l'échec pour la simple et bonne raison que leurs préconisations se révèlent totalement intenables sur la durée, hormis peut-être pour quelques forcenés à la volonté démoniaque. Et encore, même ceux-là ont du souci à se faire si l'on en croit les résultats d'un grand nombre de travaux ayant montré que la volonté était incontestablement capable de résister aux tentations alimentaires, mais que l'effort alors demandé était d'une intensité telle qu'il s'avérait illusoire d'espérer le maintenir indéfiniment.[528-533]

Ainsi, par exemple, dans une étude ingénieuse, des adultes furent placés individuellement pendant cinq minutes devant une table contenant un bol de douceurs au chocolat (biscuits, bonbons) et un bol de radis[534]. La tâche consistait à évaluer l'un de ces aliments. La moitié des sujets pouvaient donc manger les chocolats. Les autres n'avaient droit qu'aux radis. À l'issue de l'expérience, et sans lien apparent avec cette dernière, les participants devaient résoudre un problème compliqué, totalement infaisable. Les membres du groupe «chocolat» essayèrent pendant 19 minutes avant de s'avouer vaincus. Ceux du groupe «radis» ne mirent que 8 minutes à renoncer. De façon intéressante, ces sujets «radis» exprimèrent à la fin de l'expérience, lorsqu'ils furent évalués sur la base de tests psychométriques standards, une fatigue mentale très significativement supérieure à celle affichée par leurs homologues «chocolat». En d'autres termes, le simple fait de devoir résister pendant cinq minutes à l'envie de manger des chocolats avait suffi à taxer massivement les ressources psychiques des participants.

On imagine aisément, à la lumière de ces données, le coût prohibitif que peut représenter une résistance quotidienne de long terme. C'est d'autant plus vrai que ce mécanisme opère aussi à rebours: le fait d'être stressé ou mentalement fatigué réduit la faculté de résistance, ce qui rend beaucoup plus difficile la poursuite d'un régime restrictif dont la mise en œuvre absorbe une énergie psychique considérable.[528, 529, 532, 533, 535] Par exemple, pour rester dans un cadre similaire à celui évoqué ci-dessus, il apparaît qu'après avoir été soumis à un problème infaisable, des individus au régime augmentent significativement leur prise alimentaire par rapport à une situation de référence dans laquelle le problème est faisable.[536, 537]

Pris dans leur ensemble, ces *élém*ents expliquent en grande partie pourquoi les fluctuations quotidiennes du poids sont bien plus importantes chez les individus soumis à un régime restrictif que dans la population «normale»[538]. En effet, le très haut niveau de contrôle volontaire imposé à ces individus conduit irrévocablement à des épisodes de «pétage de plomb», épisodes qui constituent un facteur majeur de prise de poids, d'obésité et d'échec programmé d'un régime.[517, 539-541]

Un échec généralisé

La pertinence de ces observations se trouve confirmée par un grand nombre d'études dites «longitudinales». Celles-ci consistent à soumettre des individus en surpoids ou obèses à un régime amaigrissant puis à mesurer l'évolution pondérale sur une durée pouvant atteindre trois, quatre ou même cinq ans. Les résultats sont alors édifiants. Ils montrent trois choses : 1. perdre de 5 à 20 kilos avec un régime restrictif est relativement facile ;[62, 542-545] 2. perdre plus de 20 kilos s'avère beaucoup plus compliqué en raison d'un phénomène d'usure mentale et de la mise en place progressive d'adaptations physiologiques défensives destinées à s'opposer au processus d'amaigrissement ;[546-548] 3. entre 90 et 99 % des gens, selon les études (soit une moyenne d'à peu près 95 %), n'arrivent pas à maintenir à long terme leur perte de poids initiale.[549-555] Ce dernier point ne signifie pas, cependant, que rien n'est maintenu. En moyenne, 15 à 20 % de l'amaigrissement originel subsistent après cinq ans, soit une perte finale de 1 à 3 kg qui, dans l'écrasante majorité des cas, ne permet pas à ceux qui en sont les bénéficiaires de s'affranchir du surpoids ou de l'obésité.[64, 65, 507, 542, 543, 556, 557] Le dernier travail publié à ce sujet montre ainsi, par exemple, pour les études les mieux conduites affichant une période de suivi d'au moins deux ans, une perte finale conservée égale, en moyenne, à 0,94 kg[66]. Pas vraiment un triomphe !

Pour ne rien arranger, dans leur majorité, les gens ne se contentent pas d'un seul cycle d'amaigrissement. Ils multiplient, si je puis dire, les efforts en multipliant les régimes et par suite l'effet yoyo. Or, cette tendance est rarement prise en compte dans les études de long terme, ce qui amène ces dernières à surestimer très fortement le pourcentage d'individus capables de maintenir une perte de poids importante sur la durée. Un travail de l'équipe de Mary Kaye Snell, à l'université de Pennsylvanie, l'illustre clairement[551]. Des femmes en surpoids ayant perdu 9 kilos en 15 semaines furent suivies pendant quatre ans. Sur cette période, seules 5 % réussirent à ne pas reprendre le poids initialement abandonné. Pourtant, lors de la dernière pesée, au bout de quatre ans, elles furent 29 % à présenter un poids réduit, identique à celui affiché au terme des premières 15 semaines de régime. Cela veut dire qu'aux 5 % de participantes qui avaient effectivement réussi à ne pas regrossir s'étaient ajoutées 24 % de femmes qui avaient regrossi une ou une plusieurs fois pendant les quatre années du suivi, avant de refaire un ou plusieurs régimes et de reperdre du poids. En d'autres termes, en prenant juste les chiffres finaux mesurés à quatre ans, on aurait pu croire que 29 % des femmes avaient été capables de maintenir leur perte de poids initiale. Le chiffre réel n'était pourtant, encore une fois, que de 5 %. On peut noter, pour information, que ce phéno- mène de yoyo se révéla moins marqué chez les sujets masculins qui ne furent que 0,9 % à avoir maintenu leur amaigrissement initial (13 kg) au bout de quatre ans.

Un échec biologiquement programmé

Même si elle peut surprendre de prime abord, cette terrible inefficacité des régimes restrictifs est en quelque sorte inscrite dans le marbre du fonctionnement biologique. En effet, le corps est une mécanique à la fois merveilleusement complexe et désespérément stupide. Il possède une épatante capacité à nous préserver de la dénutrition, mais se révèle parfaitement incapable de faire la différence entre famine involontairement endurée et amaigrissement sciemment poursuivi. Pour l'organisme, toute perte de poids brutale est une menace. Or, le moins que l'on puisse dire, c'est que notre corps est génétiquement armé jusqu'aux dents pour défendre ses réserves de graisses.[558-560] En réponse à la volonté consciente du «Moi» d'instaurer un régime restrictif, la machinerie métabolique ne montre nulle pitié. Elle rameute rageusement ses troupes et mobilise contre l'esprit toute la furie de ses instincts de conservation les plus primitifs. Au début, la volonté triomphe. Puis, progressivement, elle s'essouffle, prise à la gorge pas un corps inflexible qui, obstinément, avance ses pions et brandit ses défenses. À la fin, elle s'effondre ne laissant au «Moi» qu'abattement, frustration et sentiment d'échec. Pour le corps, il est temps d'exulter et de lâcher l'étreinte : les kilos sont alors revenus, le plus souvent avec un petit bonus par rapport à la situation originelle[64]. Comme dit l'adage, «*chat échaudé craint l'eau froide*», et augmenter les réserves permet d'anticiper l'occurrence, toujours possible, d'un nouvel épisode de disette.

Ce mécanisme de «surcompensation» est d'ailleurs bien connu des entraîneurs de sport, notamment dans le domaine de l'endurance. C'est lui qui permet à l'athlète de progresser sur la base d'un processus physiologique autorisant, suite à une charge d'entraînement assez sévère pour entamer les réserves énergétiques musculaires, la reconstitution de ces dernières à un niveau plus élevé que leur niveau originel.[561, 562] Le même genre de mécanisme pourrait expliquer qu'après deux ans, entre un et deux tiers des gens qui ont suivi un régime restrictif se retrouvent plus gros qu'au départ. Conclusion des auteurs d'une synthèse sur le sujet : «*Les personnes qui suivent un régime et reprennent plus de poids qu'elles n'en ont perdu pourraient très bien être la norme plutôt qu'une minorité malchanceuse.* »[64]

Assurément, la liste des mécanismes de défense mis en place par l'organisme pour s'opposer à toute perte pondérale est impressionnante par son ampleur et sa diversité.[558, 560, 563-572] Il y a d'abord, si je puis dire, la tranchée des protections passives. Celle-ci capitalise mécaniquement sur la perte de poids elle-même. En effet, quand un individu maigrit, il dépense substantiellement moins d'énergie au quotidien dans la mesure où il se retrouve avec moins de kilos à trimbaler et moins de masse musculaire à entretenir.[146, 147, 444-446] Cela signifie que pour ne pas regrossir, notre sujet va devoir continuer, sa vie durant, à consommer moins de calories qu'il n'en ingurgitait avant sa perte pondérale. Celui qui espère pouvoir remanger « normalement » après son régime se fait des illusions[573]. C'est d'autant plus vrai qu'il faut aussi compter, à un second niveau, avec l'intervention brutale de défenses actives à côté desquelles la ligne Maginot fait figure d'innocente taquinerie. Selon les termes d'une synthèse récente, l'action de ces défenses s'avère « *persistante, saturée de redondances et précisément focalisée sur l'objectif de restaurer les réserves énergétiques entamées* »[568]. Ça donne envie !

En première intention, l'organisme commence, lorsqu'il se sent menacé, par optimiser l'efficacité de ses opérations. En d'autres termes, il s'arrange pour faire mieux avec moins.[574-576] Au bout du compte, cela se traduit par une diminution importante du nombre de calories brûlées quotidiennement pour entretenir et faire fonctionner la mécanique biologique.[577-582] Ainsi, comme l'a montré l'équipe de Michael Rosenbaum à l'université Columbia, « *un ancien obèse aura besoin de 300-400 Calories de moins chaque jour pour maintenir le même poids et le même niveau d'activité physique qu'un individu n'ayant jamais été obèse et présentant le même poids et la même capacité corporelle*»[565]. Cette différence persiste pendant des années, au-delà de la perte de poids.[565, 583] À ce sujet, on entend souvent des gens qui ont maigri expliquer qu'ils grossissent alors qu'ils ne mangent pas plus que leurs proches présentant un poids stable. C'est malheureusement vrai! Pour conserver, à long terme, les bienfaits d'un régime restrictif, il faut manger, à jamais, substantiellement moins que les autres.

Bien sûr, l'organisme ne s'en tient pas là. Non content de comprimer au maximum les dépenses énergétiques, il s'arrange aussi pour accroître autant que faire se peut les entrées caloriques. Ce prodige passe par une double altération de la biochimie organique. Premièrement, la satiété voit son émergence fortement retardée par l'affaissement significatif de la concentration sanguine en leptine, une hormone «anorexigène»*, sécrétée par le tissu adipeux et qui agit sur le cerveau pour diminuer la prise alimentaire[584] (ce qui lui a valu d'être qualifiée *«d'hormone de défense contre l'amaigrissement»*[585]). Deuxièmement, la faim voit son influence croître massivement, à travers notamment une augmentation de la concentration sanguine en ghréline; une hormone «orexigène»** *sécrétée principa*lement par l'estomac et le duodénum, qui agit elle aussi sur le cerveau, mais dans un sens incitatif, pour stimuler la prise alimentaire.[586-588] Là encore, ces changements subsistent à très long terme, même quand la majeure partie du poids a été reprise. Ils persistent sans fléchir un, deux ou même trois ans si nécessaire et ne vous lâchent, en fait, que quand l'échec du régime est total et avéré.[589, 590]

À ces adaptations hormonales s'ajoutent d'autres ajustements plus périphériques. Ceux-ci impliquent, par exemple, un affaiblissement des signaux nerveux envoyés aux centres cérébraux

---

* Qui inhibe l'appétit.
** Qui stimule l'appétit.

du contrôle alimentaire par les capteurs d'étirement de l'estomac (capteurs censés indiquer à nos chers neurones que la panse est pleine)[591]. Cette dégradation renforce d'autres changements du même ordre, eux aussi hostiles au développement de la satiété, et reposant sur une altération des processus de vidange gastrique.[572, 592] Il peut être intéressant de rapprocher ces observations d'un travail récent ayant démontré l'existence, au sein de la flore intestinale*, de mécanismes biochimiques susceptibles de moduler le rendement des processus de stockage lipidique[593].

Finalement, au dernier étage de la pyramide se trouve la tranchée des ripostes proprement neurophysiologiques.[564, 567, 572] Là encore, on peut dire que l'organisme ne donne pas dans la demi-mesure. Après un régime restrictif, la réponse de notre cerveau aux stimuli alimentaires se modifie dans un sens profondément orexigène. La transformation s'avère tellement impressionnante que certains chercheurs ont été jusqu'à suggérer que l'affaissement des réserves graisseuses « *transformait rapidement le cerveau en une "machine affamée"* »[563]. Cet état de voracité psychique repose, en pratique, sur une double modulation des activités neuronales :[585, 594] d'une part, les réseaux attentionnels, d'appétence et de récompense s'activent plus intensément en présence de nourriture ; d'autre part, les circuits comportementaux inhibiteurs (ceux qui nous permettent de résister aux tentations alimentaires de notre environnement) se désengagent. Cela veut dire qu'après avoir maigri, nous devenons plus sensibles aux stimuli alimentaires auxquels nous attribuons une valeur émotionnelle accrue (les chercheurs diraient un potentiel subjectif de récompense). Dans le même temps, tandis

---

* La flore intestinale, ou microbiote intestinal, est un ensemble de quelque 100 000 milliards de microorganismes, des bactéries essentiellement, dont les fonctions exactes – digestives, immunitaires, etc. – sont activement étudiées mais encore mal connues.

qu'augmente cette puissance d'attraction, notre cerveau voit ses capacités de résistance décroître, nous rendant ainsi de moins en moins aptes à juguler nos pulsions consommatoires.

Au plan comportemental, l'expression de tous ces changements physiologiques est plurielle, profonde et convergente : impression de faim exacerbée, plus faible sensibilité aux signaux de satiété, plus grande attirance pour les aliments fortement caloriques, sous-estimation des volumes de nourriture consommés, et inclination marquée à revenir progressivement aux comportements alimentaires originaux.[564, 566-568, 570, 571, 573] En d'autres termes, après avoir vécu l'agression brutale d'un régime restrictif, votre organisme organise méthodiquement les conditions d'une reprise pondérale rapide en s'assurant que vous ayez constamment faim, que vous mangiez au-delà de toute normalité, que vous subissiez d'intenses crises de fringale, que vous ressentiez une attirance irrépressible pour les aliments « interdits » et que la vue de la moindre croûte de pain mette votre volonté au supplice (je ne vous parle même pas de l'effet d'une bonne tartiflette bien grasse !).

Dans la quasi-totalité des cas, le corps sort victorieux de cet extravagant combat mené contre la volonté... mais (heureusement !) pas tout le temps ! En effet, tous les candidats à l'amaigrissement n'échouent pas. Certains arrivent au but et s'y maintiennent. Ces lauréats ne sont cependant pas représentatifs de la population générale.[4, 595-597] Ils constituent, au sens statistique, *« une anomalie [...]. Ils représentent les 5 % qui essayent de perdre du poids et réussissent »*[555]. Mais pour cela, ces gens ne se contentent pas de faire un régime ; ils reconfigurent totalement leur hygiène de vie en matière d'alimentation et d'activité physique. Le détail de ces réorganisations sera discuté plus loin. Avant cela, toutefois, et compte tenu des éléments assez peu encourageants présentés dans cette partie du livre, demandons-nous quand même si, finalement, cela vaut vraiment le coup d'essayer de maigrir.

Maigrir... ou pas?

Au début des années 1960 est né aux États-Unis un mouvement informel pour l'acceptation de l'obésité, connu sous le nom de «*fat acceptance movement*»*. En 1969, ce mouvement a logiquement pris une tournure officielle à travers la création d'une association à but non lucratif, la NAAFA (*National Association to Advance Fat Acceptance***). L'objectif originel était de lutter contre les discriminations dont souffraient les personnes obèses et en surpoids. Les développements ultérieurs étendirent ce périmètre à la notion de «santé quelle que soit la taille» (*Health At Every Size*; HAES). L'idée stipule que 50 ans de recherches ont prouvé l'inutilité et la nocivité des régimes restrictifs. Dès lors, plutôt que se focaliser inutilement sur la question de l'amaigrissement, le mieux serait de mettre l'accent sur la santé, en considérant qu'il est possible d'améliorer cette dernière quel que soit

---

* Que l'on pourrait traduire par «mouvement d'acceptation des obèses» ou des gros (mais ce mot a, en français, une connotation plus négative que le mot *fat* en anglais).
** Que l'on pourrait traduire par «association nationale pour promouvoir l'acceptation des obèses».

le poids.[24, 182, 555] La logique se défend si l'on veut bien entendre sa subtilité : dire (avec raison) que l'on peut adopter des comportements favorables à la santé même si l'on est obèse (marcher, éviter les graisses trans et la viande rouge, etc.) ne veut pas dire que l'obésité ne constitue pas en elle-même un facteur majeur de risque sanitaire. Mais voyons tout cela d'un peu plus près.

Des discriminations terriblement destructrices

Sur le site Internet de la NAAFA on peut lire que « *les personnes grosses sont discriminées dans tous les aspects de leur vie quotidienne, depuis l'emploi jusqu'à l'éducation en passant par l'accès aux équipements publics, et même l'accès aux soins médicaux. Cette discrimination existe malgré le fait que 95 à 98 % des régimes échouent à échéance de cinq ans et que 65 millions d'Américains sont étiquetés «obèses». Notre société obsédée par la minceur est fermement persuadée que les personnes grosses sont fautives pour leur taille et il est politiquement correct de les stigmatiser et de les ridiculiser. La discrimination contre l'excès de poids est l'une des dernières pratiques discriminatoires publiquement acceptée [...] Le message d'acceptation du poids de la NAAFA est éclipsé par une industrie du régime pesant 49 milliards de dollars chaque année et qui a tout intérêt perpétuer la discrimination dont sont victimes les personnes grosses.* »

Tout cela est malheureusement parfaitement exact. Nombre d'études ont montré que les personnes en surpoids ou obèses sont durement stigmatisées[236, 245, 247-252, 254-256, 279] et socialement discriminées.[2, 248, 253, 598-602] Dans le champ professionnel, une recherche européenne a montré qu'un accroissement de 10 % de l'indice de masse corporel entraînait une diminution du salaire de 3,3 % chez les hommes et 1,9 % chez les femmes[603].

Considérons pour illustrer concrètement ce point un individu de sexe masculin qui mesurerait 1,75 mètre, pèserait 67 kg et toucherait 2 000 euros par mois. À 85 kg (surpoids), il s'en verrait proposer 1 830, à 100 kg (obésité) 1 680 euros, à 115 kg (obésité moyenne) 1 536 et à 130 kg (obésité sévère) 1 392. Ces données sont globalement en accord avec d'autres travaux menés outre-Atlantique[604]. Une part de ce différentiel s'explique, sans doute, par le fait que les recruteurs ont tendance, pour un même niveau de compétence, à proposer aux «gros» des postes moins attractifs.

Étonnamment, ces pratiques discriminatoires concernent aussi la communauté médicale. À l'image des dirigeants d'entreprises, nombre de praticiens, diététiciens, infirmiers, et étudiants en médecine affichent de profonds stéréotypes négatifs vis-à-vis de leurs patients obèses perçus comme abouliques, fainéants, veules et incapables d'efforts ou d'autodiscipline.[248, 599] Le célèbre Pierre Dukan insistait d'ailleurs lui-même récemment sur les problèmes psychologiques si caractéristiques de la nature des «gros», comme il aime à les nommer. Selon les termes mêmes de notre brave docteur, l'obésité est «un problème mental [...] Je n'ai jamais vu une personne obèse ayant dit "je suis bien dans ma tête" [...] Si vous aimez un homme immédiatement vous allez réduire votre prise alimentaire – c'est automatique»[605]. De cette incroyable fulgurance intellectuelle, on pourra conclure qu'il vaut mieux, pour maigrir, s'adresser à un psy qu'à Dukan. Plus spécifiquement, on pourra déduire aussi, si l'on tient compte de la littérature épidémiologique associant statut marital et fluctuations pondérales, que le mariage (qui a tendance à faire grossir) est une épreuve psychique profondément douloureuse, par opposition à l'expérience légère et extatique du divorce (qui a tendance à entraîner une perte pondérale).[606-609] Sérieusement, si ce genre d'âneries était inoffensif on pourrait en rire de bon cœur. Malheureusement, tel n'est pas le cas : les préjugés dont sont victimes les individus obèses ou en surpoids détériorent lourdement leur propension à consulter et la qualité de leur prise en charge médicale.[248, 599, 610]

Évidemment, les univers du travail et de la santé ne sont que deux exemples d'une pression absolument générale dont les effets dévastateurs touchent aussi largement les enfants. Ceux qui parmi ces derniers présentent un poids excessif ont plus de chances que leurs pairs de corpulence normale d'être l'objet à la fois de harcèlement verbal et de brimades physiques.[611-615] Ce type de violence est particulièrement bien documenté au sein de la sphère scolaire. Singulièrement, les vexations dont sont victimes « les gros » proviennent alors non seulement des élèves eux-mêmes, mais aussi du corps enseignant. Celui-ci a ainsi tendance à être plus sévère dans ses remarques et sa notation avec les écoliers obèses ou en surpoids.[248, 610]

Des atteintes psychiques et physiques

Pour les avoir subies, d'abord dans l'enfance, puis plus tard à l'âge adulte*, je puis témoigner qu'il est bien difficile de ressortir psychologiquement indemne de telles acrimonies. Et c'est là incontestablement le premier coût de l'obésité. Un coût d'autant plus prohibitif que les états psychiques de stress et de mal-être, aigus ou chroniques, peuvent entraîner une surconsommation alimentaire, notamment dans la gamme des produits gras et/ou sucrés dits « de confort ».[616-623] En ce sens, comme le suggère effectivement Dukan en des termes pour le

---

* Cf. *Petite promenade au pays des baleines et des régimes miracles*, p. 15.

moins blessants, l'obésité met en place les propres conditions de sa perpétuation[624]. Mais malheureusement, ce mécanisme opère aussi à rebours au sens ou l'obésité a souvent, au travers des processus de stigmatisation qu'elle engendre, des conséquences psychologiques sévères allant de la mésestime de soi à l'isolement social, en passant par la dépression ou le désir suicidaire.[625-629] En d'autres termes, plus les gens se sentent mal, plus ils mangent, et plus ils mangent plus ils se sentent mal[629].

Bien sûr, au fardeau des dommages psychologiques, s'ajoute la charge massive des atteintes somatiques. Comme l'indique le tableau 2 page suivante, les personnes obèses ou en surpoids voient augmenter, parfois très sensiblement, leurs risques de développer une ou plusieurs maladies chroniques ou dégénératives graves : diabète, hypertension, accident vasculaire cérébral, infarctus du myocarde, ostéoporose, épisodes migraineux majeurs, Alzheimer, cancers divers, dégradations chromosomiques, etc. Pour la quasi-totalité de ces pathologies, le niveau de risque augmente avec le niveau d'embonpoint. Par exemple, chez la femme en surpoids et obèse la probabilité de souffrir d'un diabète de type 2 est multipliée respectivement par 3,9 et 12,4[630]. Chez l'homme ces chiffres s'établissent à 2,4 et 6,7. Pour le cancer du rein, on atteint 1,8 et 2,6 chez la femme et 1,4 et 1,8 chez l'homme. L'hypertension n'est guère mieux lotie avec des valeurs situées autour de 1,7 et 2,4 chez la femme et 1,3 et 1,8 chez l'homme. Au niveau planétaire, une étude récente a permis de montrer que près de 4 % des cancers, soient 500 000 cas en 2012, sont directement attribuables à l'obésité et au surpoids[631]. Pas besoin d'être un épidémiologiste confirmé pour percevoir l'effroyable ampleur de tous ces chiffres.

RISQUE TRÈS FORTEMENT ACCRU (TRIPLÉ OU PLUS)	RISQUE FORTEMENT ACCRU (ENTRE DOUBLÉ ET TRIPLÉ)	RISQUE ACCRU (DOUBLÉ OU MOINS)
Diabète de type 2	Hypertension	Accident vasculaire cérébral
Cancer de l'endomètre	Pathologies cardiovasculaires	Cancer du pancréas
Embolie pulmonaire	Cancer du rein	Maladie d'Alzheimer
Hyperlipidémie	Douleurs dorsales chroniques	Infertilité
Résistance à l'insuline	Calculs	Asthme et maladies respiratoires
Arthrose	Mortalité fœtale et infantile (première année de vie du bébé)	Reflux gastro-oesophagien
Apnée du sommeil	Dépression	Anomalies du développement foetal

Tableau 2. Risque d'occurrence de certaines pathologies somatiques chez le sujet obèse adulte. D'après plusieurs articles.[23, 199, 200, 630, 632-634]

Cela étant dit, l'influence négative du surpoids sur le risque morbide ne se traduit pas directement en «années de vies». Pour l'obésité, les choses sont assez claires: si vous ne fumez pas, votre espérance de vie se trouve réduite de 5 à 7 ans; si vous fumez elle tombe de près de 14 ans.[635-636] Pour le simple surpoids, l'affaire semble plus compliquée avec des données souvent contradictoires suggérant malgré tout, dans leur ensemble, que le risque létal est alors, au pire, marginalement accru.[637-641]

Cela veut-il dire que l'on peut se passer de maigrir si l'on souffre d'un simple surpoids? Pas sûr. En effet, si vivre vieux est une bonne chose, peu contesteront que vivre vieux et en bonne santé, c'est mieux. Or, le moins que l'on puisse dire c'est qu'à cette aune, la discussion n'est pas vraiment ouverte au débat.

Comme indiqué plus haut, obésité et surpoids entraînent dans leur sillage un lourd cortège de maladies chroniques, qui pour ne pas être toujours mortelles n'en restent pas moins massivement handicapantes. Il est à ce sujet aujourd'hui solidement établi que l'excès pondéral se traduit, dès le stade du simple surpoids, par des périodes d'invalidité significativement accrue en fin de vie.[642-647] L'accident vasculaire cérébral, dont le surpoids est un facteur majeur[199], en fournit une évidente illustration : lorsque le cerveau est atteint de la sorte, bien des gens survivent, mais les séquelles restent typiquement très lourdes à long terme[648]. Globalement, une femme non fumeuse en surpoids ou obèse, peut s'attendre à connaître à la fin de sa vie une période d'invalidité allongée respectivement de 4 ou 6 années, par rapport à une femme non fumeuse de poids normal[647]. Chez l'homme, dont l'espérance de vie est plus courte, ces chiffres s'établissent respectivement à 1 et 2 ans.

* * *

Ainsi, pour le dire en quelques mots, un régime ne vous assurera une vie plus longue que si vous souffrez d'obésité. Si vous ne connaissez qu'un simple surpoids, maigrir n'influencera qu'à la marge le jour de votre départ. Cela ne veut pas dire toutefois qu'il n'y aucun bénéfice à maigrir, dans ce cas-là aussi. En effet, l'excès pondéral est associé, quel que soit son niveau, à un cortège de maladies chroniques massivement handicapantes dont l'action abrège votre espérance de vie en bonne santé.

PARTIE III

Maigrir pour de bon

« Prenez votre temps pour atteindre votre but. »
Roy Baumeister, professeur de psychologie,
université de Floride[531]

Après une précédente partie consacrée à établir non seulement la dangerosité, mais aussi l'inefficacité intrinsèque des
régimes restrictifs, voici venu le moment d'aborder la question
de l'amaigrissement sous un angle « positif ». Ainsi, au sein des
pages à venir, nous allons nous demander non plus comment
« réussir à échouer » *, mais plutôt comment « réussir à réussir »
en venant à bout de l'obésité et du surpoids. L'idée générale est
la suivante : les mécanismes organiques de contrôle du poids
sont aveugles aux faibles variations de la balance énergétique.
Si vous mangez légèrement moins et/ou augmentez modérément votre niveau d'activité physique, le corps ne réagira pas.
Vous perdrez alors du poids durablement sans vous mettre en
danger ni soumettre votre volonté à un effort frénétique, inte-

---

* Pour paraphraser le titre d'un bien bel ouvrage de Paul Watzlawick[650].

nable à long terme. Dans ce cadre, quand on parle de maigrir on ne parle plus d'établir un déficit calorique transitoire plus ou moins brutal ; on parle de changer durablement l'état d'équilibre énergétique de l'organisme. Une chose, en effet, doit être claire : on ne maigrit pas en faisant un régime restrictif ; on maigrit en redessinant définitivement les habitudes alimentaires et comportementales qui organisent nos vies.

Concrètement, comme le montre l'analyse fine des stratégies développées par les individus qui ont réussi à perdre du poids sans le reprendre, cela implique deux choses.[481, 596, 651] Premièrement, apprendre à manger autrement pour réduire l'apport calorique global sans affamer ni brutaliser l'organisme. Deuxièmement, réussir à solliciter le corps au quotidien pour augmenter la dépense énergétique sans pour autant épuiser la machine. Contrairement à ce que l'on pourrait craindre, ces transformations existentielles ne demandent ni volonté farouche ni investissement temporel prométhéen. Elles supposent juste un peu d'envie, de patience et d'adaptation à son propre cas particulier, ce dernier point n'étant d'ailleurs pas le moins important.

Tout le monde peut maigrir

Avant de se lancer dans un régime, quel qu'il soit, sans doute est-il important de s'interroger sur les origines du surpoids ou de l'obésité. En effet, si l'on admet que ces désordres résultent de choix comportementaux individuels (exercice, alimentation), alors le problème est traitable. En revanche, si l'on considère qu'ils expriment un déterminisme génétique fort contre lequel il est illusoire de vouloir lutter à long terme, alors tout espoir de solution non chirurgicale ou médicamenteuse s'éloigne irrévocablement. Plusieurs sondages ont montré, pour différents pays européens et américains, que la thèse de la responsabilité personnelle domine largement le modèle d'héritabilité génétique, aussi bien dans la population générale que dans le sous-groupe des personnes obèses.[602, 652-654] Par exemple, 98 % des Allemands croient en la possibilité de lutter efficacement contre l'obésité à partir d'interventions comportementales visant une modification de l'hygiène de vie et des habitudes alimentaires individuelles[655]. Un résultat en accord avec les données d'autres recherches ayant invité les participants à se prononcer sur les facteurs causaux de la prise de poids.[656, 657] Pour 70 % à 80 %

des gens, la clef du problème se trouve principalement dans un état de faible volonté qui conduit « les gros » à combiner excès alimentaires et absence d'exercice physique. En moyenne, seuls 20 à 30 % des sondés considèrent la génétique comme un facteur explicatif important.

Mais au bout du compte, qui a raison : les tenants des thèses de responsabilité individuelle ou les adeptes de la théorie génétique ? Pour être franc, personne ; ou plutôt, tout le monde. En effet, deux messages principaux ressortent de la littérature scientifique. Premièrement, le rôle des facteurs biologiques héréditaires dans la prise de poids est aujourd'hui clairement établi. Deuxièmement, une prédisposition génétique à l'obésité ne peut s'exprimer concrètement que dans un environnement favorable. En d'autres termes, aussi tourné vers le gain de poids que puisse être votre génome, vous ne grossirez que si votre prise calorique excède votre niveau de dépense énergétique.

Les déterminants génétiques de l'obésité

Le rôle primordial des facteurs génétiques dans la prise de poids est démontré par deux grands axes de recherche. Le premier est direct et biologique. Il renvoie à l'identification d'un certain nombre de « gènes de l'obésité » impliqués notamment dans la régulation de l'appétit, de la satiété et du stockage lipidique.[569, 658-665] Le second est indirect et épidémiologique. Il repose principalement sur l'existence d'une forte similitude pondérale entre les vrais jumeaux*. Cette similitude est substantiellement plus élevée que chez les faux jumeaux ou

---

* Ceux-ci sont dits monozygotes et possèdent exactement le même patrimoine génétique.

les simples frères et sœurs.[666-670] Par ailleurs, elle s'exprime même lorsque les vrais jumeaux sont élevés séparément[671]. De manière intéressante, plusieurs études ont pu établir l'existence d'une forte corrélation entre la façon dont les vrais jumeaux répondaient à un régime hyper[672] ou hypocalorique[673]. Cela veut dire que le patrimoine génétique d'un sujet module non seulement son inclination à grossir, mais aussi sa capacité à maigrir[665].

Les mécanismes susceptibles de rendre compte de cette observation pourraient dépasser le cadre de la simple régulation pondérale, pour inclure aussi la question de l'activité physique et des goûts alimentaires. En effet, une étude récente a permis de montrer, en comparant vrais et faux jumeaux, que la propension à être physiquement actif, et donc à brûler des calories, est pour une part génétiquement déterminée[674]. D'autres recherches ont établi que nos préférences alimentaires dépendent significativement de facteurs génétiques.[675-678]

Le poids du milieu

En accord avec ces données, plusieurs travaux ont montré que le poids d'un enfant dépend de celui de ses parents.[679, 680] Par exemple, un bébé dont les deux parents sont obèses a environ 15 fois plus de risques de souffrir lui-même d'obésité à l'âge adulte[660]. Toutefois, cette héritabilité ne saurait être considérée comme exclusivement génétique. En effet, les parents ne se contentent pas de transmettre à leur descendance un ensemble de gènes. Ils lui inculquent aussi un certain nombre de pratiques alimentaires et hygiéniques pour le moins tenaces. À ce titre, il est aujourd'hui largement admis que les inclinations gustatives développées durant la première enfance persistent, en grande partie, à l'âge adulte.[681-686] Au-delà de leur soubassement génétique déjà évoqué, nos préférences alimentaires précoces dépendent pour beaucoup d'habitudes acquises, en particulier pour ce qui concerne la consommation de fruits, de légumes, de desserts et de sucreries[687].

Une étude allemande illustre particulièrement bien cette réalité[688]. Les participants, âgés en moyenne de 29 ans, furent soumis successivement à deux tâches très simples. Première-ment, répondre à un questionnaire alimentaire dans lequel était noyée la question d'intérêt : *« Avez-vous, bébé, été nourri au sein ou au biberon ? »* Deuxièmement, goûter deux types de ketchup, l'un normal, l'autre parfumé artificiellement avec une pointe de vanille. Ce dernier arôme fut choisi à dessein, parce qu'il était largement présent dans les substituts de lait maternel à l'époque où les participants de l'étude étaient encore bébés. Résultats : 71 % des sujets nourris au sein préféraient la version normale, alors que 67 % des individus alimentés au lait artificiel privilé-giaient la variante vanillée. Ces données sont cohérentes avec la mise en évidence d'influences similaires opérant avant même la naissance de l'enfant. Ainsi, par exemple, des enfants dont la mère boit du jus de carotte durant le dernier trimestre de gros-sesse présentent ensuite une appétence sensiblement augmentée pour les aliments contenant de la carotte[689].

Au-delà de la phase périnatale, l'influence centrale de la sphère familiale sur le développement des préférences gusta-tives se soumet progressivement à l'action d'un cadre social élargi faisant la part belle, notamment, au matraquage publi-citaire. Des dizaines d'études démontrent aujourd'hui, sans la moindre ambiguïté, que la publicité oriente lourdement les choix et goûts des jeunes enfants vers des produits transformés lourdement obésigènes. Cela explique le rôle essentiel joué par le marketing alimentaire, notamment audiovisuel, tout d'abord dans l'émergence de l'obésité infantile[201, 690-692] et ensuite dans l'écrasante propension de cette obésité précoce à poursuivre ses victimes tout au long de leur vie.[660, 679] Et c'est bien alors la publicité qui joue le rôle majeur, non le fait de rester assis devant un écran. Selon les observations d'une équipe de l'université de Californie relativement à l'influence de la publicité télévisuelle sur des enfants de 6 ans et moins : « *Les preuves ne valident pas l'affirmation selon laquelle regarder la télévision contribue à l'obésité parce que c'est une activité sédentaire. La publicité, plutôt que le fait de regarder en lui-même, est associée avec l'obésité.* »[693]

Un terrain défavorable n'empêche pas de réussir

À la lecture de ces données, on comprend bien que ces gros dont on se moque avec véhémence et désinvolture ne sont en aucun cas le simple produit d'une volonté défaillante. L'état de surcharge pondérale reflète, pour une grande part, l'action souterraine de prédispositions génétiques contraires et de routines alimentaires défavorables précocement transmises par le milieu. Si l'on admet qu'un traitement génétique de l'obésité n'est pas près d'émerger, alors le champ des habitudes alimentaires reste seul accessible au changement. Cela pose un double problème. Premièrement, est-il possible de lutter à long terme contre un terrain génétique profondément favorable à la prise de poids ? Deuxièmement, peut-on, une fois adulte, restructurer en profondeur des habitudes alimentaires établies, dans une large mesure, pendant la prime enfance ? Une lecture détaillée de la littérature scientifique permet clairement de répondre oui à ces deux questions.

Commençons par le problème des habitudes alimentaires précoces. Comme nous l'avons vu, l'écrasante majorité des gens qui perdent du poids grâce à un régime restrictif reprennent rapidement les kilos abandonnés. Plutôt que d'en rester à cette observation pour le moins déprimante, deux chercheurs américains, Rena Wing et James Hill, ont décidé, en 1994, de reconsidérer à rebours toute la question de l'amaigrissement. Leur constat : même s'ils sont fortement minoritaires, certains individus arrivent à perdre du poids de manière durable. Portés par ce recadrage conceptuel, nos spécialistes entreprirent de créer une base de données informatisée permettant de disséquer et de suivre dans le temps les comportements alimentaires de sujets adultes « *ayant maintenu un amaigrissement d'au moins 30 livres [13,64 kg] pendant un an ou plus*»[694]. Cette base de donnée, aujourd'hui mondialement connue sous le nom de NWCR (*National Weight Control Registry**) recense plus de 10 000 personnes, dont 80 % de femmes. En moyenne ces personnes ont maintenu une perte pondérale de plus de 30 kg pendant plus de cinq ans. Pour aboutir à ce résultat, elles ont d'une part modifié profondément leurs comportements alimentaires (98 %) et d'autre part augmenté sensiblement leur niveau d'activité physique (94 %). En d'autres termes, il est tout à fait possible, au prix d'une réelle motivation et d'un savoir robuste, de vaincre définitivement l'obésité. Ni le poids d'un génome contraire, ni l'existence d'habitudes alimentaires précoces défavorables ne représentent un handicap irrévocable.

Cette observation est soutenue par un grand nombre de données expérimentales et épidémiologiques spécifiques. Les plus convaincantes sont liées au constat, discuté plus haut, selon lequel la prévalence de l'obésité a littéralement explosé depuis

---

* Que l'on pourrait traduire par «Registre national de contrôle du poids».

30 ans. Il est parfaitement inconcevable que notre patrimoine génétique ait pu évoluer à grande échelle sur une si courte période. Seule une altération environnementale majeure peut expliquer le problème. En termes précis, cela signifie que si notre génome exprime aujourd'hui aussi aisément sa puissance obésigène, c'est parce qu'il évolue dans un milieu devenu au cours des dernières décennies extraordinairement favorable à la prise de poids.[85, 161, 665, 695-699] Certaines données recueillies chez nos amis les singes illustrent joliment la pertinence de cette affirmation. Ainsi, lorsqu'ils sont placés dans leur écosystème naturel, ces animaux ne connaissent pas l'obésité. À l'inverse, fixés en captivité, ou installés à proximité d'une décharge humaine, ils se mettent à enfler promptement.[85, 700, 701] Une étude de l'équipe de Jeanne Altmann, spécialiste de biologie évolutive à l'université de Princeton, est à ce titre particulièrement frappante[702]. Deux groupes de babouins sauvages ont été comparés. Le premier tirait sa nourriture de son habitat naturel. L'autre s'approvisionnait largement dans une décharge proche, riche en restes alimentaires. Les femelles de ce second groupe pesaient 50 % de plus que leurs congénères de référence (16,7 kg contre 11 kg). Cette différence provenait en totalité d'une augmentation du taux de graisse corporelle (+ 21 %!). Des tendances similaires, quoique moins marquées, furent observés pour les mâles (30,4 kg contre 25,8 kg). Ces résultats admettent deux explications principales. Premièrement, la décharge fournissait une nourriture plus riche et abondante que le milieu ordinaire. Deuxièmement, cette nourriture pouvait être extraite facilement, au prix d'une dépense physique limitée. Un cadre doublement obésigène qui n'est pas sans rappeler celui dans lequel nous, humains, sommes aujourd'hui installés.

Chez l'humain, les effets du milieu sur l'obésité sont bien réels, mais aussi fortement modulés par notre patrimoine génétique. Ainsi, par exemple, des enfants issus de lignées familiales prédisposées à l'obésité voient leur risque d'être obèses augmenter massivement lorsqu'ils sont placés dans un environnement favorable à la prise de poids. À l'inverse, des enfants issus de lignés familiales protectrices restent assez largement insensibles à ce facteur environnemental[680]. En accord avec ce résultat, l'épidémie d'obésité ne frappe pas de la même manière toutes les couches de la population. Ainsi, entre 1993 et 2003, l'indice de masse corporel moyen des individus les plus maigres n'a quasiment pas bougé. Celui des individus en surpoids ou obèse a explosé[703]. Cela veut dire que durant cette période, les sujets les plus sveltes, ayant *a priori* un génome peu favorable à la prise de poids, n'ont guère été affectés par la pression obésigène du milieu, à l'inverse des sujets les plus gros qu'un patrimoine génétique contraire a rendu extrêmement sensibles aux sollicitations alimentaires ambiantes. La validité de cette conclusion a dernièrement été confirmée par une étude ayant astucieusement comparé des individus nés à différentes périodes et porteurs de patrimoines génétiques plus ou moins tournés vers la prise de poids[704]. Résultat des courses : l'effet sur l'obésité d'un patrimoine génétique favorable au stockage des graisses ne s'observe que sur les générations les plus récentes, ayant grandi dans un environnement propice à la prise de poids.

* * *

Ainsi, en dernière analyse, notre état pondéral résulte d'une triple interaction impliquant : des prédispositions génétiques variables à la prise de poids ; un milieu plus ou moins obésigène ; et des habitudes alimentaires précocement acquises inégalement vertueuses. À ce jour, agir sur la génétique reste impossible. Pour espérer maigrir, un individu en excès pondéral n'a donc pas d'autre choix que de modifier en profondeur son environnement alimentaire et sa façon de manger. Des données épidémiologiques portant sur plusieurs milliers de sujets montrent, de manière encourageante, que ce genre de transformation est tout à fait possible. Toutefois, possible ne veut pas dire aisé. Lutter chaque jour contre un patrimoine génétique impitoyablement contraire, des habitudes alimentaires âprement défavorables et des tentations environnementales fermement attractives est un combat difficile. Heureusement, avec le temps, ce combat perd progressivement de son intensité. Peu à peu, le bouleversement originel s'érige en routine quotidienne. Les pratiques vertueuses s'édifient alors en normes machinales dans un environnement efficacement dépouillé de ses éléments les plus néfastes. Ce chemin est évidemment plus long et patient que celui proposé par les régimes restrictifs miracles. Mais il est sûr et efficace. Il ne se contentera pas de vous mener au port. Il vous permettra d'y rester.

Maigrir sans effet rebond

Est-il possible de réduire suffisamment les « entrées » caloriques ou d'augmenter suffisamment les « sorties » pour générer
une perte de poids substantielle tout en ne provoquant pas
un refus psychologique brutal et les foudres vengeresses de
la machinerie métabolique ? Si le corps était doté de boucles
de régulation parfaitement précises et optimales, une réponse
négative s'imposerait d'emblée. Heureusement, ce n'est pas le
cas. Les recherches récentes ont montré qu'il existe un espace
d'erreur à l'intérieur duquel les mécanismes de contrôle du
poids sont aveugles et inopérants. Cela veut dire que si vous
mangez un peu moins ou faites un peu plus d'exercice, le
cerbère physiologique qui veille à votre intégrité pondérale
n'en saura rien. Cette zone obscure, Brian Wansink la nomme
joliment « *marge subliminale* »[160]. Je l'appellerai plutôt « *déficit
calorique indifférent* », expression plus précise. En restant dans
la fourchette de ce déficit indifférent vous pourrez maigrir
durablement, sans devoir affronter le courroux des défenses
organiques. En accord avec cette affirmation, on peut noter
que les membres du *National Weight Control Registry* dont nous

avons parlé précédemment et qui ont perdu sans les reprendre plusieurs dizaines de kilos, ne présentaient à l'issue de leur amaigrissement aucun signe d'adaptation métabolique défensive[705]. C'est là, incontestablement, l'une des clés de leur succès.

Un système contrôlé

Quotidiennement, nos entrées et sorties énergétiques présentent des variations non seulement massives, mais aussi globalement indépendantes.[706-710] En pratique, cela signifie, pour un individu donné, que l'ampleur des prises alimentaires varie considérablement d'un jour à l'autre, sans réel rapport avec le niveau d'activité physique. Il n'est ainsi pas rare d'observer, sur une semaine, des oscillations de la balance énergétique (la différence entre ce qui est ingurgité et brûlé) pouvant atteindre 2 000, 3 000 ou même 4 000 Calories. Cela tient au fait que nos journées ont toutes des spécificités bien différentes. Vous pouvez endurer 10 heures d'interminables réunions vissé sur votre chaise tout en étant contraint d'avaler à midi un riche déjeuner professionnel au restaurant gastronomique du coin, puis, le soir, un succulent repas «hamburger / frites / tiramisu» préparé par votre conjoint pour faire plaisir aux enfants. Vous pouvez tout aussi facilement être amené à brûler des monceaux d'énergie en mangeant fort peu, comme quand vous décidez d'aller à la salle de gym après le travail, que votre collègue vous demande un coup de main pour déménager son bureau, que la cantine dégaine à midi son redoutable «colin racorni aux épinards cartonnés» et qu'il ne reste plus le soir dans le frigo, lorsque vous rentrez épuisé, qu'une maigre tranche de jambon et un tupperware de brocolis vapeur.

Fait remarquable, ces variations journalières finissent en grande partie, sur la durée, par s'annuler les unes les autres. Cette stabilité repose à la fois sur le caractère partiellement aléatoire des fluctuations quotidiennes de notre compte calorique (celui-ci est parfois positif, parfois négatif, parfois nul)[711, 712] et sur l'existence de rétrocontrôles biologiques permettant de compenser, à court terme, les excès ou déficits trop importants de la balance énergétique.[707, 713-719] Ainsi, si vous avez abusé de la fourchette à midi, vous aurez tendance à manger moins le soir. De même, plus globalement, si vous avez exagéré le lundi vous aurez tendance à être plus raisonnable les jours suivants. Peut-être est-ce là, même si ce n'est encore qu'une hypothèse, l'un des processus fondamentaux qui organise nos choix alimentaires quotidiens et fait, par exemple, que nous ayons plus spontanément envie de tartiflette certains jours alors que nous sommes, en d'autres occasions, davantage attirés par une bonne fricassée de légumes et une tranche de pastèque.

Un contrôle imprécis

Malgré tout, le système de régulation pondéral n'est pas parfait, loin s'en faut. Les compensations observées sur une journée ou une semaine restent partielles et globalement assez imprécises. L'existence d'une lente élévation pondérale avec l'âge en est sans doute la preuve épidémiologique la plus évidente. Chaque année, entre 20 et 55 ans (la tendance se tasse, voire s'annule, par la suite), nous grossissons en moyenne de 0,5 kilo.[147, 518, 720-724] De manière frappante, cette patiente dérive repose sur des déséquilibres énergétiques extraordinairement faibles. Un demi-kilo pris sur l'année traduit un surplus d'à peine une douzaine de Calories par jour,[147, 720, 725] soit l'équivalent d'une ou deux cacahuètes. Bien sûr, ce demi-kilo représente bien peu dans l'absolu. Cumulé sur un quart de siècle, il finit cependant par peser lourd. À ce titre, il a été montré que les quelque 10 kg amoncelés, en moyenne, par les Américains, entre 1978 et 2005, reflétaient une dérive très progressive de l'apport énergétique quotidien. Au total, cette dérive représente 220 Calories,[147, 726] soit l'équivalent d'un petit croissant au beurre*. Ainsi, il aurait suffi que chacun se passe chaque jour d'un petit croissant au beurre pour éviter en grande partie l'épidémie d'obésité qui frappe aujourd'hui les États-Unis![720, 727] Contrairement à ce que l'on pourrait croire de prime abord, ces 220 Calories représentent une excellente nouvelle pour les candidats à l'amaigrissement. En effet, elles montrent que l'équilibre énergétique de l'organisme n'est pas rigoureusement figé : notre balance calorique peut être redéfinie à long terme, sans que les défenses métaboliques n'y trouvent rien à redire. La question qui se pose dès lors concerne évidemment le degré de généralité de cet «aveuglement». Fonctionne-t-il lorsque le changement calorique est introduit soudainement (du jour au lendemain) plutôt que graduellement (sur plusieurs années)? De même, s'avère-t-il opérant pour les seuls excès caloriques, ou reste-t-il valide dans le cas des carences? Comme l'indiquent les éléments développés ci-dessous, ces deux questions semblent admettre une réponse positive.[160, 504, 728]

Une large tolérance à l'excès

La preuve que l'accumulation positive et rapide d'énergie peut survenir sans compensation métabolique a été apportée il y a une dizaine d'années par l'équipe de David Levitsky à l'université Cornell[518]. L'étude reposait sur l'observation, établie

---

* Croissant pur beurre prêts à cuire, Carrefour, 261 Cal l'unité.

depuis longtemps, selon laquelle les étudiants américains avaient tendance à grossir substantiellement lorsqu'ils quittaient le cocon familial pour entrer au collège. Levitsky et ses collègues commencèrent par confirmer ce phénomène en montrant une prise pondérale moyenne de 2 kg en 12 semaines, en réponse à un surplus alimentaire quotidien non compensé de quelque 175 Calories par rapport aux apports «familiaux». Selon les auteurs, «*cette quantité représente une altération comportementale relativement faible, mais qui a néanmoins d'énormes conséquences cumulatives sur le poids*». L'émergence de ce surplus énergétique s'avéra liée à un nombre assez limité de changements existentiels; notamment: consommer davantage de «*junkfood*», grignoter entre les repas, dormir moins (nous verrons que le manque de sommeil favorise fortement la prise de poids via notamment une perturbation du système endocrinien), manger plus fréquemment au restaurant (notamment dans les établissements dits «à volonté» qui, comme les *fast-foods*, sont nombreux sur les campus américains), etc.

Tout cela confirme que l'organisme, lorsqu'il est placé dans un environnement «obésigène», a tendance à augmenter substantiellement sa prise calorique, sans déclencher de réponse corrective. Ce genre de vulnérabilité explique entre autres le rôle majeur des *fast-foods* dans l'épidémie actuelle d'obésité[729]. Ainsi, par exemple, toutes choses étant égales par ailleurs, les individus qui mangent deux fois par semaine dans ce type d'établissement ingurgitent un surplus calorique suffisant pour afficher au bout de trois ans, par rapport à un groupe contrôle ne fréquentant jamais ce genre d'endroit, un gain pondéral de 1,5 kilo[730]. En accord avec ce résultat, une recherche de très grande ampleur ayant suivi plus de 3 000 adultes de 18 à 30 ans a démontré que la fréquentation assidue des *fast-foods* (plus de deux fois par semaine) entraînait, en comparaison d'une situation d'usage modérée (moins d'une fois par semaine), un accroissement pondéral moyen de presque 5 kg en 15 ans[731]. À un niveau plus global, une étude de population a aussi pu établir que le taux d'obésité croissait de 5,2 % chez des adolescents habitant à moins de 160 mètres d'un *fast-food*[732]. En ce domaine aussi, les petits ruisseaux font les grandes rivières.

Quantitativement, l'indifférence de l'organisme aux excès caloriques peut aisément représenter jusqu'à 35 % de la prise énergétique moyenne, soit à peu près 700 Calories par jour pour un individu ayant une consommation basale de 2 000 Calories[733]. Ce chiffre est absolument considérable. Cependant, ayant été adapté durant l'évolution humaine à stocker les surplus pour affronter les périodes de vaches maigres, il semble bien que notre corps soit significativement moins réactif aux prises qu'aux pertes pondérales[560]. Cela explique sans doute que nous ayons tendance non à perdre, mais bien à prendre du poids sur la durée.

Une relative indifférence au manque

Cela nous amène à une question centrale du présent ouvrage : quelle est l'ampleur de la carence alimentaire que l'organisme va pouvoir absorber sans déclencher toute la furie de ses défenses conservatives ? Sur la base des données disponibles, on peut estimer de manière prudente que la réponse se situe autour de 15 %.[160, 504, 728] Sans être vertigineux, ce pourcentage est loin d'être négligeable. Par exemple, une femme sédentaire de 35 ans, mesurant 1,68 mètre pour 90 kilos a besoin, chaque jour, en moyenne, de 2 260 Calories pour maintenir son poids. Si elle diminue sa prise énergétique quotidienne de 10 %, soit 226 Calories, cette femme perdra à terme 16 kilos *. Son IMC sera alors passé de l'obésité (32 kg/m²) à un léger

---

* Cf. *Estimer les besoins énergétiques,* p. 172.

surpoids (26 kg/m²). Avec un recul calorique non plus de 10 %, mais de 15 % (soit 339 Calories), sa perte pondérale avoisinera les 20 kilos et son IMC aura retrouvé une valeur « normale » inférieure à 25 kg/m².

L'indifférence de l'organisme aux faibles diminutions caloriques a d'abord été mise en évidence sur la base d'études impliquant une modification de la densité énergétique des aliments*; typiquement, un abaissement de la concentration lipidique de ces derniers.[734-736] Cela peut se faire de bien des façons. Par exemple, en mettant moins d'huile dans la sauce de salade; en faisant revenir les légumes dans une poêle anti-adhésive très peu graissée plutôt que dans une mare de beurre; en utilisant de la viande hachée à 5 % de matière grasse au lieu des habituels 15 à 20 %; ou en substituant au petit fondant de fin de repas une large coupe de framboises fraîches[737].

Dans une étude fréquemment citée, des sujets adultes furent soumis, lors de trois périodes différentes de deux semaines, à trois régimes alimentaires parfaitement calibrés quant à leur charge lipidique[738]. Celle-ci pouvait être faible (20 %), modérée (40 %) ou forte (60 %). Les participants étaient autorisés à manger autant qu'ils le désiraient. Le volume de nourriture ingéré et le niveau d'activité physique se révélèrent identiques pour les trois conditions expérimentales. En termes énergétiques, cela correspondait à des différences non compensées de -300 Calories (-13 %) pour la condition faiblement lipidique,

---

* La densité énergétique d'un aliment est donnée par le nombre de calories dans un gramme de cet aliment[734]. Par exemple, le chocolat au lait a une densité d'à peu près 5,7 kcal/g, alors que des framboises fraîches s'affichent à 0,38 kcal/g – soit 15 fois moins (Cf. *Nouilles, chips ou poulet... même dénouement*, p. 49). Cela veut dire que vous devrez mangez 1,5 kg de framboises pour obtenir l'apport énergétique de 100 g de chocolat au lait.

-50 Calories (-2 %) pour la condition modérément lipidique et +550 Calories (+25 %) pour la condition fortement lipidique.

Depuis, ces résultats ont été confirmés par un grand nombre d'autres recherches, impliquant souvent des périodes de suivis plus longues. En moyenne, un déficit énergétique quotidien de 250 Calories par rapport à un l'état standard (habituel) entraîne un amaigrissement cumulé de 3,2 kilos au bout de trois à six mois, sans adaptation organique décelable[739]. Dans une étude particulièrement intéressante, des femmes de plus de 50 ans furent suivies pendant huit mois au sein de leur environnement naturel : elles vivaient dans leurs foyers, faisaient normalement leurs courses et préparaient leurs repas sans aide extérieure. Au début de l'expérience, ces femmes reçurent les conseils d'un nutritionniste pour leur permettre de cuisiner avec moins d'huile, de beurre ou de margarine, d'identifier les aliments trop gras (notamment en lisant les étiquettes désormais accolées à la plupart des produits) et d'éliminer les produits porteurs de graisses spécifiquement nocives (saturées, trans). Cela entraîna une baisse de la consommation énergétique quotidienne d'un peu moins de 200 Calories (12 %) par rapport à l'apport initial. Sur huit mois, les participantes perdirent en moyenne 6 kilos sans que cela n'entraîne la moindre réaction métabolique[740].

En plus d'être observé quand on modifie la densité énergétique des aliments, le déficit calorique indifférent peut aussi être mesuré lorsque l'on diminue les portions alimentaires servies aux sujets. Par exemple, de jeunes adultes furent soumis pendant deux semaines à un déjeuner hypocalorique. Aucune contrainte ne fut posée sur les autres repas, qui demeuraient consommables à volonté[741]. Les résultats montrèrent une absence totale de réaction organique au déficit énergétique expérimentalement imposé. S'élevant à 250 Calories en moyenne (12 %), celui-ci n'entraîna aucune augmentation de la quantité d'aliments ingérée durant les autres repas et encas. Sur les deux semaines de l'expérience, les sujets perdirent 0,5 kilo. Le même genre de résultat fut obtenu dans d'autres études en modulant la prise calorique non plus du midi mais du matin. Dans ce cas, le fait qu'un individu ingère 200 ou 600 Calories au petit-déjeuner ne change absolument rien à ce qu'il consommera plus tard dans la journée[742]. La même indifférence est observée lorsque des étudiants sont invités à prendre ou sauter un petit-déjeuner de quelque 330 Calories[743]

Globalement, les valeurs numériques qui viennent d'être évoquées sont assez proches des préconisations d'un grand nombre d'institutions sanitaires nationales. En effet, celles-ci déconseillent aujourd'hui, de manière assez unanime, les régimes brutalement hypocaloriques et privilégient la recherche de carences modérées d'une ampleur de 500 à 600 Calories par jour, ce qui représente typiquement chez des patients obèses un déficit énergétique de 15 % à 20 %.[23, 480, 632, 744] En accord avec ces préconisations, il est désormais clairement établi, comme discuté au sein d'un précédent chapitre*, que plus les gens s'imposent une réduction calorique massive et plus ils ont de chances de renoncer rapidement à leur effort d'amaigrissement.

Un peu trop ou beaucoup trop, ça reste trop

En début de régime, il est évidemment tentant de pousser un peu le déficit calorique pour accélérer l'amaigrissement. C'est d'autant plus tentant que ce déficit est relativement faible et donc, par voie de conséquence, aisément supportable. C'est sans doute la pire des erreurs à commettre. Une étude récente le

---

* Cf. *Des régimes impossibles à suivre,* p. 111.

montre assez clairement[590]. Des sujets furent conduits à perdre 15 kilos selon deux conditions : l'une rapide et brutale correspondant à un niveau de déficit calorique supérieur à 60 % ; l'autre plus lente et mesurée correspondant à un niveau de déficit calorique d'à peu près 25 %. Le premier groupe réussit en trois mois. Le second en neuf. Des adaptations métaboliques majeures furent observées dans les deux cas. Après un peu plus de deux années et demie de suivi, les participants avaient, indépendamment de leur groupe d'origine, repris tout le poids perdu. Conclusion, perdre vite ou lentement importe peu si vous dépassez le seuil de déficit indifférent d'environ 15 %. Ce qui compte ultimement pour préjuger du succès d'un régime, c'est de savoir si les défenses métaboliques ont été sollicitées. Si c'est le cas, la bataille est perdue et la reprise pondérale inéluctable.

* * *

Ainsi donc, une évaluation volontairement prudente des données de la littérature scientifique indique qu'il est possible d'abaisser de 15 % l'apport calorique usuel sans éveiller de compensation métabolique détectable ni d'accroissement des sensations de faim. Cela signifie concrètement qu'en mangeant 15 % de moins chaque jour par rapport à ce que vous ingériez initialement, vous pourrez maigrir substantiellement de manière pérenne et confortable.

Après cette petite promenade au pays des entrées alimentaires, voyons ce qu'il en est des dépenses physiques.

Se dépenser davantage

En pratique, il est clair que la balance énergétique ne dépend pas que des prises caloriques. Elle relève aussi des dépenses organiques. Cela a conduit nombre de chercheurs à étudier l'influence de l'exercice physique sur l'amaigrissement. La question alors posée peut se résumer comme suit : lorsque nous brûlons des calories, est-ce que cela modifie nos prises alimentaires et si oui dans quel sens et avec quelle ampleur ?

Des dépenses non (ou peu) compensées

Depuis 30 ans, nombres d'études ont évalué les effets de l'exercice physique sur la prise alimentaire.[745-747] Les moins favorables ont montré que l'augmentation des dépenses caloriques était compensée lors des repas suivants, mais seulement de manière très partielle : typiquement, pour 100 Calories brûlées, le sujet n'en récupère que 30 dans son assiette.[748-750] Les recherches les plus encourageantes, de loin majoritaires, ont cependant contredit cette observation en n'identifiant aucune compensation pour des charges d'exercices souvent très substantielles.

Considérons par exemple, pour commencer, les travaux de court terme. Dans une recherche représentative de l'état général de la littérature,[751-754] des individus masculins, sportifs, de poids normal furent soumis, au cours de la même journée, à deux sessions de course de 50 minutes sur tapis roulant. Cet effort entraîna une surconsommation énergétique de 1 200 Calories (correspondant à un accroissement de 41 % du niveau de dépense calorique moyen)[755]. Un suivi rigoureux, conduit sur 48 heures, ne révéla aucun ajustement de la prise alimentaire. Un résultat identique fut obtenu dans une étude ultérieure de durée légèrement plus importante[756]. Chacun des participants fut alors soumis à trois « expériences » de sept jours : 1. pas d'exercice ; 2. exercice modéré impliquant 40 minutes de pédalage quotidien sur un vélo stationnaire ; 3. exercice vigoureux identique au précédent, mais à raison de trois fois par jour. Les situations d'exercice modéré et vigoureux se traduisirent, au regard de la situation sans exercice, par une dépense énergétique quotidienne supplémentaire de 290 et 1 200 Calories respectivement. Malgré l'ampleur de ces chiffres (le plus important représente un accroissement de 44 % du niveau de dépense calorique), aucun ajustement de la prise alimentaire ne fut enregistré sur les sept jours de l'expérience. La même indifférence fut observée, sur la base d'un protocole similaire, en réponse à une diminution du niveau d'activité physique. Confrontés à une vie plus sédentaire, les sujets continuèrent à ingurgiter exactement le même nombre de calories, ce qui se traduisit par une prise de poids significative de presque 1 kilo en une semaine[757].

La validité générale de ces observations fut confirmée dans plusieurs autres études de plus longue durée, mais à l'aune de dépenses caloriques moins importantes. Par exemple, des sujets sédentaires, obèses et en surpoids, furent soumis chaque semaine, pendant trois mois, à cinq séances d'exercices sélectionnés au choix parmi plusieurs options (vélo stationnaire, tapis roulant, stepper, etc.)[758]. La durée de chaque séance (≈ 45 mn) était ajustée pour assurer une dépense énergétique fixe de 500 Calories, ce qui revenait à augmenter de 20 % le niveau de dépense calorique moyen des participants. En trois mois, ces derniers perdirent, en moyenne, 3,7 kilo. Ils n'affichèrent aucune augmentation de leur consommation alimentaire. Des résultats similaires furent rapportés pour des périodes de suivi allant de 8 à 16 mois.[759, 760]

Gare aux «je l'ai bien mérité»!

Malheureusement, chez une minorité de personnes, l'activité physique peut aboutir à une désinhibition problématique du comportement alimentaire. Cela arrive lorsque les gens se disent, après une séance d'exercice, qu'un petit écart ne peut pas faire grand mal. Or, malheureusement, si ce petit écart est trop riche, il aura vite fait d'annuler tous les bénéfices du travail accompli. Un petit moelleux au chocolat (441 Calories*), par exemple, peut s'avérer suffisant pour contrecarrer entièrement le déficit calorique induit par 45 minutes de marche soutenue (300 Calories pour une personne de 85 kg**). C'est sur la base de ce processus qu'un certain nombre d'individus non seulement ne perdent pas de poids, mais arrivent à grossir en réponse à l'exercice physique.[758, 761] En fait, quand on regarde

---

* Moelleux au chocolat Picard, 100 g, 441 kcal.
** Cf. *Mesurer la dépense physique*, p. 197.

155

en détail ce qui se cache derrière les résultats moyens obtenus dans les expériences de longue durée décrites au sein du paragraphe précédent, on s'aperçoit qu'en gros :

– 20 % DES GENS PERDENT PLUS DE POIDS QUE PRÉVU. L'exercice physique entraîne alors une légère diminution de la prise calorique soit en raison d'un effet coupe-faim temporaire aujourd'hui assez bien documenté,[752, 762-764] soit parce que les participants mettent en place une approche cognitive raisonnée les amenant à considérer qu'il serait bête de gâcher autant d'efforts pour un petit plaisir bien inutile.

– 40 % DES GENS PERDENT À PEU PRÈS CE QUI ÉTAIT ATTENDU. L'exercice physique ne modifie alors effectivement pas le comportement alimentaire.

– 20 % DES GENS PERDENT MOINS QUE CE QUI ÉTAIT PRÉVU. L'effort accompli devient prétexte à l'octroi de quelques délices gustatifs réconfortants, l'apport énergétique restant cependant dans ce cas substantiellement inférieur au déficit calorique induit par la séance d'exercice.

– 20 % DES GENS NE MAIGRISSENT PAS OU MÊME PRENNENT DU POIDS. Ces individus s'autorisent quelques dangereuses gâteries alimentaires pour se «récompenser» d'avoir autant sué, l'apport énergétique se révélant alors égal ou supérieur à ce qui a été dépensé durant la séance d'exercice.

Une solution possible, pour éviter d'éventuels excès compensateurs, pourrait consister à mesurer temporairement le bilan calorique quotidien, à travers un suivi rigoureux des prises alimentaires, durant le temps nécessaire à une prise de conscience explicite des comportements mis en œuvre. Nous reviendrons largement sur ce point ci-dessous.

La cerise sur le gâteau

Au-delà des questions d'amaigrissement, peut-être n'est-il pas inutile de rappeler que l'exercice physique reste aussi un élément majeur de notre bonne santé. Les effets sanitaires de la sédentarité sont quantitativement aussi dévastateurs que ceux du tabagisme.[765, 766] On ne le dira jamais assez : l'activité physique, même à intensité modérée, maintient la mécanique corporelle en bon état et préserve l'organisme d'un large spectre de pathologies majeures (attaque cérébrale, infarctus, diabète, cancers du côlon et du sein, dépression, etc.), que vous soyez obèses ou jouissiez d'un poids parfaitement sain.[767-775] Courir entre 5 et 10 minutes chaque jour vous permettra, par exemple, de diminuer votre risque de mortalité cardiovasculaire de 40 %[776].

À la jolie blonde de ma salle de gym

En apparente contradiction avec ce qui vient d'être dit, beaucoup d'interventions expérimentales visant à augmenter, dans un but d'amaigrissement, le niveau d'activité physique de sujets obèses, se sont révélées décevantes.[545, 777] Ces échecs ne tiennent pas, cependant, à l'inefficacité de l'activité physique.[778-781] Ils relèvent avant tout du fait que les gens ont tendance, en réponse aux protocoles d'exercice de long terme réalisés hors laboratoire, soit (pour une minorité) à se gaver de cochonneries à l'issue de leurs séances – voir ci-dessus –, soit (pour une majorité) à s'activer de manière bien trop molle et irrégulière pour brûler un nombre significatif de calories[782]. Je vois parfois, lorsque je passe à la salle de gym de mon quartier, des gens régler leur machine (vélo, tapis ellipteur) sur un niveau d'effort famélique, puis «faire du sport» pendant 30 ou 40 minutes en envoyant des SMS tout en regardant la télé ou en lisant un magazine, sans que jamais ne perle de leur front la moindre goutte de sueur. Autant dire que les bénéfices pondéraux escomptables sont alors à la hauteur de l'énergie investie : minimes.

Considérons, par exemple, Madame X, (très) jolie blonde, à l'évidence en état d'obésité significative, qu'il m'arrive de croiser quand je vais taquiner l'ellipteur ou le tapis roulant. Je la vois alors pédaler avec application sur un vélo stationnaire, pendant 30 minutes, au niveau de résistance le plus modéré, à la vitesse d'un escargot neurasthénique, smartphone dans une main et *Marie-Claire* sur le pupitre ; le tout en buvant une boisson commerciale énergisante. À l'arrivée, notre jolie Madame X doit perdre 80 malheureuses Calories sur son vélo et en reprendre le double avec sa désastreuse boisson. L'autre jour, alors que je passais sous son regard désapprobateur, puant de sueur et rouge comme un homard bouilli dans une casserole d'absinthe, je l'entendis confier à sa copine qu'elle n'allait pas renouveler sa carte d'abonnement parce que vraiment «*le sport*» c'était «*du temps perdu*». Depuis six mois qu'elle venait, elle avait pris un kilo. «*C'est normal*, répondit la copine, sans sourciller, *tu as pris du muscle à cause du sport...*»

* * *

Ainsi, il apparaît possible d'augmenter à long terme de 20 % le niveau des dépenses énergétiques sans que l'organisme n'élève significativement, en compensation, l'ampleur de ses prises caloriques. Il ne faut pas s'y tromper, ce niveau d'indifférence est considérable. Examinons, pour nous en convaincre, le cas d'une femme obèse et sédentaire de 40 ans, affichant 90 kilos pour

1,70 m. Cette femme a besoin de consommer chaque jour à peu près 2 250 Calories pour maintenir son poids. Si elle s'imposait quotidiennement un surcroît de dépense égal à 20 % de cette valeur, soit 440 Calories, elle perdrait à terme une trentaine de kilogrammes*!

Cela étant dit, il ne faut pas rêver. Quatre cent quarante Calories ne se trouvent pas sous les sabots d'un cheval. C'est d'autant plus vrai que pour une même activité, la dépense énergétique diminue avec l'amaigrissement : plus on est lourd et plus bouger coûte cher. Par exemple, à 90 kilos, il faut en gros, pour brûler 440 Calories, marcher une heure à vitesse soutenue**. À 60 kilos, la même activité ne consomme que 300 Calories. Pour respecter un objectif de 440 Calories, il devient alors nécessaire d'augmenter la promenade de 30 minutes ou de remplacer la marche par un jogging d'allure modérée.

---

* Cf. *Estimer les besoins énergétiques*, p. 172.
** Cf. *Mesurer la dépense physique*, p. 197.

Combiner
les déficits énergétiques

Les éléments précédents dessinent donc deux options pour qui veut perdre durablement du poids : diminuer la prise calorique d'un maximum de 15 % ; augmenter l'activité physique d'un maximum de 20 %. La question qui se pose dès lors concerne l'articulation possible de ces leviers. Doit-on en privilégier un ? Si oui lequel ? Doit-on au contraire les combiner ? Et dans ce cas, de quelle façon ?

Pour répondre à ces questions, sans doute n'est-il pas inutile de préciser en premier lieu que toutes les calories ne se valent pas exactement. En théorie, vous ne maigrirez pas tout à fait de la même quantité si vous ingérez une calorie de moins, ou si vous brûlez une calorie de plus. Toutefois, la différence est alors tellement faible qu'il est possible de la négliger sans dommage et de considérer que l'effet mesurable de ces deux traitements est globalement le même[146, 147]. En accord avec cette affirmation, les travaux expérimentaux disponibles ont montré que la perte pondérale affiche une ampleur identique pour un déséquilibre donné de la balance énergétique, que celui-ci soit obtenu à travers un abaissement des prises alimentaires, un accroissement du niveau d'activité physique ou un mélange de ces deux facteurs.[102, 783-786]

Cependant, cette similarité ne dit pas toute l'histoire. La littérature scientifique montre aussi, en effet, que l'adjonction d'une part d'exercice au processus de régime alimentaire favorise la perte de masse grasse et la préservation du tissu musculaire.[787-789] Or, dans la mesure où ce dernier s'avère aussi essentiel au bon fonctionnement de l'organisme que les excès graisseux se révèlent délétères,[790-792] il apparaît largement souhaitable, pour maigrir, d'ajouter une part d'exercice au régime alimentaire. C'est d'autant plus vrai que l'activité physique représente, en elle-même, comme nous l'avons vu, un élément essentiel de notre intégrité sanitaire.

Du sport intensif ?

Mais quelle part d'exercice convient-il exactement d'ajouter ? En fait, compte tenu des effets bénéfiques de l'activité physique sur la santé, on pourrait être tenté de suggérer que le meilleur moyen de maigrir sainement consiste encore à rejeter toute intervention diététique pour n'actionner que le levier des dépenses corporelles. L'idée est séduisante. Malheureusement, elle semble peu recevable pour au moins deux raisons.

Premièrement, il serait regrettable de ne pas intervenir sur le champ alimentaire dans la mesure où ce dernier agit, lui aussi, directement sur notre santé*. À ce sujet, il est clair que la réduction des volumes caloriques ingérés repose le plus souvent sur

---

* Cf. *Les régimes restrictifs sont dangereux pour la santé* , p. 79.

la suppression des aliments les plus fortement nocifs dont, en particulier, les aliments très riches en graisses trans ou saturées (charcuterie, Nutella, pâtisseries industriels, etc.).

Deuxièmement, sans changement diététique substantiel, le volume d'activité physique nécessaire à la restauration et au maintien d'un poids sain chez les sujets obèses et en surpoids peut apparaître par trop considérable pour être raisonnable. En effet, à dose élevée, l'exercice peut non seulement entraîner une certaine lassitude, mais aussi augmenter le risque cardiovasculaire et les probabilités de blessures physiques.[89, 793-795] Par ailleurs, la plupart des gens n'ont ni l'envie, ni les moyens matériels de consacrer chaque jour deux heures ou plus de leur temps à un programme d'activité physique. Or, à la seconde où cessera l'engagement du sujet, le poids perdu reviendra au galop. Cela veut dire que pour être crédible et efficace, tout programme d'activité physique doit impérativement être soutenable à très long terme.

Pour bien le comprendre, considérons l'exemple d'Anna. Cette femme obèse de 30 ans, relativement active, pèse 95 kg pour 1,63 mètre (soit un IMC > 35 kg/m^2). Pour atteindre et ensuite maintenir un poids sain (65 kg; IMC < 25 kg/m^2), il lui faudrait effacer chaque jour autour de 500 Calories de sa balance énergétique*, ce qui correspond, au poids de fin de régime, à un peu plus de deux heures quotidiennes de marche modérée, qu'il pleuve, qu'il neige ou qu'il vente. Car, encore une fois, plus Anna va maigrir, moins elle va avoir de poids à trimballer et plus elle va devoir marcher longtemps (ou vite) pour perdre 500 Calories. Au début du régime, une heure et trente minutes suffiront. À la fin, il en faudra un peu plus de deux. Pas insurmontable, mais pas facile non plus. Imaginons néanmoins qu'Anna parvienne au but et que, satisfaite, elle se dise qu'elle peut enfin lever le pied. Erreur

---

* Cf. *Estimer les besoins énergétiques*, p. 172.

fatale! En effet, dès qu'elle arrêtera de marcher la demoiselle reprendra irrévocablement tout le poids perdu (je reviendrai au prochain chapitre sur les raisons intimes de ce retour en arrière). Après un an, elle sera redevenue obèse (81 kg; IMC > 30 kg/m²), après trois ans elle sera remontée à plus de 90 kg, après quatre ans elle aura repris tout le poids initialement concédé.

Combiner déficits d'entrées et surplus de sorties

Ainsi, pour perdre du poids, l'approche optimale consiste à agir simultanément sur la prise alimentaire et la dépense physique. Cette conclusion fait aujourd'hui largement consensus au sein de la communauté scientifique. En fait, quel que soit le régime alimentaire adopté, l'amaigrissement est à la fois supérieur et plus durable s'il combine déficit d'entrées et surplus de dépenses.[494, 545, 777, 796, 797] Ce n'est guère surprenant si l'on considère que l'association de ces deux leviers permet globalement d'appliquer un déficit énergétique plus important qu'il ne serait possible avec une approche unique, notamment alimentaire. Pour valide qu'elle puisse être, cette explication est cependant loin de raconter toute l'histoire, comme le montre une étude récente particulièrement intéressante[798].

Des sujets en surpoids furent répartis en quatre groupes soumis chacun à une condition expérimentale différente:

– (R) RÉGIME ALIMENTAIRE SEUL impliquant une restriction des entrées caloriques de 25 % par rapport aux apports de base;

– (RE) RÉGIME ALIMENTAIRE PLUS EXERCICE impliquant une restriction des entrées caloriques de 12,5 % et une augmentation de la dépense énergétique de 12,5 %, soit – c'est là le point central – un déséquilibre global de la balance calorique (25 %) identique à celui imposé dans la condition régime seul;

– (RH) Régime fortement hypocalorique impliquant une consommation énergétique de 890 Calories par jour jusqu'à obtenir une perte pondérale de 15 % par rapport au poids initial ;

– (C) Contrôle impliquant juste de suivre les sujets sans modification ni de leur régime alimentaire ni de leur niveau d'activité physique. Sur les six mois de l'étude, les sujets contrôles maintinrent leur poids ; ceux du groupe R perdirent 8,3 kg ; ceux du groupe RE en concédèrent 8,4 ; ceux du groupe RH en abandonnèrent 11. Jusque-là, pas de grande surprise et une simple confirmation du fait qu'une calorie brûlée par l'activité physique a globalement le même effet en terme d'amaigrissement qu'une calorie soustraite au régime alimentaire. Les données de l'étude se révélèrent cependant bien plus intéressantes lorsque furent considérées les possibles adaptations biophysiologiques aux différentes manipulations expérimentales. À un premier niveau, des modifications claires furent détectées lorsque le déficit calorique était imputé à la seule prise alimentaire (conditions R et RH). Dans ce cas, les analyses révélèrent à la fois une augmentation de l'efficience métabolique (une même quantité d'énergie permet à l'organisme de fournir plus d'activité) et une diminution du niveau d'activité physique spontané. En d'autres termes, suite à la réduction importante de leurs apports caloriques, les sujets devinrent plus sédentaires (sans doute par excès de fatigue) et leur corps se mit à brûler moins d'énergie pour un même rendement. Ces deux changements constituent des indicateurs manifestes d'une reprise pondérale à venir. Ils sont parfaitement compatibles avec ce que l'on sait de l'inefficacité chronique des régimes alimentaires trop fortement restrictifs et/ou déséquilibrés *. Fait intéressant, aucune de ces

---

* Cf. *Les régimes restrictifs sont inefficaces,* p. 101.

adaptations n'apparut lorsque le déficit énergétique (25 %) était réparti, à parts égales, entre les entrées et les sorties. Dans ce cas, la perte de poids se fit sans protestation organique détectable.

* * *

Ainsi donc, la meilleure option consiste, pour qui désir maigrir efficacement, à associer une diminution prudente des prises caloriques avec une augmentation mesurée du niveau d'activité physique. Au total, le déficit calorique résultant de cette combinaison ne devrait pas excéder 25 % du compte calorique initial. La répartition de ce déséquilibre sur ses différentes bases peut s'opérer de n'importe quelle façon, sous réserve que le déficit total des entrées ne dépasse pas 15 % du total et l'excès des sorties 20 %. Par exemple, une femme sédentaire de 50 ans, mesurant 1,64 mètre pour 88 kg a besoin, en moyenne, de 2 100 Calories par jour[*]. Imaginons que cette femme veuille atteindre 62 kg. Cela correspond, comme nous le verrons au chapitre suivant, à un déficit énergétique d'à peu près 400 Calories, inférieur (c'est très souvent le cas) au déficit indifférent total autorisé (525 Calories = 2 100 x 0,25). Cette carence cible peut être obtenue en diminuant la prise alimentaire de 300 Calories (soit à peu près 15 % de 2 100, le maximum possible) tout en augmentant la dépense physique de 100 Calories. Une alternative consisterait à couper la poire en deux, ce qui reviendrait à amputer de 200 Calories la prise alimentaire tout en augmentant de 200 Calories la dépense physique. Quelle que soit la répartition choisie, il faudra à peu près un an à notre inconnue pour perdre 13 kg et passer ainsi d'une large obésité à un simple surpoids. Au bout de deux ans, elle pèsera 67 kg ; au bout de

---

[*] Cf. *Estimer les besoins énergétiques,* p. 172.

trois ans, 64 kg. Son poids continuera alors à descendre lentement jusqu'à se stabiliser autour de l'objectif. Une jolie réussite pour un effort somme toute bien raisonnable.

La relative lenteur de la transformation opérée est cependant, j'en conviens, peu glamour au regard de l'offre des best-sellers de gare qui vous promettent d'alléger miraculeusement votre silhouette de 8 ou 10 kg en 15 jours*. À chacun de se demander s'il préfère se bercer d'illusions ou maigrir réellement !

---

* Cf. *Mon gourou médiatique m'a dit,* p. 31.

Redessiner
l'équilibre énergétique

Nous avons vu que la seule et unique façon de maigrir consiste à placer l'organisme en situation de dette énergétique. En pratique, celle-ci peut s'obtenir de façon optimale en combinant l'augmentation de la dépense physique et la diminution des prises alimentaires. S'il existe à l'heure actuelle un corpus de données consensuel au sein de la littérature scientifique, c'est bien celui-là.

Le mythe des 500 Calories

Malheureusement, consensus ne vaut pas toujours clarté et, d'un point de vue sémantique, les notions de dette, de déficit ou de carence énergétiques sont à l'origine de solides malentendus, non seulement au sein des médias grand public mais aussi, parfois, dans la communauté des soi-disant experts. Une idée particulièrement têtue suggère, dans ce cadre, qu'un déficit calorique donné est capable de produire une perte pondérale continue sur toute la durée de son application[3]. Prenez par exemple un ouvrage de vulgarisation, au demeurant plutôt bien réalisé, *Maigrir pour les nuls*. D'après les auteurs, «*vous pourriez perdre 500 grammes par semaine en diminuant votre consommation calorique de seulement 500 Calories par jour, et un kilo en la réduisant de 1 000 Calories par jour*»[799]. Ces valeurs ne sont évidemment pas définies au hasard. Elles renvoient à la «constante de Wishnofsky», établie à la fin des années 1950 par l'Américain Max Wishnofsky. Selon cette constante, il faut globalement soumettre l'organisme à un déficit énergétique de 7 700 Calories pour perdre un kilo-gramme[800]. C'est grossièrement le cas, en moyenne, mais à un détail près: les besoins et dépenses caloriques dépendent du poids. En effet, plus un individu est lourd, plus il a de tissu organique à entretenir, plus il dépense d'énergie pour se mouvoir et plus il a besoin de consommer une grande quantité de nourriture pour maintenir sa masse pondérale. Il s'en suit que l'impact d'un déficit calorique donné (par exemple de 500 Calories) décroît irrévoca-blement avec l'amaigrissement, jusqu'à disparaître complètement lorsqu'est atteint un nouveau point d'équilibre entre entrées et sorties énergétiques.

Dans ce contexte, l'affirmation de *Maigrir pour les nuls* appa-raît parfaitement absurde et irréaliste. Considérons à titre d'illus-tration une femme de 35 ans pesant 90 kilos pour 1,65 mètre, et affichant un modeste niveau d'activité physique. On peut calculer, nous y reviendrons, que cette personne a besoin chaque jour d'à peu près 2 400 Calories pour conserver son poids. Si elle décide d'en consommer 500 de moins, l'aiguille du pèse-personne s'affaissera progressivement. Mais de combien? Commençons par le fameux modèle des «500 Calories». Celui-ci prédit que notre femme aura perdu 24 kilos au bout d'un an, ce qui la conduira à peser 66 kilos. Son IMC sera alors passé de l'obésité (33 kg/m²) à la normalité (24 kg/m²). Si la dame persiste dans son effort elle finira par atteindre un poids négatif (-147 kg au bout d'une décennie!), ce qui avouons-le devrait suffire à nous convaincre définitivement du ridicule de cette fable des 500 Calories.

Voyons maintenant ce qui se passe lorsque l'on tient compte de l'amaigrissement progressif du sujet. Il convient alors simplement de recalculer, au quotidien, en fonction du poids courant, l'ampleur du déficit calorique réel : comme le poids diminue, les besoins énergétiques baissent et l'ampleur du déficit calorique effectivement imposé s'amoindrit. Au bout d'un an, la femme de notre exemple aura perdu 17 kilos. Elle pèsera 73 kilos et son IMC témoignera encore d'un léger surpoids (27 kg/m²). Si la restriction énergétique se poursuit, l'aiguille de la balance finira, après cinq ans, par se stabiliser autour de 58 kg. L'IMC sera alors redevenu normal (21 kg/m²). Mais vu l'ampleur du déficit alimentaire initialement imposé (21 % sur la seule consommation alimentaire), il est fort probable que les défenses métaboliques de l'organisme ne resteront pas inertes*. Si l'on tient compte de ce processus adaptatif, l'amaigrissement devrait être sensiblement atténué par rapport au modèle qui vient d'être évoqué. Lorsque l'on intègre une composante d'adaptation métabolique, on peut prédire que cette femme perdra 14 kilos sur les 12 premiers mois, avant que son poids ne se stabilise, au bout de cinq ans, à 64 kilos[147]. Il est toutefois bien peu vraisemblable qu'elle arrive jusque-là tant il s'avère difficile, pour ne pas dire impossible, comme cela a été démontré précédemment, de lutter efficacement à long terme contre l'armée des défenses métaboliques.

---

* Cf. *Maigrir sans effet rebond,* p. 143, et *Les régimes restrictifs sont inefficaces,* p. 101.

Estimer les besoins énergétiques

Par-delà le détail numérique des différentes simulations proposées ci-dessus, ce qu'il faut retenir, c'est qu'à chaque niveau de la balance énergétique correspond, pour un individu donné, un point de stabilité pondérale. Dans ce contexte, «suivre un régime» ne signifie plus s'imposer un état plus ou moins transitoire de carence énergétique. Cela veut dire s'assujettir à la prise calorique cible qui va permettre d'atteindre et de stabiliser le poids désiré. Une fois déterminée cette charge cible, il ne reste plus qu'à élaborer un plan d'action pour passer de l'état d'équilibre courant à l'état d'équilibre visé.

D'un point de vue pratique, ces deux équilibres peuvent être quantifiés très simplement au moyen de modèles mathématiques généraux dont les équations ont été ajustées à partir de larges populations*. Typiquement, ces modèles intègrent un certain nombre de paramètres individuels basiques tels que l'âge, la taille, le poids, le sexe et/ou le niveau d'activité physique. Ils peuvent se présenter sous la forme d'un package global incorporant l'ensemble des données pertinentes au sein d'une équation unique.[147, 146] Alternativement, ils peuvent aussi séparer le calcul des besoins caloriques de base**[801-804] et des coûts énergétiques induits par l'exercice[805].

Quand ils sont appliqués à de larges échantillons, ces modèles possèdent une capacité prédictive tout à fait remarquable.[146, 147]

---

* Certains de ces modèles sont disponibles sur Internet (en anglais malheureusement). Par exemple : www.niddk.nih.gov/research-funding/at-niddk/labs-branches/LBM/integrative-physiology-section/body-weight-simulator/Pages/body-weight-simulator.aspx (tiré de[147])
** Ceux-ci correspondent aux besoins incompressibles de l'organisme pour assurer la bonne marche des fonctions essentielles (respiration, digestion, maintien de température corporelle, activité cérébrale, etc.).

Malheureusement, ce savoir-faire s'estompe significativement lorsque sont considérés des individus singuliers dont certaines caractéristiques physiologiques s'éloignent forcément de la moyenne. Dès lors, il est préférable de ne pas accorder à ces approches quantitatives une confiance trop aveugle. Toutefois, elles restent globalement pertinentes par leur capacité à dessiner l'effort qui attend tout candidat à l'amaigrissement. Cette appréhension est simplement impossible par d'autres moyens. Elle implique d'une part une évaluation du déficit calorique à mettre en œuvre, d'autre part une estimation de la vitesse attendue de l'amaigrissement. Commençons par le premier point.

L'encadré page suivante présente, sous une forme aisément utilisable, un modèle de calcul calorique reconnu comme l'un des plus précis par la communauté scientifique[147, 804]. À partir des équations fournies, il s'avère assez facile, dans le cadre présent d'un déficit indifférent sans processus d'adaptation métabolique, d'estimer la carence énergétique à mettre en œuvre pour atteindre un poids espéré. En effet, pour décrocher ce résultat il suffit de retrancher la «valeur calorique du poids cible» de la «valeur calorique du poids courant». Par exemple, considérons le cas d'une femme de 35 ans, sédentaire, sans activité physique spécifique, mesurant 1m72 pour 79 kg. On obtient, à partir des équations de l'encadré, un bilan énergétique courant de 2 143 Calories. Si cette femme pesait 70 kilos (son poids désiré), ce bilan s'établirait à 2 018 Calories. La différence entre ces deux estimations (2 143 − 2 018 = 126 Cal) correspond au déficit calorique qu'elle va devoir introduire pour perdre 9 kilos. Ces 126 Calories, elle va alors pouvoir les effacer en diminuant sa prise calorique et/ou en augmentant son niveau d'activité physique spécifique.

Définir les besoins caloriques

Différentes équations permettent d'estimer les besoins énergétiques individuels. Parmi les plus précises et les plus fréquemment utilisées se trouvent celles dites de Mifflin-StJeor.[802, 804] Leur formulation dépend du poids (Poids), de la taille (Taille) et de l'âge (Âge). Le niveau d'activité physique (PA) est pris en compte sous forme d'un facteur multiplicatif global.[147, 806, 807] Ces équations diffèrent légèrement selon le sexe. Si l'on appelle E le nombre de calories nécessaires chaque jour à un individu pour maintenir son poids, on obtient :

Pour une femme

$$E = PA \times [(9{,}99 \times Poids) + (6{,}25 \times Taille) - (4{,}92 \times Âge) - 161]$$

Pour un homme

$$E = PA \times [(9{,}99 \times Poids) + (6{,}25 \times Taille) - (4{,}92 \times Âge) + 5]$$

Le poids s'exprime en kg, la taille en cm et l'âge en années.

PA se définit par addition des activités physiques dites de base (PAb) et spécifique (PAs). L'activité de base fait référence à la dépense calorique quotidienne globale, liée notamment au type d'activité professionnelle. L'activité spécifique concerne pour sa part les activités physiques structurées (course, marche, sports, etc.).

Basal (PAb)

Très Faible (programmeur informatique, chauffeur de taxi, caissier, etc.) : 1,4

Faible (secrétaire, enseignant, coiffeur, etc.) : 1,5

Modéré (femme de ménage, serveur, kinésithérapeute, etc.) : 1,6

Important (déménageur, agriculteur, bûcheron, etc.) : 1,7

Spécifique (PAs)

Activité de faible intensité (marche lente, yoga, billard, etc.) :

$$0{,}02 \times \text{Nombre d'heures / semaine}$$

Activité de moyenne intensité (marche rapide, cyclotourisme, etc.) :

$$0{,}04 \times \text{Nombre d'heures / semaine}$$

Activité de forte intensité (jogging, squash, etc.) :

$$0{,}06 \times \text{Nombre d'heures / semaine}$$

Sur la base des données épidémiologiques disponibles, on peut estimer que l'écrasante majorité des sujets obèses et en surpoids présentent un niveau d'activité physique (PA) compris entre 1,4 et 1,8[807, 808].

Exemple d'application
À 32 ans, Jeanne est obèse (IMC > 30 kg/m²). Elle mesure 1,60 mètre pour 78 kilos. Elle est caissière dans un supermarché (PA basal = 1,4) mais se rend au travail à pied (1 heure de marche lente – 30 minutes aller, 30 minutes retour – cinq fois par semaine ; PA spécifique = 0,02 x 5, soit 0,1).
Ses besoins caloriques se calculent comme suit :
E = (1,4 + 0,1) x [(9,99 x 78) + (6,25 x 160) - (4,92 x 32) - 161]
E = 1,5 x [779,22 + 1 000 - 157,44 - 161]
E = 1,5 x [1 460,78]
E = 2 191,17
En arrondissant, on peut donc estimer les besoins caloriques courants de Jeanne autour de 2 200 Calories par jour.

Pour ceux qui seraient irrévocablement allergiques à la calculette, la figure 2A page suivante présente une solution graphique simple capable de se substituer aux calculs de l'encadré ci-contre. Cette figure permet d'obtenir le déficit calorique à mettre en œuvre compte tenu du niveau d'amaigrissement souhaité (ou inversement d'estimer la perte pondérale attendue compte tenu d'un déficit calorique consenti). La figure 2B associée indique comment utiliser le graphique pour ceux qui n'auraient pas l'habitude de ce type de schéma. Sur cette dernière figure, on peut voir qu'il n'est au fond pas dramatique de se tromper dans l'estimation du niveau global d'activité physique. Par exemple, si vous vous jugez sédentaire alors que vous êtes modérément actif, vous sous-estimerez un peu le déficit calorique nécessaire, et au lieu d'avoir concédé, par exemple, 25 kilos à la fin du régime vous en aurez perdu un

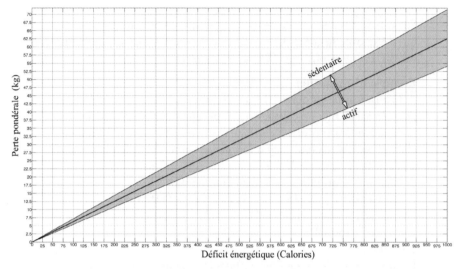

2A. Graphique permettant d'estimer, sans calcul, l'ampleur du déficit calorique à mettre en œuvre pour obtenir une perte pondérale cible. Ce déficit varie en fonction du niveau d'activité physique. Pour une carence donnée, les sujets ayant un mode de vie sédentaire perdent un peu plus de poids que les sujets actifs.

peu moins de 22,5. À l'inverse, si vous voulez perdre 22,5 kilos en vous croyant modérément actif, alors que vous êtes sédentaire, vous perdrez un peu plus que prévu (25 kg). En général, le biais fonctionne d'ailleurs plutôt dans ce sens, ce qui veut dire que la plupart des sujets qui se trompent ont toutes les chances de perdre un peu plus de poids que prévu.

L'impossible retour en arrière

Par rapport à ce qui vient d'être dit, il convient de ne pas se fourvoyer en omettant un point fondamental (qu'on me permette de le redire tant l'élément est central) : le déficit calorique dont il est question au sein de cette partie n'a pas

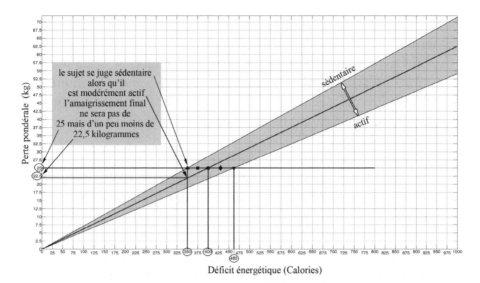

Déficit énergétique (Calories)

2B. Lecture des données de la figure. Considérons un sujet désirant perdre 25 kg. Afin d'estimer le déficit calorique à mettre en œuvre pour atteindre son but, notre sujet doit en premier lieu tracer la ligne horizontale passant par 25 kg sur l'axe du poids (axe vertical). Ensuite, il doit définir le point d'intersection entre cette droite et la zone du graphique correspondant à son niveau d'activité : sédentaire (triangle pointe en haut) ; faiblement actif (carré) ; modérément actif (cercle), actif (losange) ; fortement actif (triangle pointe en bas). Enfin, il lui faut tracer à partir du point correspondant une ligne verticale et déterminer où cette ligne coupe l'axe énergétique (axe horizontal). Ici, si le sujet est modérément actif, il devra mettre en œuvre un déficit de 400 Calories pour perdre 25 kg, contre 350 s'il est sédentaire et 460 s'il est fortement actif (dans ce cas le trait vertical coupe l'axe horizontal entre les valeurs 450 et 475, ce qui correspond à peu près à la valeur de 460 Calories).

vocation à être transitoire. Il se veut définitif au sens où le sujet va devoir le supporter sa vie durant s'il prétend ne pas regrossir. Considérons pour illustrer ce point un exemple concret. À 45 ans, Marc est fortement obèse. Il mesure 1,75 mètre pour 117 kilos (IMC= 38 kg/m²). Il est serveur et n'a aucune activité physique hors de son travail qu'il rejoint en voiture. À terme, notre homme voudrait peser 72 kilos (IMC= 23 kg/m²).

Si l'on utilise le graphique 3-1, on peut estimer que Marc va devoir abaisser sa balance calorique quotidienne d'à peu près 700 Calories (soit 21 % de sa prise énergétique de référence ≈ 3 275 Cal). L'idéal sera alors sans doute, comme expliqué au chapitre précédent, de diminuer de 350 Calories la prise alimentaire tout en augmentant de 350 Calories le niveau de dépense physique.

Le point important, c'est que si après avoir atteint son poids cible ou s'en être rapproché Marc se remet à faire moins d'exercice ou à manger davantage, il regrossira immédiatement à proportion du surplus calorique enregistré : s'il revient à sa consommation initiale, il reviendra aussi à son poids initial ; s'il se contente d'une reprise partielle il reprendra seulement une fraction du poids perdu. Par exemple, si Marc rajoute 300 Calories à son bilan quotidien en se disant qu'il peut bien, maintenant qu'il a maigri, s'autoriser un petit dessert à midi, la balance repartira immédiatement à la hausse jusqu'à se stabiliser autour de 90 kilos.

Se projeter dans le temps

Une fois évaluée la réduction calorique qui va permettre d'atteindre puis de maintenir le poids désiré, il reste encore à estimer la « dynamique » de la perte pondérale, c'est-à-dire la vitesse avec laquelle l'amaigrissement va se produire, autrement dit en combien de temps le sujet peut espérer atteindre le poids désiré. Une telle estimation est importante pour deux raisons.

Premièrement, elle permet de se projeter sur le long terme. Par exemple, l'individu fictif qui, dans la figure 2B, désire perdre 25 kilogrammes doit savoir qu'il n'y parviendra pas en six mois, mais qu'il aura déjà au terme de cette période substantiellement avancé dans son projet. Le risque de démotivation est moindre lorsque l'on peut constater concrètement que les choses évoluent comme prévu.

Deuxièmement, elle permet de piloter «en temps réel» l'évolution du régime. Si vous maigrissez significativement plus vite qu'attendu, cela indiquera que vous avez amputé trop fortement votre balance calorique et qu'il serait sage de remonter un peu cette dernière pour éviter les réactions métaboliques défavorables ; si à l'inverse vous perdez du poids bien plus lentement qu'anticipé, cela signifiera qu'il va être indispensable, pour parvenir au but, de creuser davantage le déficit énergétique courant. Le détail pratique de ces régulations sera abordé dans le prochain chapitre *.

Si l'on se place dans le cadre d'une carence énergétique indifférente, c'est-à-dire suffisamment faible pour exclure l'existence d'adaptations métaboliques défensives, on peut rendre compte de la vitesse d'amaigrissement à partir d'équations relativement simples, reposant sur la constante de Wishnofsky[800] dont nous avons parlé plus haut. La figure 3 offre une version graphique aisément utilisable des résultats obtenus. Par souci de clarté, la courbe d'amaigrissement y est représentée, sous forme d'intervalle (zone grisée), en pourcentage du nombre total de kilos à perdre. L'intervalle tient alors compte des incertitudes de modélisation et des variations possibles du niveau d'activité physique. D'un simple coup d'œil, on peut voir que la perte pondérale est rapide au début, avant de se tasser progressivement, jusqu'à devenir nulle quand le poids cible est atteint.

Pour rejoindre la phase de stabilisation il ne faut pas moins de six années. Cela peut paraître long ; trop long quand on a décidé de maigrir. Pourtant, une analyse précise du graphique permet de nuancer sérieusement ce ressenti. D'abord, comme

---

* Cf. *Suivre l'amaigrissement,* p. 215.

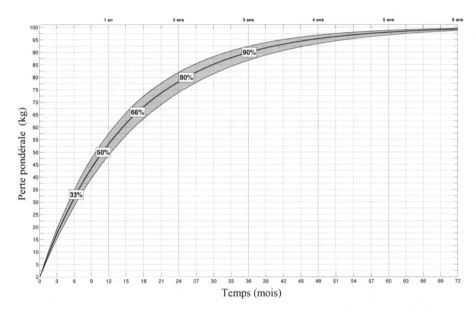

3. Simulation de la vitesse d'amaigrissement en pourcentage de la perte pondérale cible. La courbe noire centrale (plus épaisse) correspond à un sujet «moyen», modérément actif. La zone grisée définit un intervalle de variation, par rapport à ce sujet en tenant compte des spécificités individuelles. Que ceux qui seraient fâchés avec les pourcentages se rassurent. Passer du pourcentage au nombre de kilos est très simple. Pour parvenir au but, il faut d'abord diviser la valeur du pourcentage par 100. Le nombre obtenu est ensuite multiplié par la perte pondérale cible. Par exemple, sur le graphique on voit qu'à 36 mois la perte pondérale moyenne se situe autour de 90 % (point d'intersection entre la ligne verticale passant par 36 sur l'axe horizontal du temps et de la ligne horizontale passant pas 90 % sur l'axe vertical de perte pondéral). Cela veut dire, si le sujet vise un amaigrissement total de 25 kilos, qu'il aura perdu 22,5 kilos au bout de trois ans : (a) 90 ÷ 100 = 0,9 ; (b) 0,9 x 25 = 22,5 kg.

nous le verrons plus loin, il est possible d'accélérer substantiellement le processus d'amaigrissement lorsque le déficit cible est inférieur au déficit indifférent (ce qui est le cas pour la majorité des gens). Ensuite, même si l'on s'en tient strictement aux données de la figure 3, on s'aperçoit que l'amaigrissement n'est au fond pas si lent que cela. Le premier tiers de la perte pondérale cible est achevé en six mois; après un an on dépasse les 50 %; après deux ans on frise les 80 % et après trois ans on atteint les 90 %. Cela veut dire, si l'on reprend l'exemple développé avec la figure 2B, que sur les 25 kilos qu'il désire effacer de la balance, notre sujet aura perdu à peu près 14 kilos après un an, 20 kilos après deux ans et 23 kilos après trois ans. Sur les années suivantes, il ne concédera guère plus de 2 à 3 kg. Évidemment, avec 14 kilos en un an et 20 en deux, nous sommes loin des promesses ébouriffantes des best-sellers de gare*. Mais ce n'est qu'au prix de cette relative lenteur que l'amaigrissement pourra survivre à l'épreuve du temps. Car la question est toujours la même: vaut-il mieux échouer en six mois ou réussir en deux ans?

Adapter le régime

À la lumière de toutes ces données, une dernière question demeure: quel effort suis-je réellement capable de consentir? En effet, les équations précédentes permettent d'estimer globalement le déficit calorique à mettre en œuvre pour atteindre le poids cible. Toutefois, en fonction de son ampleur, ce déficit pourra se révéler aisément atteignable, ou au contraire déraisonnablement sévère. Chacun va donc devoir se demander ce qui, au quotidien, s'avérera effectivement gérable. On peut dessiner trois lignes stratégiques principales.

La première consiste simplement à appliquer le déficit requis pour atteindre le poids désiré. L'amaigrissement suit alors à peu près les prédictions de la figure 3. Dans cette situation, nous l'avons dit, le sujet atteint *grosso modo* la moitié de son objectif

---

* Cf. *Mon gourou médiatique m'a dit*, p. 31.

en un an, les trois-quarts en deux ans et les neuf dixièmes en trois ans. Le poids continue ensuite à s'affaisser lentement pour, finalement, se stabiliser autour de l'objectif après cinq ou six ans. Certains, sans doute, jugeront satisfaisante la relative lenteur de cette trajectoire.

D'autres, toutefois, estimeront qu'il peut être intéressant d'augmenter temporairement l'effort consenti afin d'accélérer le processus d'amaigrissement. Cette seconde stratégie impose la mise en place d'un déficit calorique initial plus important que nécessaire, mais dans tous les cas inférieur au déficit indifférent maximum (égal à 25 % du compte calorique initial d'avant régime *) ; déficit initial qui, une fois l'objectif atteint, est progressivement atténué jusqu'à son niveau « nécessaire », à travers une augmentation de la prise alimentaire et/ou une diminution du niveau d'activité physique.

Revenons pour illustrer cette approche sur le cas de Jeanne, tel que nous l'avons évoqué au sein de l'encadré précédent (p. 174). Pour atteindre un indice de masse corporel sain (IMC < 25 kg/m²), cette femme devrait perdre environ 15 kilos, ce qui correspond à la mise en place, par rapport à sa situation initiale, d'une carence énergétique quotidienne d'environ 250 Calories (Figure 2A). C'est moitié moins que le déficit maximal indifférent autorisé (25 % de 2 200 Calories donne un déficit maximal indifférent autorisé de 550 Calories). Considérant cette donnée, imaginons que Jeanne décide d'opter pour un déficit non de 250 mais de 500 Calories afin d'accélérer sa perte pondérale. En un peu moins d'un an, cette femme aura perdu ses 15 kilos. Il lui aurait fallu deux ans et demi pour en perdre 13 sur la base du déficit nécessaire de moindre effort (250 Cal). Une fois son pèse-personne calé sur le poids désiré,

---

* Cf. *Combiner déficits d'entrées et surplus de sorties,* p. 164.

Jeanne pourra remonter sa balance énergétique de 250 Calories en mangeant un peu plus et/ou en allégeant son programme d'exercice physique.

À l'exact opposé de cette approche, certains pourront aussi trouver trop «abrupt» le déficit calorique nécessaire à l'atteinte de leur objectif. Pour ceux-là, il sera possible d'adoucir sensiblement le déroulement du programme en introduisant le déficit calorique cible de manière non plus instantanée mais graduelle.

Pour illustrer cette stratégie «en paliers», considérons le cas de mon ami Jean-Pierre. Cet instituteur de 41 ans mesure 1,80 mètre pour 110 kilos. Il voudrait descendre à 70, «*son poids de forme*» (comprenez celui qu'il avait 20 ans plus tôt à l'armée [!]). Pour cela il doit abaisser de 600 Calories sa balance énergétique quotidienne. Cela lui semble «*beaucoup d'un coup*». Pour s'en sortir, Jean-Pierre n'a d'autre solution que sacrifier l'effort à la patience. Pour ce faire il peut choisir, par exemple, de mettre en place, durant la première année, une réduction énergétique partielle de seulement 400 Calories. Cela lui permettra de s'habituer à son nouveau mode de vie et d'arriver sans trop souffrir largement en dessous de la barre symbolique des 100 kilos. Au terme de cette période initiale, il pourra abaisser une nouvelle fois sa balance calorique de 200 unités pour obtenir un déficit total de 600 Calories. Bien sûr, cette démarche itérative ralentit sensiblement l'amaigrissement. Cela étant, chez certains sujets qui, comme Jean-Pierre, ont beaucoup de poids à perdre, elle peut sécuriser l'amaigrissement en offrant au corps un temps d'apprivoisement. La question de l'exercice physique illustre, je crois, l'intérêt de cette approche graduelle de manière éclairante. Prenons une femme de 40 ans irrévocablement sédentaire depuis son adolescence. Il ne sera sans doute pas facile à notre inconnue de produire, sans entraînement préalable, un niveau d'activité suffisant pour brûler quotidiennement entre 300 et 400 Cal. Il sera alors sage de commencer par 150 ou 200 Calories, puis d'augmenter progressivement la charge avec le temps.

Est-ce faisable en cas d'obésité sévère ?

Chez les individus souffrant d'obésité extrêmement sévère, le déficit maximum indifférent risque, dans certains cas, de se révéler inférieur au déficit nécessaire (supérieur donc à 25 % des besoins initiaux). Il n'y a alors pas d'autre solution qu'une approche itérative de longue haleine, assez similaire dans l'esprit à celle utilisée par Jean-Pierre ci-dessus. Dans un premier temps, le sujet devra appliquer le plus grand déficit possible (c'est-à-dire le déficit indifférent maximum). Ensuite, quand le poids commencera à se stabiliser autour de ce qui va devenir pour l'organisme une nouvelle norme de référence, un second déficit pourra être ajouté pour aboutir à la consommation cible. Par exemple, considérons Denis, homme sédentaire de 35 ans, mesurant 1,80 mètre pour 148 kilos. Pour maintenir un tel poids ce grand obèse (IMC = 46 kg/m²) consomme chaque jour 3 400 Calories. Pour descendre à 77 kilos et retrouver un IMC normal (24 kg/m²), il devrait en consommer 1 000 de moins. Or, le déficit indifférent maximum de Denis s'élève à 850 Calories (3 400 x 0,25). Le plus sage sera donc pour notre homme de débuter avec un déficit (déjà important) de, disons, 700 ou 800 Calories. Après trois ou quatre ans, le poids va commencer à se stabiliser. Denis pourra alors envisager de creuser une seconde fois son compte calorique (ici 200 à 300 Calories) pour atteindre la balance énergétique correspondant à son poids cible. Cela représente évidemment un effort de longue haleine, mais c'est la seule solution fiable et pérenne pour parvenir au but (hors chirurgie et condition médicale urgente nécessitant un amaigrissement rapide).

En rapport au problème de la patience, toutefois, il peut être important de rappeler ici que des effets sanitaires positifs apparaissent dès les phases initiales de l'amaigrissement. Une perte pondérale de 5 ou 10 kilogrammes suffit à diminuer très significativement le niveau de risque pour nombre de pathologies (diabète, cardiovasculaires, hépatiques, respiratoires, etc.).[103, 632, 809-811] Pour le dire clairement, pas besoin d'être arrivé au but pour tirer bénéfice de la promenade.

Pour nous résumer, l'amaigrissement ne doit plus être vu comme l'application d'un déficit calorique réversible, mais plutôt comme l'expression d'un mouvement de transition depuis un équilibre énergétique insatisfaisant vers un équilibre énergétique désiré. L'estimation du niveau d'effort et de patience nécessaire à l'atteinte de cet équilibre désiré peut être obtenue à partir d'outils mathématiques relativement simples. Malheureusement, ces outils ne peuvent en aucun cas informer le sujet du fait qu'il suit (ou non) le plan prévu. Une équation vous dira ce que vous devriez manger ou combien de calories vous devriez brûler à la salle de gym. Elle restera à jamais incapable d'évaluer ce que vous mangez effectivement et combien d'énergie vous avez dépensé réellement en allant au travail à pied. Pour obtenir ce genre d'information, il n'y a qu'une seule et unique solution : compter.

Mesurer les entrées
et les sorties caloriques

Ainsi donc, en matière d'amaigrissement, et quoi qu'en dise l'armée charlatanesque des gourous médiatiques, tout se résume à une simple histoire de calories*. Un tel constat n'est pas sans implications pour les questions qui nous occupent ici. En effet, si l'on admet que l'équilibre pondéral dépend directement de la balance énergétique, alors on peut considérer qu'une appréciation fine des entrées et dépenses caloriques est nécessaire au déploiement d'un régime efficace. En pratique, toutefois, ce n'est pas totalement vrai. Il est clairement possible de maigrir sans se soumettre à ce genre d'exercice comptable. Trois situations sont alors à distinguer.

Premier cas: vous avez opté pour une approche restrictive classique. Dans cette hypothèse, tout processus comptable devient inutile car la démarche employée empêche structurellement, par nature, toute surconsommation énergétique (au moins

---

* Cf. *Une simple histoire de calories,* p. 102.

tant que la volonté ne s'est pas effondrée sous l'effet des coups de boutoir métaboliques*). Comme l'a montré l'ANSES[16], ce type de configuration concerne l'écrasante majorité des régimes commerciaux populaires dont la nature hypocalorique s'avère plus qu'évidente à la lumière d'une analyse détaillée**. Dans le cadre de ces régimes restrictifs, l'état de carence découle mécaniquement de la prescription d'une liste affreusement monotone d'aliments souvent peu caloriques. Après quelques jours passés à ingurgiter du blanc de poulet, des haricots verts, de la soupe au chou ou des plâtrées de viande, la seule perspective de devoir manger ne serait-ce qu'une bouchée supplémentaire devient excessivement pénible. À l'arrivée, et c'est particulièrement flagrant chez les individus obèses ou en surpoids, la prise énergétique ne couvre plus les besoins quotidiens : les gens maigrissent sans avoir à compter quoi que ce soit. On ne peut nier que cette approche possède, de par sa simplicité, un côté bigrement séduisant. Malheureusement, elle présente aussi, comme nous l'avons vu précédemment, deux défauts rédhibitoires : elle est dangereuse pour la santé*** ; et elle est inefficace à long terme****.

Second cas : vous avez relativement peu de poids à perdre et choisissez de le faire hors du chemin dangereux des approches restrictives. Comme nous le verrons ultérieurement, vous pourrez alors atteindre votre but assez facilement, sans avoir à modifier profondément votre façon de manger ou de bouger. Il est clairement possible, au prix de modifications modestes du cadre et du mode de vie, de déséquilibrer suffisamment la balance énergétique pour effacer sans douleur 8 à 10 kilogrammes du pèse-personne. Précisons toutefois, que même dans cette situation

---

* Cf. *Un échec biologiquement programmé*, p. 116.
** Cf. *Nouilles, chips ou poulet... même dénouement*, p. 49.
*** Cf. *Les régimes restrictifs sont dangereux pour la santé*, p. 79.
**** Cf. *Les régimes restrictifs sont inefficaces*, p. 101.

idéale, une période de comptage calorique ne peut qu'être bénéfique. En effet, inventorier les prises alimentaires durant quelque temps permet de repérer et d'éradiquer ces «innocents» automatismes comportementaux dont le coût énergétique échappe à notre conscience mais pas à la balance (finir à midi cette ridicule portion de lasagnes qu'il serait tellement dommage de jeter – 200 Calories; prendre une ou deux madeleines en discutant avec le petit pendant son goûter – 150 Calories; etc.).

Reste le troisième cas, de loin le plus épineux: vous visez une perte de poids substantielle (disons plus de 8-10 kg) mais vous êtes parfaitement réfractaire à l'idée même de comptage calorique. C'est dommage, car comme nous le verrons au chapitre suivant, cette approche quantitative constitue réellement une aide puissante pour qui veut maigrir sainement de manière efficace. Mais admettons quand même que l'idée de comptage vous rebute vraiment trop pour être envisageable. Dans ce cas, laissez tomber. Ne vous mettez pas inutilement, comme disent les anciens, la rate au court-bouillon. De toute façon, si vous comptez à contrecœur et sans motivation suffisante, vous aurez toutes les chances d'obtenir des résultats fautifs.

Au quotidien, une absence de comptage ne change pas grand-chose à la conduite du régime. La seule conséquence visible de ce choix tient au fait que la balance énergétique effective n'est plus calculée, mais estimée «à vue de nez». Le champ des dépenses peut être abordé à partir de l'annexe I, qui fournit le coût énergétique moyen d'une large liste d'activité physique (marcher, nager, faire du vélo, jouer au tennis, etc.) *. La diminution des entrées peut, dans le même temps, être atteinte à partir des éléments exposés à la fin de la présente partie**. Ces

---

* Cf. *Mesurer la dépense physique*, p. 197.
** Cf. *Manger moins en trompant son cerveau*, p. 259, et *Démanteler les «semeurs de kilos» de son environnement*, p. 271.

éléments indiquent comment réduire la prise énergétique sans éveiller de sensation de faim. Ce point est absolument crucial. En effet, si vous avez faim, c'est que vous êtes allé trop loin, au-delà de la zone aveugle de l'organisme. Si c'est le cas, vous pourrez vous battre un temps «à la volonté». Mais cela ne durera pas et vous finirez forcément par craquer. On ne peut pas mener à bien un régime efficace quand on a constamment envie de manger! Cette alarme que constitue la faim doit être considérée avec d'autant plus d'attention qu'elle représente l'unique ligne de défense envisageable contre le seul vrai danger des approches sans comptage : maigrir trop vite. Si vous avez toujours faim, si vous êtes anormalement et chroniquement fatigué, si votre volonté est à l'agonie à chaque fois que votre vue croise un gâteau, une pizza, un hamburger ou des frites, c'est le signe que vous devez lever le pied.

Cela étant, en l'absence de comptage calorique, pour être sûr que tout se passe bien, le meilleur moyen est encore de s'assurer que le poids évolue à peu près comme prévu. Pour cela, il suffit de confronter, au cours du temps, les mesures d'amaigrissement obtenues et prédites. Cette démarche permet de corriger rapidement tout biais significatif dans le suivi du régime. Les éléments de sa mise en œuvre sont présentés dans le prochain chapitre*.

Prise alimentaire : une mesure pas si compliquée

Étonnamment, notre organisme souffre d'une profonde incapacité à estimer la charge énergétique des repas qu'il consomme. Plusieurs études ont ainsi montré que les humains,

---

* Cf. *Suivre l'amaigrissement*, p. 215.

notamment obèses ou en surpoids, ont tendance à minimiser l'ampleur de leurs prises alimentaires.[812-814] Ce mouvement est en fait si marqué qu'il a servi de terreau à la très populaire théorie de «l'hypométabolisme» selon laquelle les obèses mangeraient substantiellement moins que les gens de poids sain, mais grossiraient néanmoins davantage en raison d'une propension génétique à brûler très peu de calories tout en stockant furieusement la moindre croûte de pain. Heureusement pour tous ceux qui désirent sincèrement maigrir, cette histoire ne tient pas. Au cours des 30 dernières années, il a été formellement démontré que si les obèses grossissent, c'est bien parce qu'ils sous estiment drastiquement le niveau de leurs prises alimentaires[815] et absorbent une quantité de nourriture bien trop importante par rapport à leurs besoins réels.[812, 813, 816] En d'autres termes, le très populaire «*je ne mange rien et pourtant je grossis*» est à ranger définitivement au pays des légendes folklorique[814].

La plupart des écrits grand public semblent considérer qu'il est trop compliqué de compter les calories pour monsieur et madame tout le monde[72]. La littérature scientifique contredit clairement ce positionnement de principe. Elle montre en effet deux choses : 1. inventorier les calories est une corvée exigeante, sujette à imprécision,[812-814] surtout pour les non-spécialistes[817] ; 2. l'erreur n'a nul caractère de fatalité et les individus suffisamment motivés aboutissent assez aisément, même s'ils n'ont aucune connaissance particulière en matière diététique, à des estimations tout à fait satisfaisantes de leurs prises alimentaires.[812, 818, 819] C'est d'autant plus vrai qu'il existe aujourd'hui, tant sur Internet que smartphone, des outils numériques capables de faciliter grandement l'épreuve du comptage calorique.[21, 820-822]

Estimer sa consommation alimentaire

« Le recensement des prises alimentaires émerge comme une composante vitale du contrôle pondéral. »
Raymond Baker et Daniel Kirschenbaum,
chercheurs en nutrition[823]

Compter les calories n'est clairement pas une partie de plaisir. Toutefois, pour qui possède un minimum de motivation, cette tâche est loin d'être insurmontable. À l'évidence, elle demande un peu de temps, mais le jeu en vaut vraiment la chandelle. Les gens qui s'y soumettent maigrissent plus vite, plus efficacement et plus durablement que les adeptes des méthodes «à vue de nez» (adeptes qui le plus souvent ne maigrissent pas d'un gramme!).

Au fond, la démarche de comptage calorique ne demande qu'une seule et unique qualité: la rigueur. Tout doit être inventorié, de la plus petite croûte de pain au moindre raisin sec. À partir de cet axiome, bien des stratégies sont envisageables (à chacun de déterminer celle qui lui convient le mieux). Il est possible d'utiliser au choix:

– des tables de correspondance aliments/calories sur Internet[1] ou papier[2] (certaines sont aujourd'hui très détaillées et offrent des informations qui dépassent largement le cadre des aliments de base pour inclure un grand nombre de plats cuisinés);

– des outils numériques téléchargeables sur smartphone, tablette ou ordinateur, grâce auxquels vous n'aurez qu'à rentrer la liste des aliments que vous consommez pour obtenir votre bilan énergétique global[3] (sans doute la méthode la plus simple, pour un niveau de précision tout à fait satisfaisant);

– les informations énergétiques qui accompagnent de plus en plus fréquemment les aliments manufacturés (la plupart des produits congelés, des plats préparés, des boîtes de conserve, etc. affichent aujourd'hui un label spécifiant leur composition et valeur calorique).

Au quotidien, votre tâche sera grandement facilitée si vous évitez, dans un premier temps, autant que faire se peut, les plats préparés dont la composition exacte est difficile à estimer (c'est le cas, par exemple, pour les plats consommés au restaurant ou achetés chez le

---

traiteur). Compter les calories est évidemment bien plus simple quand on cuisine soi-même à partir de produits basiques dont les valeurs énergétiques sont précisément établies (viande, légumes, fruits, farine, beurre, pâtes, riz, etc.). L'approche devient même carrément enfantine lorsque sont utilisés des aliments manufacturés comportant sur l'emballage une mention calorique. Cela étant dit, pas de panique si vous ne pouvez échapper au restaurant du coin ou au self d'entreprise. Essayer juste alors d'éviter les mets « compliqués » (souvent les plus riches, ça tombe bien) tels que les plats en sauce ou les pâtisseries maisons.

1. Voir par exemple : www.les-calories.com
2. Voir par exemple les références[824, 825]
3. Voir par exemple : MenuNature.com (www.menunature.com) ; Fatsecret France (www.fatsecret.fr)

Une plus grande efficacité du régime

Ainsi donc, compter les calories est à la fois pratiquement possible et théoriquement souhaitable. D'où la question suivante : est-ce réellement efficace ? Sans détour, la réponse est oui ; définitivement oui ! L'une des raisons en est, en dehors même de tout problème d'exactitude, que cette procédure oblige les gens à prendre explicitement conscience de leurs comportements alimentaires. En d'autres termes, le fait de devoir mesurer minutieusement ce qu'il ingère force l'individu à porter attention non seulement aux quantités (j'ai repris trois fois de la pizza !) mais aussi à tous ces « petits riens » que l'on oublie si facilement (encas, chocolats, canettes de soda, cacahuètes apéritives, etc.). Or, quantités et petits riens ont une importance fondamentale. À terme, ils finissent par peser très lourd sur la balance énergétique. Chaque jour, sous couvert de notre inattention, c'est potentiellement plusieurs centaines de calories qui viennent clandestinement nourrir nos stocks lipidiques. En faisant, même sur une période limitée de 15 jours à trois semaines, le compte réel des prises alimentaires, chacun peut le percevoir aisément et se rendre compte que non (!) il ne grossit pas à la moindre croûte de pain. Le croissant apporté à tour de rôle par les collègues le matin totalise aisément 250 Calories; le « minuscule » rocher chocolaté si gentiment offert par Madeleine à 9 heures en contient 70; le chocolat chaud rituel de 10 heures devant la machine à café tend vers les 150; la « petite » tarte au citron après le repas se positionne aux alentours de 240; le litre d'huile d'olive évaporé en quatre semaines, c'est 270 si l'on compte en journées; l'insignifiante poignée de cacahuètes et le galopin de rosé bien frais le soir pour se détendre avec son amoureux, ça fait dans les 400; la tranche de pain et le jus bien gras qu'elle vient d'éponger dans l'assiette du déjeuner ne doivent pas être très loin des 150; le Mars rapidement avalé à 16 heures pour calmer la faim et éloigner le spectre de je ne sais quelle hypothétique crise d'hypoglycémie c'est encore 260, etc. À l'arrivée, ces « petits rien si anodins » finissent par faire bien des dégâts sur les hanches de leurs victimes. Je puis assurer à tous les sceptiques de la Terre, pour l'avoir vécu moi-même, que la corvée du comptage calorique constitue un exercice de conscientisation des plus édifiants. Cette démarche clarifie remarquablement les choses quant à la question de savoir où se cachent nos kilos superflus.

En accord avec ces observations, la littérature scientifique démontre sans ambiguïté que le processus de comptage calorique est un élément prédictif majeur de la réussite d'un régime : plus l'assiduité des gens à mesurer l'ampleur de leurs prises alimentaires est grande, meilleures sont leurs chances de succès.[21, 823, 826-832] Ce lien est même tellement clair que certains auteurs ont affirmé que la procédure de comptage calorique est une composante «*nécessaire*»[823] et «*vitale*»[828] de tout régime efficace. Au cœur de cette assertion se trouve l'observation selon laquelle les gens qui rechignent à inventorier leurs prises alimentaires ont beaucoup plus de mal à perdre du poids. Par exemple, des sujets obèses soumis à un même protocole d'amaigrissement furent suivis pendant 18 semaines[823]. Sur cette durée, ceux qui parvinrent à tenir un bilan précis de leurs prises alimentaires perdirent en moyenne 14 kilos; ceux qui se révélèrent coopérants mais inconsistants dans leur effort de comptage ne concédèrent que 2 kilos; ceux qui s'affranchirent de tout recensement en prirent 4. En accord avec ces données, les sujets qui s'étaient montrés les plus assidus avaient perdu 2,5 fois plus de poids durant les semaines ayant donné lieu au suivi le plus rigoureux. Dans une autre étude ultérieure combinant thérapie comportementale et traitement pharmacologique, le tiers des sujets les plus appliqués à inventorier leurs prises alimentaires perdirent en un an 2,4 fois plus de poids que le tiers des sujets les moins diligents (18,1 kg contre 7,7 kg)[831].

Au quotidien, le seul fait de devoir noter ce que l'on mange a toutes les chances, nous l'avons déjà souligné, de nous conduire à diminuer notre consommation énergétique. Il y a à cela deux raisons majeures : d'une part, répertorier les apports nutritifs augmente la sensation de satiété en optimisant la qualité des souvenirs alimentaires – mieux un individu se rappelle ce qu'il a absorbé au cours des repas précédents et moins il mange au repas suivant[17] ; d'autre part, compter les calories entraîne une diminution substantielle des consommations et autres grignotages «de confort». Une étude illustre assez bien la réalité de ces mécanismes. Trois groupes de sujets furent invités à évaluer précisément leurs prises caloriques dans le cadre de différents programmes d'exercice physique[761]. Une cohorte «contrôle» fut incluse dont les participants devaient simplement noter leurs prises alimentaires, en dehors de tout protocole d'exercice. Cette simple tâche entraîna, en moyenne, une diminution de la prise énergétique quotidienne d'environ 10 %, soit 250 Calories. Cela veut dire que si vous n'avez que quelques kilos à perdre, le seul fait de prendre conscience de vos comportements alimentaires en inventoriant précisément, pendant quelque temps, ce que vous consommez pourrait bien suffire à vous conduire au but.

Une contrainte transitoire

Difficile de démontrer plus clairement combien il peut être important de compter les calories lorsque l'on désire perdre du poids. Cela étant dit, à la lumière de ces données, il serait erroné de conclure que le travail de recensement alimentaire est à poursuivre éternellement avec la même rigueur obsessionnelle. Après quelques semaines le processus d'évaluation calorique devient assez routinier pour que disparaisse la nécessité d'un dénombrement quotidien finement détaillé. En d'autres termes, une fois que la phase de comptage initial a permis la formation d'une sorte de référence internalisée, il devient possible de limiter la contrainte du contrôle calorique à l'application d'items très généraux tels que *« à midi j'ai mangé sainement/gras ; en quantité faible/modérée/ importante/massive… donc ce soir il faut que je fasse attention ; ou pas »*. En accord avec cette idée, un travail récent a montré, sur des sujets obèses et en surpoids soumis pendant quatre mois à un régime hypocalorique, que la transition après huit semaines d'une approche quantitative détaillée à une approche qualitative fortement abrégée n'affecte pas l'amaigrissement[833]. Toutefois, et il est important de le noter, abrégé ne veut pas dire facultatif, au sens ou même s'il devient parfaitement rudimentaire l'effort d'évaluation calorique reste quand même souhaitable. Un trait majeur des individus qui reprennent du poids après avoir maigri réside dans l'abandon de toute procédure d'estimation, aussi sommaire qu'elle soit, de la prise alimentaire.[481, 539, 834]

Mesurer la dépense physique

Tout comme le recensement des prises alimentaires, l'estimation du niveau de dépense physique est un élément essentiel de la réussite du régime. Les individus qui répertorient avec le plus de constance leur niveau d'activité physique suivent leur programme d'exercice avec plus de régularité, perdent davantage de poids, et maintiennent plus efficacement sur la durée leur perte pondérale initiale.[21, 835-838] Par exemple, des personnes obèses furent soumises pendant six mois à un régime combinant restriction calorique et exercice physique. Celles qui se montrèrent les plus assidues à inventorier leur activité motrice présentèrent un temps d'exercice hebdomadaire (90 mn versus 180 mn) et une perte pondérale totale (5 kg versus 10 kg) doublés par rapport à leurs congénères moins diligents[839].

Depuis une vingtaine d'années, plusieurs équipes de recherche ont construit des tables de correspondance permettant de relier dépense calorique et exercice physique.[805, 806, 840-846] Malheureusement, même les tables les plus pointues ne permettent pas d'estimer globalement le niveau journalier de dépense calorique, faute de pouvoir répertorier chaque activité de nos vies quotidiennes. En pratique, ce n'est toutefois pas bien grave car ce qui compte principalement dans le cadre d'une perte de poids, ce n'est pas de savoir calculer globalement le niveau de dépense énergétique (donné de toute façon, quand le poids est stable, par l'estimation de la prise calorique) mais de pouvoir rajouter une couche de dépense à l'activité courante. En d'autres termes, l'important va consister non à inventorier tout ce qui est brûlé, mais à mettre en place une activité physique nouvelle, génératrice d'une dissipation énergétique préalablement définie. Et dans ce cas particulier, les tables de correspondance disponibles se révèlent d'une précision tout à fait satisfaisante, notamment pour les exercices continus tels que la marche, la course, la natation ou le cyclisme. Pour les sports collectifs ou discontinus tels le football ou le squash, par exemple, la fiabilité des données est évidemment moins bonne dans la mesure où la dépense énergétique varie alors avec le niveau de compétence, la place occupée sur le terrain et/ou le système de jeu.

Il s'ensuit que si vous voulez vraiment contrôler précisément votre niveau de dépense physique, le plus rationnel sera encore de vous tourner vers des sports «continus» qui, en outre, présentent l'immense avantage de pouvoir être pratiqués à peu près n'importe où et n'importe quand, sans qu'il soit nécessaire de trouver des partenaires. Cela étant dit, si ces sports vous semblent vraiment d'un ennui insurmontable et que vous avez plus d'accointances avec le tennis ou le handball qu'avec la marche à pied ou le jogging, pas de panique. Les valeurs tabulées restent dans ce cas globalement satisfaisantes pour l'écrasante majorité des gens et, de toute façon, comme pour le comptage de la prise alimentaire, si elles contiennent des erreurs systématiques, il s'avère assez facile de corriger le problème en suivant l'évolution du poids. Nous y reviendrons plus loin*.

L'approche la plus répandue et la plus aboutie en matière de tables de correspondance repose sur le concept d'équivalent métabolique (EM). Sans rentrer dans les détails, on peut définir l'équivalent métabolique d'une activité comme étant le rapport entre la consommation énergétique induite par cette activité et

---

* Cf. *Suivre l'amaigrissement,* p. 215.

la consommation énergétique de repos. Par exemple, marcher à vitesse modérée sur terrain plat (≈ 4 km/h) c'est 3 EM. Cela veut dire qu'en moyenne, un humain va brûler trois fois plus d'énergie pendant cette activité qu'en restant assis sans rien faire dans un fauteuil. Si vous poursuivez pendant 30 minutes une tâche valant 3 EM, vous aurez consommé 3 x 30 = 90 EM/minute.

Indépendamment des questions pondérales, les spécialistes estiment de manière consensuelle, sur la base des données épidémiologiques disponibles, que la dépense physique nécessaire à une bonne santé se situe au minimum, chaque semaine, entre 500 et 1 000 EM/minute, soit en gros une marche de 30 minutes chaque jour ; avec l'idée évidemment que plus l'individu se rapproche de 1 000 et mieux c'est[773]. À 500 EM/minute, par exemple, vous réduirez significativement vos chances de souffrir d'un diabète de type 2, mais n'agirez pas sur votre risque cardiovasculaire. Pour diminuer ce dernier, il vous faudra atteindre une charge de 800 EM/minute[847].

Une version abrégée de la table de correspondance EM / Activité Physique à ce jour la plus complète est présentée dans l'annexe I. La version exhaustive est disponible sur internet*. Une fois que l'EM correspondant à l'activité choisie a été identifié, le niveau de dépense énergétique s'obtient facilement à travers l'application d'une formule mathématique triviale :

Calories dépensées = EM × Poids (en kg) × Durée (en minutes) / 60

---

* Cette liste, disponible en français, anglais, japonais, espagnol ou italien, est régulièrement remise à jour par des chercheurs de l'université d'Arizona.[805, 848] Elle contient plus de 800 activités. Encore une fois, certaines, liées notamment aux activités physiques continues (marche, course, vélo, natation) sont rigoureusement caractérisées. D'autres liées à des champs plus globaux (activités domestiques, pêche et chasse, pelouse et jardins, etc.), sont définies de manière moins exploitables.
Voir le site https://sites.google.com/site/compendiumofphysicalactivities/

Par exemple, une personne de 75 kilos, marchant pendant 80 minutes sur terrain plat à vitesse modérée ($\approx$ 4 km/h; 3 EM) consommera, en moyenne, 300 Calories (3 x 75 x 80 / 60). La même personne marchant plus vite (5,5 km/h; 4,3 EM) en dépensera 430 (4,3 x 75 x 80 / 60). Pour une paisible balade à vélo (15 km/h; 5,8 EM) de même durée, ce sera 580 (5,8 x 75 x 80 / 60), soit un peu moins que les 830 (8,3 x 75 x 80 / 60) que coûterait un jogging «tranquille» (8 km/h, 8,3 EM). S'il veut abréger la durée de sa sortie, notre joggeur devra accélérer : en passant, par exemple, de 8 à 12 km/h (5 mn au km, 11,5 EM), il dépensera ses 830 Calories en un peu moins de 60 minutes au lieu de 80. Dans toutes ces situations, la vitesse de déplacement s'obtient assez facilement en utilisant les outils de cartographie disponibles sur Internet* ou des systèmes de mesures portables (podomètres, compteurs pour vélo, montres GPS, applications GPS sur smartphone, etc.). D'ailleurs, pour ceux qui ne voudraient pas trop se casser la tête, certains de ces systèmes renvoient directement le compte des dépenses caloriques, comme le font quasiment tous les appareils disponibles dans les salles de sport (vélos stationnaires, tapis de courses, ellipteurs, etc.). Toutefois, pour tous ces dispositifs, les algorithmes de calcul ne sont pas toujours explicites et la validité des données est souvent difficile à estimer *a priori*. D'une manière générale, on peut dire que la fiabilité des mesures dépend de la qualité des capteurs (souvent liée au prix de l'appareil) et du type d'activité (les activités continues comme la course, la marche et le vélo offrant les meilleurs résultats).[849-853] Le plus sage reste évidemment de ne pas faire aveuglément confiance à ces équipements et de

---

* Google Maps, par exemple, permet de calculer aisément la distance correspondant à un déplacement donné, repérable sur une carte (https://maps.google.fr/)

prendre au moins, initialement, la précaution de comparer les données de consommation énergétiques qu'ils renvoient avec celles produites par les tables d'équivalents métaboliques. Si l'écart est important, il paraît préférable de s'en remettre à ces dernières dont les valeurs ont été précisément étalonnées en laboratoire sur la base de mesures calorimétriques.

Trouver chaussure à son pied

Ainsi donc, des tables de correspondance permettent de mesurer la dépense énergétique avec une précision satisfaisante pour un grand nombre d'activités motrices, notamment continues (marche, course, natation, cyclisme, etc.). Privilégier ces dernières dans le cadre d'un régime amaigrissant n'est, dès lors, pas une mauvaise idée. Marcher, par exemple, s'avère globalement sans danger pour un bénéfice sanitaire et pondéral évident. Cette activité ne coûte rien. Elle ne demande ni partenaire ni structure complexe et elle peut souvent être mise en place à temps quasiment constant. À ce titre, avant de débuter mon « régime », je dilapidais quotidiennement 70 minutes dans les transports en commun pour me rendre au travail : 35 le matin, 35 le soir. Désormais je marche. J'accomplis le chemin de mon habitation à mon lieu de travail en 45 minutes. Cela représente une « perte sèche » de 20 minutes par jour : 10 le matin, 10 le soir. C'est d'autant plus négligeable qu'au terme perte, je devrais préférer le mot « investissement ». En effet, mon petit sacrifice temporel n'est pas avare de bienfaits à la fois pondéraux, sanitaires et psychiques. Si je devais aujourd'hui renoncer à ces deux promenades quotidiennes, je crois qu'elles me manqueraient profondément, indépendamment du fait que l'aiguille de mon pèse-personne se réorienterait alors rapidement à la hausse. Retrouver la foule, le stress, les embouteillages, le vacarme et les odeurs nauséabondes des bus et métros lyonnais me serait fort pénible.

Il est bien évident toutefois que cette organisation particulière n'est pas universellement transposable. Certains habitent trop loin de leur travail pour s'y rendre en marchant, d'autres doivent déposer leurs enfants à l'école et sont contraints de prendre ensuite le métro pour arriver à l'heure au bureau, etc. Pourtant, je crois fermement que chacun peut trouver dans son emploi du temps des occasions de marcher, courir, nager ou pédaler. Entre midi et deux, le soir après le travail, le matin avant de commencer, le week-end, etc. Dans l'aventure, vous ne ferez pas qu'éjecter un nombre substantiel de kilos de votre balance. Vous gagnerez aussi un vrai bien-être.[854, 855] Pour ceux qui penseraient ne pas avoir le temps (j'en fus), juste un chiffre : en moyenne, nous sacrifions chaque jour près quatre heures de notre vie à la seule télévision[201] ! Peut-être qu'une partie de cette manne pourrait être utilisée autrement, avec fruit.

Se peser chaque jour :
une nécessité

Pour les magazines féminins, les spécialistes médiatiques ou les ouvrages de vulgarisation grand public, la cause est entendue, « *les nutrionnistes sont formels* »[856] : se peser tous les jours est « *une très mauvaise idée* »[857] quand ce n'est pas carrément « *interdit* »[858]. « *Une fois par semaine suffit amplement. Toute pesée plus fréquente est inutile, voire nocive* »[72]. En effet, la balance « *stigmatise nos fluctuations de poids* »[859], elle « *va de pair avec l'obsession du contrôle de l'image de soi [ce qui] conduit généralement à faire une fixation sur la nourriture, à nouer une relation de plus en plus conflictuelle avec elle et donc à dérégler in fine son comportement alimentaire [...] Sous prétexte de mieux-être on se fait du mal inutilement* »[860]. Se peser moins « *induit de la sérénité* »[856].

Des propos et arguments élégamment synthétisés par Gérard Apfeldorfer au sein d'une interview récente. Pour ce psychiatre et psychothérapeute, spécialiste des troubles du comportement alimentaire, la balance « *dramatise un poids forcément fluctuant.*

Car le poids varie de deux à trois kilos en plus ou en moins selon le degré d'hydratation, le type d'aliments ingérés, l'exercice physique accompli, selon qu'il fait froid ou chaud, que l'on aura été stressé ou que l'on est relaxé, selon les périodes du cycle féminin. Prendre ces kilos-là au sérieux revient à se réjouir des marées basses et se désoler des marées hautes. Vu ainsi, les pèse-personnes ne sont rien d'autres que des machines à se créer des émotions intempestives. [...] On se pèsera donc avec circonspection : une fois par semaine au maximum, sans tenir compte des décimales, en ne s'occupant que de la tendance générale sur plusieurs semaines. »[861].

Sur les bases du constat, rien à dire, Apfeldorfer a raison. Le poids corporel évolue substantiellement non seulement d'un jour à l'autre mais aussi au cours d'une même journée. Plus ou moins trois kilos semble toutefois une estimation très supérieure à la réalité. En moyenne, la marge de variation se situe plutôt autour de 1 kg à 1,5 kg, avec quelques rares pics à deux kilos.[538, 862-866] Cela veut dire que, typiquement, sur une semaine, un individu dont le poids moyen s'élève à 60 kg, verra l'aiguille de sa balance osciller entre 58,5 et 61,5 kilos. Or, si l'on exclut les pratiques restrictives délirantes, un régime bien conduit permet rarement de perdre plus de 500 grammes en sept jours. Dès lors, il semble clair que se peser quotidiennement non seulement ne sert à rien, mais peut se révéler terriblement frustrant, puisque la perte pondérale se retrouve alors irrémédiablement noyée dans l'ampleur des variations journalières. On peut ainsi, même après avoir fait attention toute une semaine (et perdu dans la réalité 1 kilo de gras), afficher un gain pondéral de 500 grammes sur la balance. Il y a effectivement là de quoi devenir fou ! À la lumière de ces données, ce qui ressort en fait, c'est qu'une pesée hebdomadaire c'est encore beaucoup trop. Pour sortir des fluctuations aléatoires du poids un cycle mensuel serait infiniment plus adapté.

Tout cela est plein de bon sens. Le seul problème, encore une fois, c'est que la science n'a que faire du bon sens, des croyances ou des opinions personnelles, fussent-elles exprimées par des hommes de l'art. Elle ne se préoccupe que des faits, et en ce domaine il est clair que Gérard Apfeldorfer et ses sympathisants ont tort. En matière d'amaigrissement, la pesée quotidienne n'est pas seulement souhaitable; elle est nécessaire pour qui veut mettre toutes les chances de son côté.

Une évidence statistique

Commençons par l'aspect purement statistique des choses. N'importe quel élève de lycée est capable de comprendre que pour estimer l'état moyen d'un système fluctuant, le mieux n'est pas de restreindre mais d'augmenter le nombre des mesures. En d'autres termes, plutôt que d'espacer les pesées, la solution optimale consiste à les multiplier puis à les agréger. La figure 4 page suivante offre une illustration simple de ce principe général. On y voit, au jour le jour, la courbe pondérale d'une personne fictive que nous appellerons Marthe et qui a décidé de maigrir *(courbe noire continue)*. Pour ce faire, notre inconnue entreprend un régime récent, conseillé par sa belle-sœur qui a entendu dire que Victoria Prout, star internationale quasi transparente à force d'être anorexique, avait encore perdu 17 kilos en trois semaines grâce à une méthode révolutionnaire: la méthode Neuro-Chrono-Bio-Protéino-GroupesSanguins du professeur Fumiste. Marthe a lu dans le magazine des contes à dormir debout que le mieux était de ne monter sur la balance qu'une fois par semaine. Obéissante et désireuse de bien faire, elle suit le conseil à la lettre et opte pour le dimanche matin *(courbe double)*. Catastrophée elle constate alors, sur un mois, une énorme prise de poids : presque 2 kg. Ce qu'ignore notre brave dame, c'est que si elle avait choisi plutôt le mardi matin *(courbe pointillée)*, elle aurait observé sur un mois un amaigrissement drastique : presque 2 kilos là aussi.

Tout cela n'a bien sûr aucun sens et on peut comprendre que ce genre d'extravagance ait sur le moral des effets aussi aléatoires que déplaisants. Si Marthe avait choisi de se peser chaque jour et de moyenner, sur la semaine, les valeurs obtenues elle aurait rapidement vu que son régime miracle n'avait tout simplement aucun effet, ni dans un sens, ni dans l'autre *(courbe grise)*.

Une simulation mathématique simple, reposant sur les données de fluctuations du poids disponibles dans la littérature, permet de montrer facilement que cette stratégie de « moyennage » est, en fait, la seule fiable pour pouvoir estimer la réalité de notre évolution pondérale. Imaginons, par exemple, que votre poids soit resté rigoureusement stable entre deux semaines consécutives. Si vous vous contentez d'une pesée hebdomadaire unique (disons, le lundi), il y a une chance sur quatre pour que votre balance vous indique que vous avez grossi de plus de 500 grammes et une chance sur quatre pour qu'elle vous signale que vous avez maigri de plus de 500 grammes, soit en gros une chance sur deux qu'elle vous induise complètement en erreur. Si l'on définit comme « raisonnable » une incertitude de plus ou moins 350 grammes autour de la valeur d'amaigrissement réelle, alors la probabilité que vous obteniez une estimation « raisonnable » dépassera à peine les 30 %. Cela veut dire que, sur dix pesées, seules trois vous donneront un résultat acceptable. Imaginons maintenant que vous procédiez par moyennage hebdomadaire. Vous aurez alors un peu plus de 70 % de chances de décrocher une estimation « raisonnable », contre seulement 10 % d'en obtenir une qui soit aberrante. Si

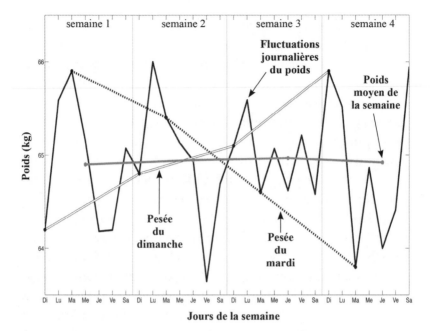

4. Le poids fluctue d'un jour à l'autre. Dans cet exemple, Marthe a un poids moyen stable de 65 kilos. Les variations quotidiennes autour de ce poids sont estimées sur la base des marges de variations observées dans la littérature scientifique (voir le texte), à partir d'un générateur aléatoire (courbe noire continue). Les magazines féminins et autres ouvrages de vulgarisation conseillent généralement, au maximum, une pesée hebdomadaire. Si elle fait cela, Marthe constatera soit que son régime la fait grossir (pesée du dimanche, courbe double), soit qu'il la fait maigrir (pesée du mardi, courbe pointillée) la variation étant dans les deux cas d'à peu près 2 kg sur le mois. Si maintenant elle choisit de se peser chaque jour et de faire, au terme de la semaine écoulée, la moyenne des valeurs recueillies, elle obtiendra une estimation bien plus fiable des effets de son régime et pourra mesurer l'impact réel de ce dernier (nul dans le cas présent ; courbe grise).

vous passez la base temporelle du moyennage à deux semaines, les choses s'améliorent encore et vos chances de décrocher une estimation raisonnable se rapprochent allègrement des 90 %.

Les résultats sont évidemment les mêmes dans le cadre d'une perte pondérale effective. Considérons, par exemple, que votre amaigrissement atteint 500 grammes d'une semaine à la suivante. Si vous vous contentez d'une pesée unique, disons le lundi, il y a une chance sur quatre pour que votre balance vous dise que vous avez grossi, et une chance sur quatre pour qu'elle vous signale un amaigrissement abusif de plus d'un kilogramme. Si vous procédez par moyennage hebdomadaire, ces aberrations ne surgiront qu'une fois sur dix. Dans plus de 70 % des cas, le niveau d'amaigrissement mesuré se situera dans une fourchette «raisonnable» de plus ou moins 350 grammes autour du niveau d'amaigrissement réel. Ce pourcentage montera à près de 90 % si vous passez votre base d'estimation d'une à deux semaines.

En d'autres termes, si vous moyennez votre poids par tranche de 14 jours, vous avez neuf chances sur dix d'obtenir une estimation raisonnablement fiable de votre amaigrissement. Ce n'est pas parfait, mais c'est quand même infiniment mieux que ce que vous garantit une pesée hebdomadaire unique. Sur la base de ces éléments, on peut comprendre pourquoi il serait idiot de se renoncer à se peser chaque jour. D'autant plus idiot, qu'il est, comme nous le verrons dans le prochain chapitre, primordial de pouvoir mesurer avec justesse et un minimum de délai, l'efficacité (ou non) du régime entrepris. Or, cela n'est faisable qu'en suivant aussi rigoureusement que possible l'évolution temporelle de la courbe pondérale.

Comment procéder en pratique ?

Concrètement, n'importe quel support peut faire l'affaire quand il s'agit de noter et de moyenner 7 ou 14 valeurs de pesées : un carnet, un smartphone, un ordinateur personnel ou encore un pèse-personne «intelligent» qui fera le boulot à votre place. Une fois obtenue la moyenne de la période considérée,

5. Page 1 de mon carnet personnel de suivi de poids pour la quinzaine d'avant régime (notée en haut à gauche de la page). Comme nous le verrons dans le prochain chapitre, cette quinzaine initiale sert à déterminer précisément le poids de départ. Le chiffre souligné en haut de page correspond à la moyenne des deux semaines (soit 14 pesées).

il suffit de la noter (voir de la reporter sur un graphique*) afin de pouvoir suivre l'évolution de votre poids au cours du temps.

Que ceux qui jugeraient compliqué ce travail de suivi m'autorisent une brève référence à ma situation personnelle. Lorsque j'ai commencé mon régime, j'ai choisi de mesurer ma courbe pondérale par périodes de deux semaines. Pour garder trace des pesées successives, j'ai opté (solution simplissime que je conseille vivement) pour un banal carnet placé juste à côté de la balance. Par souci de lisibilité, j'avais décidé, *a priori*, d'associer chaque page à une quinzaine de régimes**, comme cela est illustré par la figure 5. Au terme de chaque quinzaine, je calculais la moyenne des pesées. Je reste persuadé que ce petit carnet à 1 euro a repré-

---

* N'importe quel tableur fera alors l'affaire (Excel de Microsoft par exemple, ou Calc d'OpenOffice qui a l'avantage d'être gratuit ; www.openoffice.org/fr/).
** Le terme « quinzaine » définit ici, et dans toute la suite de l'ouvrage, une durée de 2 semaines, soit 14 jours.

senté l'une des clés majeures qui m'ont permis de perdre plus de 50 kg sans reprise subséquente. Bien sûr, il m'est arrivé de rater une ou deux pesées par omission ou parce que j'étais en déplacement. Cela n'a rien de dramatique et «coûte» simplement un peu de précision à la moyenne. Signalons, pour ceux qui auraient oublié leurs ancestraux cours de math, qu'il n'est aucune raison de s'inquiéter. Calculer une moyenne est infiniment simple. Il suffit d'additionner toutes les pesées de la semaine puis de diviser par le nombre de pesées. Par exemple, pour la figure 5, on additionne les 14 valeurs disponibles (= 1 791,2) et on divise par 14 (1 791,2 / 14) pour obtenir 127,9 kilos. Si j'avais sauté, par exemple, en raison d'un déplacement professionnel, les trois premières pesées, j'aurais additionné les 11 valeurs disponibles et j'aurais ensuite divisé la somme obtenue par 11 sans que cela ne change sensiblement le résultat final (127,8 kg).

Pas de troubles émotionnels, mais une réelle efficacité sur l'amaigrissement

Après ces précisions statistiques et pratiques, voyons maintenant les aspects expérimentaux du problème. Commençons par régler la question des troubles émotionnels qui, soi-disant, pourraient survenir suite à l'usage excessif de cette brave balance. Plusieurs études ont testé l'hypothèse pour finalement la rejeter. Même si la crainte – essentiellement théorique – n'était *a priori* pas idiote[867], se peser fréquemment n'a absolument aucun impact délétère sur l'image du corps, l'anxiété, les symptômes dépressifs ou les troubles du comportement alimentaire.[868-874]

En d'autres termes, abuser du pèse-personne n'est clairement pas source d'«émotions intempestives», pour reprendre l'élégante expression de Gérard Apfeldorfer. C'est même le contraire! En effet, l'usage quotidien de la balance a des influences positives significatives sur plusieurs désordres du comportement alimentaires dont, notamment, le « *binge-eating* ».[870, 873, 874] Cliniquement, ce trouble se caractérise par des épisodes de « pétage de plombs » durant lesquels le sujet consomme compulsivement une quantité excessive de nourriture, sans conduites subséquentes de purge (conduites qui caractérisent la boulimie)[875]. Lorsqu'ils se répètent un peu trop fréquemment, ces épisodes sont évidemment un facteur majeur de prise de poids et d'échec du régime.[517, 539-541] En clair, si vous craquez une fois tous les trois mois, cela n'aura pas d'incidence. Suite à cette errance ponctuelle, et en admettant que vous recommenciez à manger « comme avant », votre poids reviendra assez rapidement à sa valeur initiale (valeur qui correspond à l'état d'équilibre dicté par votre balance énergétique*). À l'inverse, si les « pétages de plombs » se multiplient à raison d'une ou deux fois par semaine, la redescente pondérale ne pourra avoir lieu et votre poids s'en trouvera sérieusement affecté. Dans ce contexte, l'utilisation quotidienne du pèse-personne ne peut, grâce à la diminution des crises hyperphagiques qu'elle entraîne, qu'être favorable à l'amaigrissement et au maintien du poids à long terme.

Le lien entre pesée journalière et diminution des épisodes de *binge-eating* n'est toutefois pas évident à expliquer. Une hypothèse plausible suggère que l'usage quotidien de la balance rend l'individu non seulement plus vigilant à son régime, mais aussi plus conscient des conséquences de ses excès.[870, 872] L'idée veut alors que le pèse-personne agisse comme une sorte d'épée de Damoclès dissuasive: ayant par le passé mesuré presque en

---

* Cf. *Estimer les besoins énergétiques*, p. 172.

temps réel, grâce à une pesée quotidienne, l'impact de ses relâ-chements, le sujet parviendrait plus aisément à se contrôler. Ce phénomène pourrait être d'autant plus marqué que la balance du lendemain n'est pas toujours très honnête, il faut bien le reconnaître. En effet, elle tend généralement à amplifier assez monstrueusement le poids de nos excès.

Pour illustrer ce point, imaginons par exemple que vous craquiez complètement un dimanche soir et que vous ingurgi-tiez, après deux belles tartines de foie gras, une gargantuesque portion de tartiflette et un pot de 500 millilitres de glace au caramel ; le tout agrémenté d'une demi-bouteille de bon vin. Imaginons que cela corresponde, en gros, à une surconsomma-tion énergétique totale de 2 500 Calories. Au pire du pire, si l'on exclut toute déperdition digestive et compensation sur les repas ultérieurs, cela vous fera prendre 300 grammes[*]. Mais ce n'est pas ce que va vous dire la balance lorsque vous l'interro-gerez au petit matin du lundi. En effet, vous n'aurez alors pas fini d'éliminer tout ce qui doit l'être (eau, résidus de digestion, etc.) et il y a donc de grandes chances pour que votre poids soit bien au-dessus de sa valeur « normale ». Suffisamment au-dessus pour, premièrement, vous glacer d'effroi et vous faire regretter amèrement votre débordement ; deuxièmement, vous dissuader de retenter trop souvent ce genre de plaisanterie ; et troisième-ment vous conduire à une réaction énergique. Si vous aviez laissé passer une semaine avant de vous peser, cette réaction aurait été grandement compromise tant l'impact effectif de votre errance (300 g au grand maximum) aurait été difficile-ment perceptible. Au fond, c'est aussi là tout le génie des pesées

---

[*] Si l'on considère qu'un excès de 7 700 Calories conduit à stocker un kilo de graisse, 2 500 Calories correspondent à peu près à 300 grammes (Cf. *Le mythe des 500 Calories,* p. 169).

quotidiennes : elles rendent nos excès aisément visibles, ce qui permet d'y répondre promptement[876].

En écho à ces observations, nombre d'études ont montré que les sujets qui se pèsent quotidiennement affichent en moyenne, par rapport aux individus qui montent sur la balance moins fréquemment (une fois par semaine ou par mois) : un IMC inférieur ; une moindre tendance à grossir dans le temps ; une plus grande facilité à maigrir et à préserver cette perte pondérale initiale.[19, 20, 506, 869, 872, 873, 877-882] Par exemple, dans une étude récente, des sujets obèses furent soumis pendant six mois à un régime modérément hypocalorique. Au terme de cette période les participants qui s'étaient pesés chaque jour avaient abandonné 7 kg ; ceux qui s'étaient pesés une fois par semaine en avaient congédié la moitié ; ceux qui s'étaient pesés moins d'une fois par mois en avaient perdu seulement 1,5[871]. Ces données correspondent assez bien au vécu de mon amie Françoise, quinquagénaire enjouée qui, selon ses dires, a « *commencé à grossir [5 kg en deux ans] lorsqu'elle a cassé son ancestrale balance et a cessé de se peser chaque jour* ».

Alors surtout n'hésitez pas à vous peser quotidiennement ; et si vous jugez bon d'aller au-delà, pas de problème : une fois c'est bien, deux fois (ou plus) c'est encore mieux.[877, 883, 884] Une étude a montré que le seul fait de demander leur poids à des individus, avant une collation, amène ces derniers à manger jusqu'à 25 % de moins[885]. Une sorte de principe de réalité freudien, sauce régime ! Pesez-vous avant chaque repas et vous avez toutes les chances d'éviter les dérapages.

Suivre
l'amaigrissement

Le problème, avec les régimes, c'est que l'on n'est jamais complètement sûr du bien-fondé des efforts accomplis. Le déficit énergétique mis en place est-il correctement calibré et conforme aux attentes? Faut-il aller plus loin ou au contraire atténuer la restriction? Ces questions sont fondamentales. Pour y répondre, il existe une approche à la fois simple et objective: mesurer l'évolution du poids. En pratique, cela veut dire regarder si l'amaigrissement observé se situe bien dans l'intervalle théorique prédit. Cette stratégie de contrôle constitue un puissant outil de régulation, et donc de réussite, du régime. S'en passer serait d'autant plus dommage qu'elle demande, au fond, pour sa mise en œuvre, bien peu de temps et d'exigence. Dans les faits, la démarche n'est guère plus compliquée que de suivre la courbe de croissance d'un nouveau-né sur son carnet de santé.

Savoir où l'on va

Avant de débuter le régime, la première chose à faire consiste à déterminer les objectifs et conditions initiales de l'amaigrissement. Cinq étapes sont alors indispensables.

1. IDENTIFIER LA BASE DE TEMPS SUR LAQUELLE OPÉRER. Comme expliqué précédemment, pour estimer le poids de manière fiable, il va falloir faire la moyenne de plusieurs mesures successives. Le plus naturel serait d'opter pour une périodicité hebdomadaire. Malheureusement, cela nous conduirait, dans près de 30 % des cas, à commettre une erreur d'estimation supérieure à 350 grammes, en plus ou en moins. C'est beaucoup. Une période de deux semaines permet d'obtenir de bien meilleurs résultats. On atteint alors, en effet, une précision de plus ou moins 350 grammes avec 90 % de fiabilité. C'est donc cette base de deux semaines qui sera utilisée ici : soit 14 jours (que nous appellerons quinzaine).

2. IDENTIFIER LE POIDS D'AVANT RÉGIME. Pour cela, pesez-vous chaque matin, à jeun, au lever, pendant 14 jours et faites la moyenne des valeurs obtenues. Sur cette période initiale, il est essentiel que vous ne changiez rien à vos habitudes de vie. Surtout, n'essayez pas de manger moins ou de remplacer l'ascenseur par l'escalier. Contentez-vous de noter scrupuleusement votre poids quotidien, comme illustré sur la figure 5.

3. IDENTIFIER LA PRISE CALORIQUE D'AVANT RÉGIME. Cette estimation est nécessaire pour déterminer le déficit calorique indifférent maximum. Elle peut s'obtenir à partir des équations de l'encadré p. 174 ou mieux d'une mesure directe de prise calorique. Le plus simple est alors de faire chaque soir le bilan de la consommation calorique quotidienne et de moyenner les valeurs obtenues sur les 14 jours initiaux d'avant régime (ceux qui vont vous permettre de déterminer le poids d'avant régime)

4. IDENTIFIER LE DÉFICIT CALORIQUE INDIFFÉRENT MAXIMUM. Pour cela, multipliez la prise calorique d'avant régime par 0,25. 5. DÉTERMINER LA CARENCE CALORIQUE CIBLE. Cela peut se faire à partir des équations de l'encadré p. 174 ou plus directement de la figure 2A. Vérifiez que cette carence est inférieure au déficit indifférent maximum et répartissez-la entre diminution des entrées alimentaires et augmentation des dépenses physiques.

Estimer l'amaigrissement

Passée la période initiale, va débuter le temps du régime proprement dit. Le poids va alors continuer à être évalué par quinzaine. Chaque jour, le matin, pesez-vous, à jeun, au lever. Au terme des deux semaines faites la moyenne des valeurs obtenues. À partir de là, il vous sera facile de déterminer le niveau d'amaigrissement obtenu en soustrayant, au poids de référence, le poids de la quinzaine courante. Pour simplifier autant que possible la procédure, l'amaigrissement courant ne sera jamais calculé par rapport à la semaine précédente mais toujours par rapport au poids d'avant régime.

Considérons, par exemple, un sujet dont le poids moyen serait de 76 kilos pour la quinzaine de référence (moyenne des deux semaines précédant le début du régime), de 75 kilos pour la première quinzaine (Q1 ; moyenne des semaines 1 et 2) et de 74,7 kilos pour la seconde quinzaine (Q2 ; moyennes des semaines 3 et 4). L'amaigrissement s'élèverait alors à 1 kilo (76 kg - 75 kg) pour la première quinzaine et à 1,3 kilo (76 kg - 74,7 kg) pour la seconde quinzaine.

S'assurer que l'amaigrissement est conforme aux attentes

L'étape suivante consiste à comparer le niveau d'amaigrissement mesuré avec le niveau d'amaigrissement attendu. Cela se fait très facilement à partir de figures simples, construites sur la base d'outils mathématiques standards décrits précédemment*. Ces figures représentent, par tranches de six mois, en fonction du déficit calorique visé, les intervalles d'amaigrissement attendus. Ceux-ci prennent en compte l'influence, d'une part, des différences individuelles sur le comportement des modèles utilisés (le rapport masse grasse sur masse musculaire, par exemple, peut varier d'un individu à l'autre) et, d'autre part, des incertitudes de mesure du niveau d'amaigrissement (± 350 grammes après moyennage sur une quinzaine). Cela veut dire que si vous n'êtes pas enceinte, outrageusement

6. Estimation de la perte pondérale attendue en fonction du temps, pour le premier semestre du régime, dans le cadre d'un déficit énergétique cible de 300 Calories. L'axe horizontal indique le temps, par quinzaines (le mieux est sans doute, dans ce contexte, pour se faciliter la vie, de commencer le régime un lundi). L'axe vertical spécifie la perte pondérale, en kilogrammes. Pour faciliter la lecture, les valeurs de perte pondérale (axe vertical) ont été reportées alternativement sur les axes de gauche (valeurs impaires) et de droite (valeurs paires). Par exemple 0 kg est sur l'axe de droite, 0,1 kg sur l'axe de gauche, 0,2 kg sur l'axe de droite et ainsi de suite. Les valeurs négatives indiquent une prise de poids. Les valeurs positives indiquent un amaigrissement. La valeur 0 correspond au poids initial de référence. Les deux courbes noires nommées «Courbe Estimation Maximale» et «Courbe Estimation Minimale» définissent les minima et maxima de la perte pondérale. Sur chacune de ces courbes un carré noir indique, au sein de chaque quinzaine, le point exact à considérer pour évaluer le poids moyen. La valeur associée à chaque carré se lit directement sur l'axe vertical. Prenons, par exemple, la sixième quinzaine correspondant aux semaines 11 et 12 (Q6; colonne grisée). Le point haut, localisé sur la courbe d'estimation maximale correspond à un amaigrissement de 3,5 kg. Le point bas, localisé sur la courbe d'estimation minimale, correspond de la même manière à un

---

* Cf. *Redessiner l'équilibre énergétique*, p. 169.

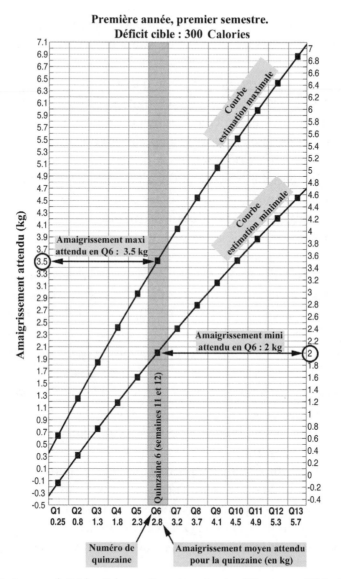

Première année, premier semestre.
Déficit cible : 300 Calories

amaigrissement de 2,0 kg. Cela veut dire qu'en quinzaine Q6, pour un déficit cible de 300 Calories, le sujet devrait avoir perdu, par rapport à la période de référence, entre 2,0 et 3,5 kg. La valeur moyenne de cette fourchette est reportée en kilogrammes, au bas du graphique, sous le numéro de quinzaine (2,8 kg pour la quinzaine Q6).

219

bodybuildé ou détenteur d'un pèse-personne moyenâgeux, ces figures ont toutes les chances de s'appliquer à votre situation personnelle*.

Afin de s'assurer que chacun puisse utiliser aisément les éléments présentés, l'une de ces figures a été reproduite en tant que figure 6 et enrichie d'éléments explicatifs. Cette figure « témoin » présente l'intervalle de poids attendu en fonction du temps, pour les six premiers mois du régime, en réponse à un déficit énergétique cible de 300 Calories ; ce qui correspond à un objectif d'amaigrissement final de 18 kg (figure 2A).

Pour savoir si l'amaigrissement mesuré est conforme aux prédictions, la première chose à faire consiste à imprimer la figure correspondant à votre déficit calorique cible. Une fois cette étape réalisée, il n'y a qu'à reporter l'amaigrissement mesuré sur la courbe. Pour y parvenir, il suffit de tracer un point ou une croix à la bonne hauteur (axe vertical), au sein de la bonne quinzaine (axe horizontal). La figure 7 montre comment s'y prendre. Trois exemples sont alors considérés, pour la quinzaine Q6.

1. L'amaigrissement observé (2,7 kg) se situe entre les deux courbes, ce qui veut dire que la perte pondérale est conforme aux prévisions. Dans ce premier cas, tout va bien ; il n'y a rien à faire d'autre que de poursuivre sur la même ligne.

2. L'amaigrissement observé (3,7 kg) est au-dessus de la courbe d'estimation maximale, ce qui veut dire que la perte pondérale est supérieure aux prévisions. Dans ce second cas, le déficit de la balance énergétique est trop important ; il va falloir le réduire pour éviter un préjudiciable excès de carence (et donc minimiser le risque de voir les défenses physiologiques entrer en action).

---

* Les figures sont téléchargeables sur le site des Éditions Belin à l'adresse du livre *Antirégime*.

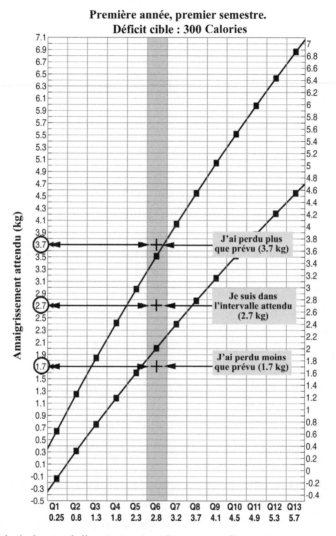

7. Méthode de suivi de l'amaigrissement. Pour reporter l'amaigrissement mesuré sur la figure, je repère la bonne valeur sur l'axe vertical (par exemple 2,7 kg) et je trace la droite horizontale passant par cette valeur. Je place ensuite une croix au niveau de la bonne quinzaine (par exemple Q6).

3. L'amaigrissement observé (1,7 kg) est au-dessous de la courbe d'estimation minimale, ce qui veut dire que la perte pondérale est inférieure aux prévisions. Dans ce troisième cas, le déficit de la balance énergétique est trop faible ; il va falloir le creuser pour éviter une déplaisante stagnation pondérale.

Recaler le régime

Pour une quinzaine donnée, imaginons qu'un sujet ait maigri moins que prévu. D'un point de vue pratique, cela revient à dire qu'il a pris du retard dans sa progression. Ce retard est facile à évaluer graphiquement, comme indiqué sur la figure 8A. Une fois que c'est fait, il ne reste qu'à prendre une figure vierge et à repartir de la bonne quinzaine (figure 8B). À partir de là, tant que vous restez dans les clous, gardez la même figure (figure 8C). Dès que vous sortez à nouveau de l'intervalle attendu, recommencer la procédure et repartez avec un graphique vierge (figure 8D). En pratique, ce processus de recalage temporel est fondamental. Sans lui, en effet, on ne pourrait plus utiliser les mêmes courbes pondérales tout au long du régime. Il faudrait, à chaque sortie de route, redessiner toutes ces figures de suivi du poids, ce qui, avouons-le, serait passablement incommode.

Bien évidemment, la logique de recalage reste la même lorsque le sujet a perdu plus de poids que prévu. Dans ce cas, le décalage temporel ne définit cependant pas un retard, mais une avance. Cette dernière est facile à évaluer graphiquement (figure 9A-B).

Sans doute est-il important de souligner que ce genre d'excès restrictif se rencontre fréquemment en début de régime. Mais rappelez-vous : c'est seulement en avançant doucement, sous

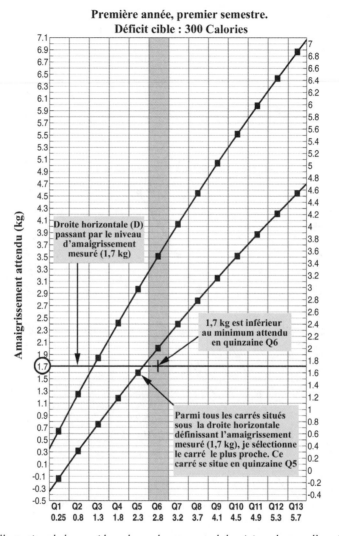

8A. Illustration de la procédure de recalage temporel du régime, lorsque l'amaigrissement mesuré est inférieur à l'amaigrissement minimal attendu. Dans cet exemple, l'amaigrissement minimal attendu en quinzaine Q6 (grisée) était de 2 kg. Or, le sujet n'a perdu que 1,7 kg. En traçant la droite horizontale (D) passant par la valeur 1,7 kg, on voit, à partir du point d'estimation inférieur (carré noir) situé le plus près de cette droite, que ce niveau d'amaigrissement aurait dû survenir, au plus tard, en quinzaine Q5.

Première année, premier semestre.
Déficit cible : 300 Calories

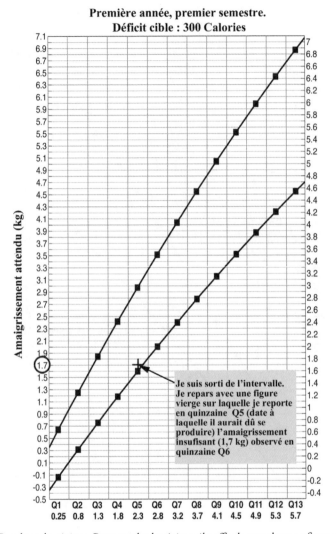

Je suis sorti de l'intervalle.
Je repars avec une figure
vierge sur laquelle je reporte
en quinzaine Q5 (date à
laquelle il aurait dû se
produire) l'amaigrissement
insufisant (1,7 kg) observé en
quinzaine Q6

8B. Recalage du régime. Pour recaler le régime, il suffit de prendre une figure vierge et de reporter en Q5 (date à laquelle il aurait dû se produire) l'amaigrissement insuffisant observé en Q6.

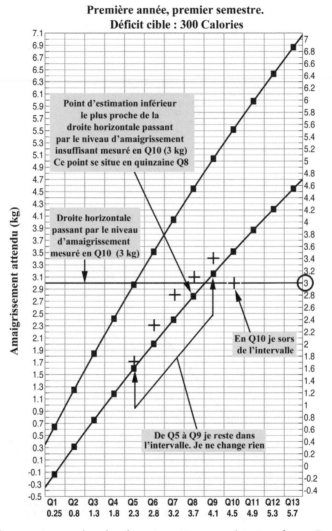

Première année, premier semestre.
Déficit cible : 300 Calories

8C. Tant que je reste dans les clous, je continue avec la même figure. Dans cet exemple, je ressors de l'intervalle attendu en Q10. En traçant la droite horizontale passant par la valeur mesurée de l'amaigrissement en quinzaine Q10 (3 kg), je vois, à partir du point d'estimation inférieur (carré noir) situé le plus près de cette droite, que ce niveau d'amaigrissement aurait dû survenir, au plus tard, en quinzaine Q8.

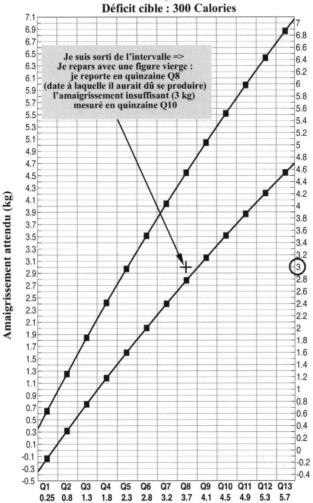

Première année, premier semestre.
Déficit cible : 300 Calories

8D. Après être sorti des clous en quinzaine Q10, je repars avec une figure vierge sur laquelle je place en quinzaine Q8 (date à laquelle il aurait dû se produire) l'amaigrissement insuffisant observé en Q10 (3 kg).

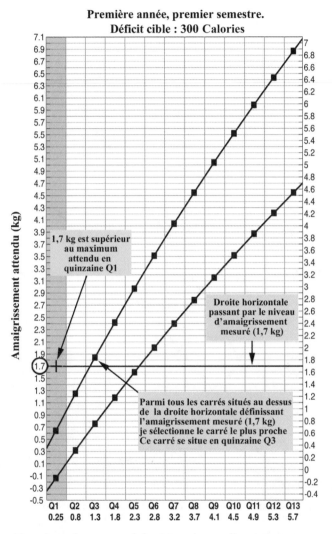

Première année, premier semestre.
Déficit cible : 300 Calories

9A. Procédure de recalage temporel du régime, lorsque l'amaigrissement mesuré est supérieur à l'amaigrissement maximal attendu. Dans cet exemple, l'amaigrissement maximal attendu en quinzaine Q1 (grisée) était légèrement supérieur à 0,6 kg. Or, le sujet a perdu 1,7 kg. En traçant la droite horizontale passant par la valeur 1,7 kg, on voit, à partir du point d'estimation supérieur (carré noir) situé le plus près de cette droite, que ce niveau d'amaigrissement aurait dû survenir, au plus tôt, en quinzaine Q3.

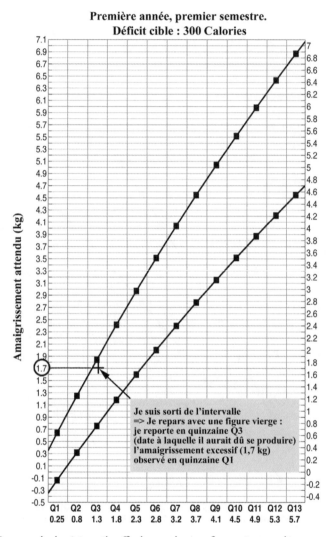

Première année, premier semestre.
Déficit cible : 300 Calories

9B. Pour recaler le régime, il suffit de prendre une figure vierge et de reporter en Q3 (date à laquelle il aurait dû se produire) l'amaigrissement excessif observé en Q1. Le sujet garde cette figure tant qu'il ne ressort pas de l'intervalle.

le radar des vigilances biologiques, que vous éviterez l'échec de long terme. Dès lors, en matière calorique, il s'avère tout aussi important (voir même plus important) de résister aux carences trop brutales qu'aux déficits trop faibles : maigrir trop lentement est fortement décourageant ; maigrir trop vite est irrévocablement fatal.

La figure 10 ci-dessous présente une stratégie complémentaire possible pour ne pas se perdre dans la suite des quinzaines. Elle reproduit deux pages successives de mon carnet personnel (le même que celui présenté en figure 5). En quinzaine Q6 j'avais gravement déraillé (nul n'est parfait !). Non seulement je n'avais pas perdu le poids prévu par rapport à la quinzaine Q5, mais

10. Deux pages successives dans mon carnet personnel de suivi de poids. Le chiffre souligné en haut de page correspond à la moyenne pondérale de la quinzaine. Le chiffre encerclé dans le coin supérieur gauche indique le numéro de quinzaine. Après recalage temporel, le régime a pris deux semaines de retard. La quinzaine 6 (rayée) est devenue quinzaine 4 et la quinzaine suivante (normalement 7) est devenue quinzaine 5.

j'avais regrossi. Au terme de Q6, je me retrouvais au niveau pondéral attendu en Q4. Sur mon carnet, la quinzaine Q6 (nommée ⑥ et rayée en haut à gauche de la page) était donc devenue 4 (notée ④) et la quinzaine suivante (normalement Q7 si je n'avais pas pris de retard) était devenue Q5 (notée ⑤).

C'est là sans doute, aussi, l'une des forces de ce processus de recalage. Il permet de mesurer instantanément le coût de nos «pétages de plombs». La fois suivante, lorsque l'on est tenté de se dire qu'après tout, une petite quinzaine d'excès, pendant les vacances, ce n'est pas si grave, on a tendance à se rappeler que la dernière plaisanterie du genre a anéanti un mois d'effort en nous ramenant deux quinzaines en arrière.

Quantifier les biais énergétiques

Savoir que l'on a trop ou pas assez modifié notre balance énergétique, c'est bien. Pouvoir évaluer quantitativement l'ampleur de notre fourvoiement, c'est mieux. Dans le cadre de la démarche de recalage décrite ci-dessus, la règle suivante offre un moyen d'y parvenir (cette règle est tirée de la constante, déjà évoquée*, de Wishnofsky) : chaque gramme en plus ou en moins, correspond à une erreur de 0,5 Calorie en plus ou en moins. Par exemple, si vous avez maigri de 1 kilo alors que la perte attendue était de 1,2 kilo, vous pouvez estimer qu'il aurait fallu, pour atteindre vos objectifs, effacer chaque jour, en moyenne, une centaine de Calories supplémentaires de votre balance énergétique (1,2 - 1 = 0,2 kg = 200 g ; 200 x 0,5 = 100 Calories). Ce niveau de perte peut s'obtenir en augmentant le volume d'activité physique et/ou en diminuant

---

* Cf. *Le mythe des 500 Calories*, p. 169.

l'ampleur de la prise alimentaire. De la même manière, si vous avez maigri de 2 kilos alors que la perte attendue était de 1,5 kilo, vous pouvez estimer qu'il aurait fallu, pour rentrer dans vos objectifs, diminuer quotidiennement, en moyenne, votre carence énergétique de 250 Calories (2 – 1,5 = 0,5 kg = 500 g ; 500 x 0,5 = 250 Calories). Ce résultat peut s'obtenir en diminuant le volume d'activité physique ou en augmentant la prise alimentaire.

Une remarque cependant. Le calcul défini ci-dessus souffre d'une (petite) exception. Il ne s'applique pas à la première quinzaine de régime. Dans ce cas, en effet, l'amaigrissement n'est pas calculé sur 14 jours mais sur 7*. Il s'en suit que chaque gramme en plus ou en moins correspond, pour la première quinzaine, à une erreur, non pas de 0,5, mais de 1 Calorie en plus ou en moins. Par exemple, au terme de la première quinzaine, si vous avez maigri de 1 kilo alors que la perte attendue était de 0,5 kilo, vous pouvez estimer qu'il aurait fallu, pour rentrer dans vos objectifs, diminuer quotidiennement, en moyenne, la carence énergétique de 500 Calories (1 – 0,5 = 0,5 kg = 500 g ; 500 x 1 = 500 Calories).

Notons que le contrôle quantitatif dont il est ici question s'avère particulièrement important en début de régime, disons sur les trois à six premiers mois. En effet, il permet alors au sujet de régler précisément la balance énergétique qu'il lui faudra désormais mettre en œuvre, de manière pérenne, pour atteindre et maintenir le poids désiré. Plus tard, lorsque le régime est entré dans sa phase de croisière, cet outil s'avère

---

* Sur la figure 6, par exemple, on peut voir que la première évaluation (premier carré noir) apparaît 7 jours après le début du régime. Au-delà de ce premier point, les évaluations se font de quinzaine en quinzaine (ce qui veut dire que les carrés noirs sont tous espacés de 14 jours).

bien moins critique. Il est alors possible, comme l'indique le chapitre suivant, de procéder d'une manière plus « qualitative ».

Surveiller les tendances de long terme

Plus vous allez avancer dans le temps et plus l'écart entre les estimations pondérales hautes et basses va augmenter. Dans ce cas, après quelques mois, il va devenir possible, sur une assez longue période, sans sortir des clous, de ne plus perdre de poids ou même, de commencer à en reprendre un peu (figure 11). Pour faciliter l'identification de ces dérives, on peut considérer que vos pesées successives devraient, au cours du temps, rester à peu près dans la même portion d'intervalle : au milieu, près de la courbe supérieure ou près de la courbe inférieure. Si vous commencez à glisser de la borne supérieure à la borne inférieure de l'intervalle c'est signe que votre balance énergétique repart à la hausse. Il est alors primordial d'enrayer au plus vite la dérive, que celle-ci prenne la forme d'une vraie reprise ou d'une simple stagnation pondérale.

Pour faciliter l'appréhension des dérives lentes et progressives dont il est ici question, les graphiques de référence ont, au-delà du sixième mois, été découpés en « tranches » par une succession de lignes transversales. Comme illustré sur la figure 12, le principe de contrôle est alors assez simple : il faut réagir quand votre courbe pondérale croise deux lignes. Pas besoin ici de compter les calories ou de recaler quoi que ce soit ; il sera temps

---

11. Plus le temps avance et plus l'intervalle d'incertitude augmente. Les carrés gris clair représentent une situation de poids stagnant (les fluctuations du niveau d'amaigrissement au cours du temps reflètent les variations « naturelles » du poids [Cf. *Se peser chaque jour : une nécessité,* p. 203). Les étoiles gris foncé représentent

Première année, second semestre.
Déficit cible : 300 Calories

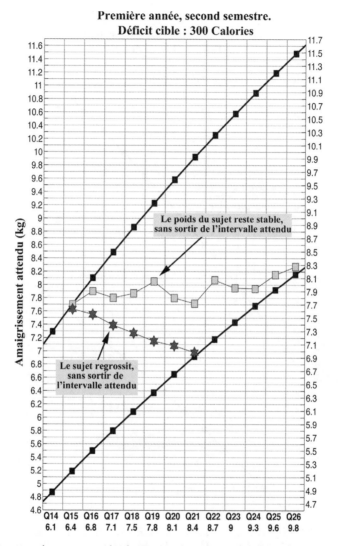

une situation de reprise pondérale. Dans ce cas, la courbe descend car ce qui est représenté c'est l'ampleur de l'amaigrissement (en Q15, le sujet avait presque perdu 7,7 kg ; en Q21, il n'est plus qu'à 7 kg). Ces données montrent que le poids peut, dans certains cas, pendant de longues semaines, sans sortir de l'intervalle attendu, stagner anormalement ou même repartir à la hausse. Il convient alors de prendre des mesures pour redresser la tendance.

233

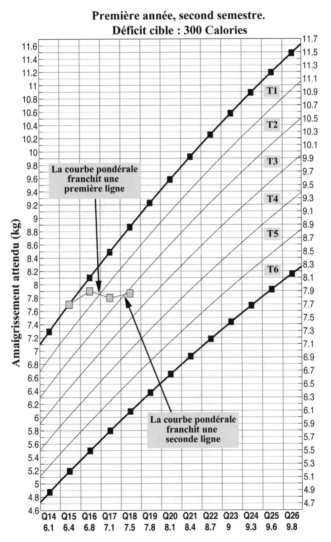

Première année, second semestre.
Déficit cible : 300 Calories

12. Recalage de la balance énergétique. L'intervalle pondéral est découpé en « tranches » par une succession de lignes transversales (ici 6 tranches notées de T1 à T6). Lorsque la courbe pondérale franchit deux lignes (= se décale de deux tranches, passant ici de T1 à T3), cela signifie que le poids dérive et qu'il faut recaler la balance énergétique.

de revenir à ces protocoles quantitatifs si vous sortez vraiment de la fourchette prédite.

Tant que ce n'est pas le cas, essayez tranquillement de redresser la courbe d'amaigrissement en augmentant un peu votre volume d'activité physique et/ou en surveillant votre niveau de prise alimentaire. En particulier, demandez-vous ce qui a pu changer dans votre comportement récent : avec le temps, avez-vous tendance à faire moins attention ? Prenez-vous plus facilement un dessert au restaurant ? Faites-vous moins d'exercice ? Utilisez-vous plus de produits gras pour cuisiner ? Vous accordez-vous plus de petits plaisirs « exceptionnels » ? Avez-vous tendance à grignoter davantage au travail, etc. ? Ce genre de démarche permet d'éviter qu'une petite dérive naissante ne se transforme en un trou béant. Car, encore une fois, la capacité à réagir sans délai aux signes objectifs de relâchement constitue l'une des caractéristiques essentielles des individus qui arrivent à maigrir sur la durée[596].

Maigrir en croyant grossir : le problème des faibles déficits énergétiques

On peut noter sur la figure 13, correspondant à un déficit cible de 100 Calories, que la perte minimale attendue sur les deux premières quinzaines du régime est négative et correspond donc, en fait, à une prise pondérale. Pour surprenant qu'il puisse sembler, ce résultat s'explique aisément. Dans le cas des petits déficits caloriques, la perte pondérale minimale prédite reste inférieure pendant plusieurs semaines aux incertitudes de mesures. Cela signifie qu'il est tout à fait possible, même si vous êtes parfaitement dans les clous et avez perdu du poids, que votre balance vous dise que vous avez un peu grossi. C'est sans

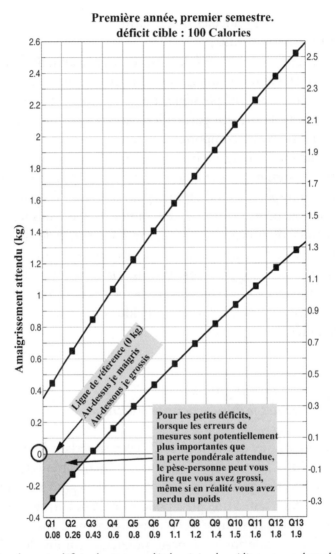

Première année, premier semestre.
déficit cible : 100 Calories

13. Pour les petits déficits, la perte pondérale minimale prédite reste pendant plusieurs semaines inférieure aux incertitudes de mesures. Il se peut donc que le sujet maigrisse alors que la balance indique une prise de poids *(zone grisée)*.

doute frustrant mais cela ne doit en aucun cas vous conduire à baisser les bras ou à opter pour un régime restrictif violent dont vous pourriez voir rapidement les effets. Clairement, dans le cadre de déficits énergétiques restreints, pour savoir si votre régime marche, il faut être patient et attendre que le niveau d'amaigrissement dépasse les incertitudes d'estimation.

Ma compagne Caroline en offre un excellent exemple. Rappelez-vous, je vous ai parlé d'elle au sein du premier chapitre. Avec le régime Dukan, elle était passée en quatre semaines de 60 à 56 kg avant que son poids ne commence à remonter progressivement pour atteindre 64,7 kg au bout d'un an. Elle décida alors d'opter pour une approche plus saine et moins brutale, impliquant une carence énergétique cible de seulement 100 Calories*. Après un mois d'application, lorsqu'elle moyenna ses pesées de la seconde quinzaine, elle constata qu'elle avait grossi de 100 grammes. Dire que cela la contraria serait un euphémisme. Pourtant, son poids mesuré était tout à fait conforme aux prévisions. Il s'avère simplement que l'amaigrissement minimal attendu était inférieur au degré de précision avec lequel il est possible de mesurer le poids. Dans ce genre de configuration, il n'y a aucun moyen de faire la différence entre une stagnation pondérale et un amaigrissement effectif. Même quand il existe vraiment, cet amaigrissement est noyé dans ce que les statisticiens appellent «le bruit de mesure». Forte de ce constat (et de mes assurances), Caroline accepta de persévérer jusqu'à la troisième quinzaine, date à laquelle la perte pondérale attendue devenait enfin significativement supérieure au bruit

---

* Ce qui semblait déjà beaucoup si l'on considère que Caroline partait d'un poids sain (IMC = 22,4 kg/m²). Mais allez donc expliquer à votre épouse quadragénaire qu'elle est parfaite comme elle est, quand elle a décidé qu'elle ressemblerait à une baleine bouffie tant qu'elle ne serait pas «au plus» à 58 kg... parce que c'est le poids qu'elle faisait à 20 ans!

de mesure. Bien lui en prit. Elle affichait alors, en effet, un amaigrissement de 400 grammes conforme aux prévisions. Pas impressionnant sans doute vu de l'extérieur, mais hautement appréciable sur la durée. Au bout d'un an, Caroline repassait en dessous des 60 kg sans avoir eu l'impression, vraiment, de faire beaucoup d'efforts. Son poids est aujourd'hui stabilisé autour de 58 kg.

Changer d'avis en cours de route

Le processus de contrôle pondéral décrit dans ce chapitre reste parfaitement utilisable même si vous décidez, en cours de route, de modifier le niveau de votre carence calorique. Rappelez-vous par exemple, à ce sujet, mon ami Jean-Pierre[*]. S'il veut atteindre son objectif pondéral (perdre 40 kg), cet instituteur doit mettre en place un déficit énergétique de 600 Calories. Comme cela lui semble « *beaucoup d'un coup* » il envisage de commencer par 400 la première année, pour « *s'habituer* », puis d'en rajouter 200 à partir de la seconde. Cela veut dire que Jean-Pierre va devoir s'en remettre, pour la première année de son régime, aux figures associées à un déficit de 400 Calories. Imaginons alors que tout se soit bien passé et que notre homme ait perdu 12 kg en un an. Comme indiqué sur la figure 14A, cette valeur se situe pleinement dans la fourchette escomptée, même si elle est légèrement inférieure à ce que l'on aurait pu espérer, en moyenne (13,1 kg).

Au terme de ces 12 premiers mois, comme prévu initialement, Jean-Pierre décide donc d'augmenter son niveau de carence énergétique à 600 Calories. Dès ce moment, il va

_____

[*] Cf. *Adapter le régime,* p. 181.

devoir utiliser les figures associées à son nouveau déficit cible (600 Calories). La question va alors consister, pour lui, à trouver d'où repartir. Deux étapes lui permettront d'obtenir la réponse. Premièrement, notre homme va devoir repérer sur la figure correspondant au déficit initial (400 Calories) la perte finale moyenne attendue en fin de première année, soit 13,1 kilos (figure 14A). Ensuite, dans un second temps, il va lui falloir identifier sur les figures correspondant au déficit actualisé (600 Calories) la quinzaine pour laquelle la valeur moyenne d'amaigrissement attendue est la plus proche de ces 13,1 kilos. Cela nous amène à la quinzaine Q15 pour laquelle une perte pondérale moyenne de 12,9 kilos est escomptée (figure 14B). Cette quinzaine Q15 va devenir la nouvelle quinzaine courante. En d'autres termes, Jean-Pierre va repartir avec la figure correspondant au premier semestre de régime pour un déficit de 600 Calories (figure 14B). Sur cette figure, il reportera, en quinzaine Q15, le niveau de perte pondéral effectivement mesuré en fin de première année. Bien évidemment, la façon de procéder reste strictement identique lorsque le sujet décide, en cours de régime, pour une raison ou une autre, non pas d'augmenter mais de réduire le déficit calorique cible.

Dès lors, on peut résumer comme suit la démarche de recalage à mettre en œuvre lorsque le déficit énergétique cible est appliqué en deux temps. Premièrement, repérer en fin de première période, le niveau moyen attendu d'amaigrissement. Deuxièmement, chercher la valeur se rapprochant le plus de cette moyenne sur les figures correspondant au nouveau déficit cible. La quinzaine correspondant à cette valeur sera votre nouvelle quinzaine de départ.

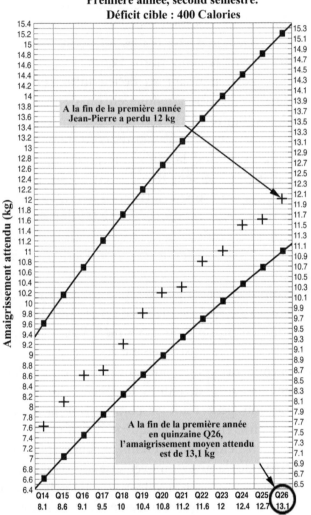

14A. À la fin de la première année, Jean-Pierre a perdu 12 kg. Cette valeur se situe dans la fourchette attendue. Elle est toutefois légèrement inférieure à la perte moyenne : 13,1 kg.

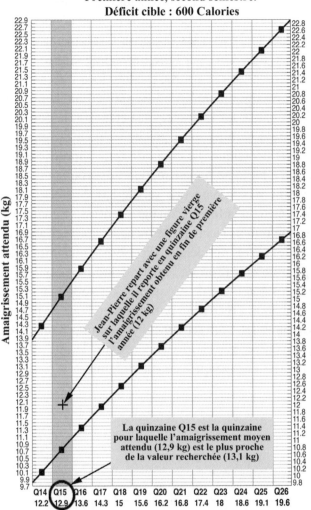

Première année, second semestre.
Déficit cible : 600 Calories

Jean-Pierre repart avec une figure vierge sur laquelle il reporte en quinzaine Q15 l'amaigrissement obtenu en fin de première année (12 kg)

La quinzaine Q15 est la quinzaine pour laquelle l'amaigrissement moyen attendu (12,9 kg) est le plus proche de la valeur recherchée (13,1 kg)

14B. Pour un déficit de 400 Calories, Jean-Pierre aurait dû perdre en moyenne 13,1 kg au terme de la première année. Cette perte pondérale aurait dû survenir en quinzaine Q15 si le déficit avait été de 600 Calories (cette quinzaine est celle pour laquelle l'amaigrissement attendu – 12,9 kg – est le plus proche de la valeur recherchée – 13,1 kg). Pour repartir avec son nouveau déficit, Jean-Pierre n'a qu'à reporter la valeur de sa perte de poids au terme de la première année (12 kg) en quinzaine Q15.

241

Ainsi donc, à partir des éléments fournis au sein de ce chapitre, chacun va être en mesure de savoir si la perte pondérale observée est conforme (ou pas) à ses objectifs. Clairement, ce suivi n'est pas «obligatoire». On peut faire un régime sans se demander si l'amaigrissement suit la courbe prédite. La seule chose vraiment essentielle, encore une fois, c'est de vérifier que le poids est bien orienté à la baisse sur la durée. Cela étant dit, la possibilité d'un mécanisme de contrôle plus précis, tel qu'il est dessiné ici, ne peut qu'être bénéfique. Le choix de cette approche quantitative prévient en effet toute mésestimation importante du déficit énergétique, tant vers le haut que vers le bas. Sur cette base, il est possible d'éviter à la fois les amaigrissements stagnants capables, par leur douloureuse lenteur, de menacer les motivations les plus solides et les pertes pondérales excessives, condamnées à l'échec de long terme en raison de leur brutalité métabolique. Il serait d'autant plus dommage de se passer de cet outil qu'il n'est au fond guère compliqué à mettre en œuvre. Il demande au plus quelques minutes toutes les deux semaines. Vous saurez alors précisément où vous en êtes et vous aurez, si nécessaire, les moyens d'adapter les paramètres énergétiques de votre régime.

L'assiette idéale

Bien, vous connaissez désormais la méthode qui vous amènera à maigrir durablement. Mais celle-ci ne vous dit rien de ce qu'il faut... manger! Quelle est l'assiette idéale du candidat à l'amaigrissement? Y en a-t-il seulement une? Il est maintenant temps de répondre à ces questions.

À partir des données épidémiologiques disponibles, les spécialistes de la nutrition ont émis des recommandations chiffrées susceptibles d'assurer conjointement la couverture des besoins nutritifs minimaux et la minimisation du risque de maladies. Comme on peut le voir dans le tableau 4 page suivante, même si ces recommandations peuvent varier d'un pays à l'autre, elles restent globalement comparables dans leurs préconisations pour les apports glucidiques et lipidiques. Le niveau de prise protéique est moins consensuel. On peut toutefois, sur ce sujet, à la lumière des éléments discutés plus avant dans ce texte, tenir pour raisonnables trois affirmations : 1. un apport protéique de 25 % est plus que suffisant pour couvrir les besoins organiques; 2. à partir de ce seuil, le risque sanitaire tend à augmenter significativement; 3. l'accroissement du niveau de consommation protéique est, à long terme, un facteur de prise de poids. Partant de là, on peut considérer effectivement qu'une fenêtre d'apport protéique comprise entre 10 % et 25 % est prudente. Notons toutefois par rapport à ce point qu'il y aura, comme indiqué ci-dessous, d'autant plus de risque à se rapprocher des 25 % qu'une part importante de l'apport protéique sera fournie par des viandes grasses (rouges notamment) et industriellement transformées (charcuteries, plats préparés, saucisses, etc.).

	ANSES (France)	MoH (Australie)	IOM (USA)	OMS (International)
Glucides	50 - 55 %	45 - 65 %	45 - 65 %	55 - 75 %
Lipides	30 - 35 %	20 - 35 %	20 - 35 %	15 - 30 %
Protéines	11 - 15 %	15 - 25 %	10 - 35 %	10 - 15 %

Tableau 4. Apports conseillés en macronutriments pour : l'Agence nationale de sécurité sanitaire française (ANSES)[300] ; le ministère australien de la Santé (MoH)[301] ; l'Institut de médecine américain (IOM)[111] ; l'Organisation mondiale de la santé (OMS)[98].

Au quotidien, il ne serait évidemment pas très réaliste de penser que les gens vont pouvoir, sur la durée, disséquer précisément chacune de leurs prises alimentaires. La nécessité d'un contrôle calorique global s'avère déjà suffisamment contraignante pour qu'il ne soit pas nécessaire d'en rajouter. Ceux qui utilisent des logiciels de comptage obtiendront l'information de répartition automatiquement, en plus de leur bilan énergétique journalier (c'est de loin la solution la plus simple). Pour les autres, il faudra apprendre à faire sans. Contrairement à ce que l'on pourrait croire de prime abord, ce n'est pas vraiment un problème. En effet, les fourchettes admissibles sont suffisamment larges pour pouvoir être respectées sans comptage analytique obsessionnel.

Les préconisations des principales institutions sanitaires de la planète traduisent juste l'idée, au fond, qu'un régime sain est un régime varié, riche en fruits, légumes et féculents, mesuré quant à son apport protéique et modestement supplémenté en lipides. La figure 15 ci-dessous montre qu'une approche «visuelle» de nos repas permet de parvenir assez simplement à un résultat acceptable. Par rapport au message délivré sur cette figure, que l'on me permette quand même d'insister une dernière fois sur le fait que la répartition proposée : 1. ne favorise pas formellement l'amaigrissement au sens où, à compte calorique égal, n'importe quel autre choix aboutirait à un résultat similaire * ; 2. n'est pertinente que par sa capacité à minimiser, par rapport à toutes les autres répartitions alternatives, le risque pathologique (atteintes cardiovasculaires, cancéreuses, hépatiques, neurodégénératives, etc.) **.

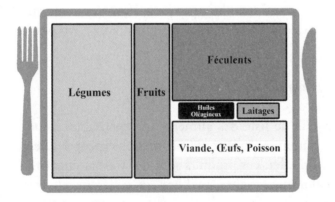

15. Illustration de ce que doit être un plateau-repas «sain», respectant les préconisations des principales institutions sanitaires de la planète. Reconstitué d'après[886-889].

---

* Cf. *Les régimes restrictifs sont inefficaces,* p. 101.
** Cf. *Les régimes restrictifs sont dangereux pour la santé,* p. 79.

Au-delà du respect global des fourchettes alimentaires dont il vient d'être question, la qualité sanitaire d'un régime dépend aussi largement du choix précis des nourritures consommées. En effet, à l'intérieur d'une catégorie nutritive donnée, tous les aliments n'ont clairement pas les mêmes potentiels prophylactique et pathogène. À ce sujet, il est rassurant de constater l'existence d'un large consensus entre les principales institutions sanitaires de la planète. Qu'elles soient nationales ou internationales, celles-ci s'accordent en effet précisément sur la liste des aliments que nous devrions privilégier, restreindre ou bannir pour préserver notre santé et éviter les affres de l'obésité.[97-104] Toutefois, ces recommandations sont à considérer dans la limite des apports caloriques autorisés et des fourchettes de répartition optimale précédemment définies. Par exemple, ce n'est pas parce que ce que l'huile d'olive a sur la santé, nous le verrons, des effets positifs que l'on peut en consommer un demi-litre par jour. Voyons maintenant brièvement ce que nos assiettes devraient contenir... ou pas.

Irremplaçables fruits et légumes

En tête de liste des aliments indispensables à tout régime bien conduit se trouvent incontestablement les légumes et fruits. En effet, ces produits sont des trésors nutritifs, à la fois peu caloriques, riches en fibres et généreux en micronutriments, ce qui éloigne le risque de carence nutritive et favorise la sensation de satiété.[890-893] Concernant ce second point, l'effet coupe-faim des glucides riches en fibre est aujourd'hui très bien établi.[157, 158] D'une manière générale, la consommation de fruits et légumes est inversement associée au risque d'obésité et à la probabilité d'occurrence d'un grand nombre de pathologies chroniques : cancers (estomac, prostate, œsophage, foie, colorectal, etc.), maladies cardiovasculaires, hypertension, diabète, démences, etc.[121, 336-339, 344, 892, 894, 895] Une étude récente est à ce titre révélatrice même si elle peut, de prime bord, sembler anecdotique[896]. Les chercheurs se sont amusés à tester un vieux proverbe anglais selon lequel «*an apple a day keeps the doctor away*» (une pomme par jour tient le médecin au loin). Pour ce faire, ils ont comparé l'aptitude de deux traitements, l'un médicamenteux (statines) et l'autre écologique (une pomme quotidienne) à réduire le risque de mortalité vasculaire. Résultat : la pomme est aussi efficace que le médicament. Conclusion des auteurs : «*Avec des réductions de mortalité similaires, un message de promotion sanitaire vieux de 150 ans est capable de faire aussi bien que la médecine moderne et a toutes les chances d'avoir moins d'effets secondaires.*»

Indispensables féculents

Au-delà des fruits et légumes, les féculents sont un autre élément central des pratiques diététiques vertueuses. Cette famille alimentaire comprend trois grands enfants : les céréales et ses dérivés (pain, maïs, riz, semoule, etc.) ; les légumes secs et légumineuses (pois chiches, haricots rouges, lentilles, flageolets…) ; les tubercules (pomme de terre, igname, manioc…)[897]. Au plan nutritif, les féculents sont riches en glucides complexes, protéines, fibres et micronutriments essentiels.[898-903] Leur consommation exerce une influence positive sur un large spectre de pathologies chroniques dont l'obésité, le cancer (colorectal, œsophage), l'hypertension, le diabète et les maladies cardiovasculaires.[121, 341, 345, 346, 902-910]

Dans le cas des céréales, ces bienfaits semblent toutefois réservés aux produits dits «complets». En effet, les influences sanitaires positives observées avant raffinage disparaissent largement après traitement[911-913] comme si le produit avait alors perdu, en même temps que son enveloppe, une part essentielle de sa force nutritive.[901, 914] Plusieurs études ont même suggéré qu'une consommation importante de céréales raffinées (tel le riz blanc) pourrait augmenter le risque de survenue du diabète et de certains cancers de l'appareil digestif.[915-917] Des effets négatifs du même ordre ont aussi été rapportés pour les sucres ajoutés que l'on appelait dans le passé «sucres rapides» par opposition aux «sucres lents» des céréales, et dont l'ingestion excessive augmenterait les risques de démences, de diabète, de désordres métaboliques, d'atteintes cardiovasculaires et de cancers de l'appareil digestif.[121, 918-923]

D'un point de vue scientifique, l'existence d'influences délétères communes aux sucres ajoutés et céréales raffinées est intéressante au sens où elle pourrait ne pas relever d'un simple hasard mais du fait que tous ces aliments ont la particularité d'avoir un fort index glycémique (voir l'encadré ci-contre pour une définition). À ce sujet, divers travaux ont indiqué que la valeur sanitaire d'un glucide pouvait varier avec son index glycémique. Plus celui-ci est bas et plus le risque pathologique s'affaisse en termes notamment de diabète, d'atteintes cardio-vasculaires et d'obésité.[393, 924-930] Ces données sont compatibles avec d'autres travaux déjà présentés et montrant que remplacer les graisses saturées par des glucides avait un effet positif sur le risque morbide lorsque les glucides présentaient un faible index glycémique et négatif lorsqu'ils présentaient un fort index glycémique.[389-394]

Pour le champ de l'obésité, il peut être intéressant de noter aussi que les glucides à faibles index glycémiques semblent non seulement favoriser la sensation de satiété[931-933] mais aussi atténuer la réaction métabolique à l'état de carence calorique[934].

Privilégier les aliments à faibles index et charge glycémiques pourrait dès lors s'avérer une bonne idée non seulement pour diminuer le risque morbide, mais aussi favoriser l'amaigrissement. Précisons que cette remarque vaut en fait essentiellement pour les féculents, dans la mesure où fruits et légumes ne présentent dans leur quasi-totalité qu'une faible aptitude à augmenter la glycémie (voir l'encadré). Précisons aussi que les éléments présentés au sein de ce paragraphe ne signifient nullement qu'il faille se gaver de viande, d'huile, d'œufs et de crème fraîche au prétexte que ces produits ont une action modeste sur la glycémie. Encore une fois, ce qui vient d'être dit s'entend dans la limite des apports caloriques autorisés et des fourchettes de répartition optimale entre lipides, glucides et protéines.

INDEX ET CHARGE GLYCÉMIQUE

L'index glycémique (IG) est une quantité numérique permettant de classer les aliments contenant des glucides en fonction de leur capacité à augmenter la glycémie (c'est-à-dire le taux de glucose sanguin). Pour calculer l'IG on donne à un groupe de sujets une quantité d'aliments correspondant à une charge glucidique fixe (typiquement 50 g) et on mesure l'élévation induite du taux de glucose. Pour pouvoir comparer entre eux les aliments, on divise la valeur obtenue par l'IG d'un aliment de référence (pour une charge glucidique identique, soit 50 g dans notre cas). Cet aliment est généralement le glucose (en Europe) ou le pain blanc (aux États-Unis). La formule est donc la suivante :

IG = (Réponse glycémique de l'aliment testé /
Réponse glycémique de la référence) x 100

De par sa procédure de calcul, l'IG ne peut être déterminé pour certains aliments présentant une très faible quantité de glucides (viande, volaille, poissons, avocates, fromage, œufs, salade verte, huiles) Il est généralement admis que ces aliments n'augmentent pas significativement le taux de glucose sanguin, même lorsqu'ils sont consommés en grande quantité[935].

Au-delà de son apparente simplicité le concept d'index glycémique peut parfois se révéler trompeur car il ne tient pas compte de la proportion de glucides effectivement contenue dans chaque aliment. Par exemple, la pastèque à un IG élevé (72 en prenant le glucose comme référence). Toutefois quand vous mangez une portion de pastèque (120 g), vous avalez principalement de l'eau et quelques grammes de glucides (6 g pour être exact). Cela veut dire que pour augmenter sensiblement votre glycémie en consommant de la pastèque, il faudrait que vous forciez très sérieusement les doses. Afin de contrecarrer ce possible biais, les chercheurs ont proposé la notion de charge glycémique (CG). Celle-ci offre une idée de l'augmentation de glycémie, pour une portion typique de l'aliment considéré. La formule est alors la suivante :

$$CG = IG \times (\text{masse de glucides de l'aliment} / \text{masse totale de l'aliment})$$

Soit, pour la pastèque, par exemple : 72 x (6/120) = 4. On voit donc qu'une portion de cet aliment possède une faible aptitude à augmenter la glycémie, malgré un IG de base élevé. En fait, si vous mangez 120 grammes de pastèque, votre glycémie augmentera autant que si vous mangez 120 grammes de pommes et beaucoup moins que si vous mangez 3 petits beurres de Lu (25 g) bien que ces deux produits aient des IG très inférieurs à la pastèque (28 et 51 respectivement)[935]. Même s'il n'existe pas de consensus absolu un relatif accord semble se dégager autour des valeurs suivantes (avec le glucose comme référence[936-938]) :

Faible : IG ≤ 55 ; CG ≤ 10

Moyen : 56 ≤ IG ≤ 69 ; 11 ≤ CG ≤ 19

Élevé : IG ≥ 70 ; CG ≥ 20

En pratique, une importante source de difficulté avec le concept d'index glycémique (et de charge glycémique qui lui est associé) tient à la très forte variation des mesures obtenues pour un même aliment et au fait qu'il est quasiment impossible d'obtenir une mesure fiable d'IG pour les plats cuisinés (tartiflette, cassoulet, couscous, paella, etc.). Le problème prend sa source dans l'extrême sensibilité de l'IG à un grand nombre de facteurs expérimentaux, industriels et culinaires. Cette mesure dépend en effet, entre autre exemple, de la méthode utilisée pour son calcul (ex : sang capillaire ou veineux, durée de la mesure), de variations interindividuelles (âge, sexe, niveau d'activité physique), des caractéristiques de l'aliment (variété, degré de maturité, transformation), des modes de préparation (degré et mode de cuisson, combinaison – ajouter du citron à un aliment diminue son IG), de la nature du repas (la quantité de protéines, de graisses ou de fibres modifie la vitesse d'absorption des glucides), etc.[935, 938, 939]

Cela implique que le concept d'IG n'est pas des plus faciles à utiliser dans « le vrai monde ». Il existe bien des tables assez complètes[935, 940] mais, comme le souligne un article récent, celles-ci sont très lourdes et pénibles à utiliser[938]. Pour le seul riz par exemple, la table internationale de référence comprend plus de 100 items tenant compte de la variété, de la provenance, de la cuisson, etc.[940] Le riz blanc bouilli d'Inde a un IG de 43, celui du Canada de 72, celui de Chine de 83, celui d'Italie de 89. Pas facile de s'en sortir.

Au fond, la seule solution réellement viable semble être de s'en tenir à des principes d'utilisation très généraux de ce concept, principes qui recommandent de limiter la prise d'aliments ayant un fort impact sur la glycémie (soit les aliments transformés – céréales « blanches », plats industriels – et riches en sucres ajoutés – soda, pâtisseries, chocolat) au profit d'aliments plus « naturels » (céréales complètes, légumineuses, légumes, fruits, etc.).

De la viande… mais pas trop rouge ni grasse

Avec les fruits, les légumes et les féculents, la viande apparaît comme le quatrième grand pilier de notre alimentation. Sans vouloir remettre en cause les choix individuels en matière de consommation carnée, il paraît important de signaler, en

accord avec un texte de référence récent de l'association diététique américaine, que la consommation de viande n'apparaît
pas nécessaire au suivi d'un régime équilibré. Les besoins nutritionnels humains peuvent être couverts par une alimentation
purement végétarienne, y compris chez le bébé et la femme
enceinte.[941, 942] En terme de santé publique, les travaux disponibles montrent même que les végétariens ont, par rapport aux
consommateurs de produits carnés, une espérance de vie plus
longue, un risque réduit d'obésité et une probabilité moindre
de souffrir d'hypertension, de diabète, d'un cancer, ou d'un
accident cardiovasculaire.[342, 942-950]

Cet avantage concurrentiel, si l'on veut bien me permettre
de l'appeler ainsi, ne semble toutefois pas directement lié à l'absence de consommation carnée, mais au fait que les végétariens
ingurgitent, par rapport à leurs semblables omnivores, moins
d'aliments pathogènes riches en graisses saturées, cholestérol,
sel et additifs divers (plats industriels préparés à base de viande,
viande rouge, charcuteries, salaisons, etc.) et plus d'aliments
vertueux (fruits, légumes, céréales complètes, noix, etc.). Il s'en
suit que tous les types de viandes ne méritent pas d'être logés à
la même enseigne. Au premier rang des cancres irrévocables se
trouvent, comme cela a déjà été discuté en détail*, les viandes
grasses (notamment rouges) et les viandes transformées industriellement (saucisses, boulettes, charcuterie et même jambon,
souvent saturé de sel). À l'inverse, au rayon des élèves méritants
figurent le poisson et les viandes maigres, dont en particulier
la volaille. Consommées dans la limite des fourchettes recom-
mandées, ces dernières ne semblent pas, en effet, avoir d'action
négative sur la santé.[127, 318, 325, 328]

---

* Cf. *Les régimes restrictifs sont dangereux pour la santé*, p. 79.

Pour le poisson, c'est encore mieux puisqu'il s'avère apparemment porteur, à travers notamment sa richesse en acides gras essentiels polyinsaturés (oméga-3, oméga-6), de propriétés sanitaires favorables notamment pour la qualité du vieillissement cérébral et les risques dépressifs, cardiovasculaires, de diabète ou de cancers.[121, 128, 325, 328, 347, 352, 355, 358, 360-363, 368, 371, 372, 377, 951-955] Manger du poisson une fois par semaine réduirait, par exemple, de 16 % le risque de décès cardiovasculaire[956] et de 14 % le risque d'accident vasculaire cérébral[957].

Pour nous résumer, bien que l'on puisse, en théorie, se passer de viande, cet aliment est une source efficace de protéines, d'acides aminés essentiels (lysine, tryptophane, leucine, phénylalanine, etc.), d'acides gras polyinsaturés et de micronutriments variés (zinc, sélénium, fer, vitamine D/B6/B12, etc.)[301]. Il serait donc dommage (sauf à placer le débat dans le champ spirituel, moral, philosophique, ou écologique) de se priver d'une telle source nutritive. Néanmoins, toutes les viandes ne se valent pas. Il semble prudent, en accord avec les préconisations de nombre d'institutions sanitaires majeures, de limiter autant que faire se peut la consommation de viandes rouges, grasses et industriellement transformées, au profit de viandes maigres ou marines.[97, 99, 101-104] Notons aussi que consommer du poisson plus de deux fois (jeunes enfants, femmes enceintes ou allaitantes) ou trois fois par semaine (reste de la population) pourrait ne pas être une très bonne idée.[958-964] En effet, au-delà de ce seuil, les besoins physiologiques sont couverts et les bénéfices sanitaires se tassent, alors que le risque lié à l'ingestion de polluants organiques divers (PCB, dioxines, arsenic, plomb, mercure, etc.) augmente sensiblement.

Doucement sur les produits laitiers

Après les fruits, les légumes, les féculents et la viande, intéressons-nous au cas des produits laitiers. C'est sans doute la
catégorie nutritive pour laquelle les recommandations des
grandes institutions sanitaires planétaires sont le plus hétéro-
gènes. Certes, à un premier niveau, tout le monde reconnaît la
nécessité de consommer du lait sous une forme ou une autre,
afin d'assurer à l'organisme un apport suffisant en calcium et
ainsi de limiter le risque d'ostéoporose. Cependant, en seconde
analyse, d'importants désaccords se dégagent quant aux quantités de produits laitiers à ingérer. La majorité des grandes
agences préconisent une consommation quotidienne capable
d'assurer un apport de 700 à 1 000 milligrammes de calcium
chez l'adulte de moins de 50-55 ans et de 1 100 à 1 200 milligrammes ensuite.[301, 965-967] Mille milligrammes de calcium,
cela correspond en gros à trois verres de lait, trois yaourts,
100 g de gruyère ou 250 g de camembert[349].

Il y a quelques mois cependant, le département médical
de l'université Harvard a vertement contesté le bien-fondé de
ces préconisations jugées un peu trop favorables aux lobbys
industriels et pas assez conformes à l'état des connaissances
scientifiques récentes.[968, 969] Cinq éléments majeurs furent
mis en avant: 1. bien des produits laitiers présentent un risque
sanitaire, notamment cardiovasculaire, du fait de leur forte
concentration en graisses saturées (fromages, beurre) ou sucres
ajoutés (glaces, yaourts); 2. une large fraction de la population est, à des degrés divers, intolérante au lactose (de 15 %
des Américains blancs à 90 % des Asiatiques) et a donc intérêt
à éviter toute consommation importante de produits laitiers;
3. les recommandations actuelles se situent à un niveau tel que
l'on peut craindre une augmentation significative du risque de

cancer des ovaires et de la prostate (la prise de compléments alimentaires calciques aggrave ce risque tout en accroissant la probabilité d'accidents cardiaques) ; 4. 300 milligrammes de calcium par jour semblent suffisants, en complément d'un «régime raisonnable» (les légumes, fruits et féculents contiennent du calcium) pour réduire le risque de fracture osseuse ; 5. ce niveau modéré de consommation suffit aussi à entraîner des effets positifs sur le risque d'hypertension ou de cancer du côlon.

Au final, les spécialistes d'Harvard proposent donc, avec raison me semble-t-il au vu des éléments présentés, de ramener à 300 milligrammes la recommandation quotidienne de consommation pour le calcium chez l'adulte, soit l'équivalent d'un verre de lait ou d'un yaourt. Ces chercheurs insistent aussi (mais là tout le monde semble d'accord) pour que s'opère un tri avisé des produits laitiers sélectionnés : choisir des aliments écrémés ne contenant pas (ou peu) de lipides (limiter notamment les fromages gras et le beurre, riches en graisses saturées) et exclure autant qu'il est possible les préparations industrielles outrageusement sucrées (crèmes, flans, yaourts, glaces, chocolat au lait et autres desserts lactés). Bref, côté laitage, un verre de lait écrémé ou un yaourt à 0 % de matière grasse sans sucres ajoutés (nature ou aux fruits) suffisent à optimiser les bénéfices sans accroître les risques.

Des acides gras vraiment essentiels

Reste finalement, avant de conclure, à aborder le cas des huiles et oléagineux. Après avoir été longtemps diabolisés, ces produits sont aujourd'hui reconnus comme essentiels au fonctionnement organique. Il est démontré, en particulier, que le remplacement d'acides gras saturés par des lipides insaturés a des effets bénéfiques majeurs sur le risque cardio-vasculaire.[396-398] Plus généralement, il est aussi largement établi que la consommation d'huile d'olive et/ou de fruits à coque augmente la longévité et diminue significativement le risque d'hypertension, de diabète, de cancers (tous types) et de troubles du comportement alimentaire (du type « *binge eating* »).[357, 970-982] Dans le cadre d'un régime « sain », il semble donc raisonnable de privilégier les produits riches en graisses insaturées (oléagineux, poissons gras, huiles végétales) tout en restreignant autant que faire se peut l'utilisation d'aliments riches en graisses saturées (beurre, charcuteries, viandes grasses, fromages gras). Malheureusement, ce n'est pas toujours facile car, comme nous l'avons vu en détail dans la partie précé-dente*, les sources lipidiques ne se présentent jamais de manière exclusive. Il est quasiment impossible de consommer des bonnes graisses sans en absorber aussi de mauvaises. Main-tenir la consommation lipidique dans la fourchette d'apport conseillée (20 à 35 %) tout en privilégiant les aliments riches en bonnes graisses permet cependant d'avoir le bénéfice des bons lipides sans le préjudice des mauvaises graisses ; le beurre et l'argent du beurre en quelque sorte.

Précieux régime méditerranéen

Bien sûr, il ne s'agit pas de tomber ici dans ce qui serait une « obsession du manger sain »[983]. Juste de rappeler que nos choix alimentaires ont des conséquences centrales sur notre santé. Clairement, ce n'est pas parce que quelqu'un mange, une fois de

---

* Cf. *Les régimes restrictifs sont dangereux pour la santé*, p. 79.

temps en temps, un hamburger/frites gorgé de graisses saturées que cela va fusiller son système cardiovasculaire ou satelliser son risque cancéreux. Toutefois, si l'expérience s'avère trop fréquente et englobée au sein d'un mode alimentaire excessivement riche en charcuteries, viandes rouges, beurre, fromages, pâtisseries, plats en sauces et fritures, alors oui, le risque est grand de voir apparaître, à terme, des défaillances biologiques majeures.

Heureusement, le régime «idéal» existe et n'est, au fond, pas très compliqué à mettre en œuvre, même s'il tend de plus en plus à disparaître au profit d'une alimentation occidentalisée, dont le modèle américain est l'expression la plus évidente (ce dernier se caractérise par une consommation massive d'aliments raffinés, farcis de graisses saturées, sucres, sodium et protéines animales[984-988]). Ce régime «idéal» est universellement connu sous le nom de «régime méditerranéen» depuis la publication par le nutritionniste américain Ancel Keys, au début des années 1980, de l'étude dite «des 7 pays»[989]. En pratique, le régime méditerranéen représente un véritable concentré des habitudes alimentaires décrites comme vertueuses au sein des lignes précédentes: d'une part beaucoup de légumes, de fruits (dont les fruits à coque), de féculents, de poisson, et d'huile d'olive; d'autre part peu de produits laitiers, de viande (notamment rouge), de sucres ajoutés, de produits raffinés et d'alcool.[988, 990]

Sans surprises, des dizaines d'études ont montré l'influence extrêmement positive de ce profil alimentaire sur la longévité et le risque d'atteintes cardiovasculaires, de cancers ou de maladies neurodégénératives (Alzheimer, Parkinson).[384, 977, 991-997] De manière assez frappante, un travail de synthèse a révélé, par exemple, chez des gens ne fumant pas et ayant une activité physique régulière, que le fait de se nourrir conformément aux préconisations du régime méditerranéen permettrait d'éviter 80 % des attaques cardiaques, 70 % des accidents vasculaires cérébraux et 90 % des diabètes de type 2 par rapport à une population ayant un régime occidental classique[998].

* * *

Ainsi donc, ce que nous consommons a un impact direct et massif sur notre état de santé et la qualité de notre vieillissement, particulièrement dans le cadre d'une démarche d'amaigrissement. Clairement, il est beaucoup plus difficile d'exploser l'addition calorique avec un régime prudent d'inspiration méditerranéenne, qu'avec un régime de type américain saturé de sucres, graisses et aliments raffinés. À ce titre, le régime méditerranéen limite très significativement le risque d'obésité.[35, 999-1005] C'est d'autant plus vrai (un bienfait ne venant jamais seul) que ce régime est aisément soutenable sur la durée et protège donc au mieux ses adeptes de l'échec programmé des régimes restrictifs classiques[1006]. Le beurre, l'argent du beurre... et le sourire de la crémière !

Manger moins
en trompant son cerveau

Contrairement à ce qu'a longtemps expliqué la théorie économique, l'humain n'est en rien un être rationnel, opérant toujours de manière méthodique au mieux de ses intérêts objectifs. Dans bien des cas, nos actions sont le fruit de processus mentaux parfaitement irrationnels et automatiques.[1007-1010] Le domaine alimentaire n'échappe pas à cette réalité. Si nous mangeons trop, c'est très souvent parce que notre cerveau répond machinalement aux signaux de notre environnement.[160, 161, 504, 533, 1011-1013] Ces derniers peuvent concerner les aliments eux-mêmes (disponibilité, variété, etc.) ou l'ambiance générale du repas (nombre de convives, taille des assiettes, musique, etc.). Pour des raisons de clarté, et même si la dissociation est en partie artificielle, nous nous concentrerons ci-après sur le sujet des aliments avant d'aborder dans le prochain chapitre la problématique de l'ambiance.

Insaisissable densité

D'un point de vue physiologique, le corps souffre d'une cruelle incapacité à mesurer directement sa prise énergétique.[160, 649] Pour savoir s'il a suffisamment mangé, notre organisme doit s'en remettre à des signaux secondaires relatifs, notamment, au temps passé à table et à la quantité de nourriture ingérée. La mauvaise nouvelle c'est que le procédé est loin d'être fiable. La bonne note, cependant, c'est qu'il peut être aisément piraté dans un sens favorable à l'amaigrissement[1014]. La dimension volumique en offre un excellent exemple. De manière divertissante, mais aussi un peu inquiétante, cette dernière est parfois prise en compte par les auteurs de best-sellers grand public. Le texte d'Alain Delabos sur la chrononutrition l'illustre délicieusement. Selon les termes mêmes de cet auteur, « *il faut 30 g de lipides purs par jour pour satisfaire les besoins quotidiens de l'être humain : pour cela, 100 g de fromages suffiront, mais il faudra 500 g de yaourt ou un litre de lait par jour. Au bout d'un an, on aura mangé 36,5 kg de fromage, ou 182,5 kg de yaourt, ou 365 litres de lait, soit environ 360 kg. La comparaison des poids laisse rêveur... et fait tout de suite comprendre pourquoi il vaut mieux manger chaque jour dense et lourd que volumineux et léger [...] Foin des kilos de plumes imposés par les diététiciens qui donnent des silhouettes en édredon, mangez des kilos de plombs, qui font les corps minces et légers comme des plumes* »[11].

En réalité, pour un sujet « normal », ayant un besoin calorique quotidien de l'ordre de 2 000 Calories, c'est plutôt 60 que 30 grammes de lipides qu'il convient de consommer. Cela étant, selon les évaluations détaillées de l'ANSES, la chrononutrition sauce Delabos conduit à en consommer quasiment le double (soit à peu près 110 à 120 g/j)[16]. Par ailleurs, il faudrait peut-être signaler à notre bon docteur que le lait n'est pas moins, mais plus dense que l'eau (1 litre de lait pèse en gros 1,03 kg contre 1 kg pour 1 litre d'eau). Dès lors, le calcul aboutissant à 360 kg pour 365 litres de lait semble témoigner d'une rigueur mathématique assez singulière. En fait, la différence de poids entre les trois options présentées tient principalement à la concentration plus ou moins forte en eau dans les produits considérés. Prenez, par exemple, le fromage (disons du gruyère qui contient 32 % d'eau) et le yaourt (disons un yaourt nature qui contient 85 % d'eau). Une fois l'eau retirée, la quantité de matière sèche devient quasiment identique dans les deux cas : 25 kg pour 36,5 kg de fromage et 27 kg pour 182,5 kg de yaourt. Il faut croire que, chez Delabos, l'eau fait grossir. Un tel niveau d'absurdité laisse rêveur !

Sans grande surprise, des dizaines d'études scientifiques rigoureusement contrôlées soutiennent des conclusions strictement inverses à celles du Dr Delabos et de ses homologues. On sait aujourd'hui clairement que plus l'assiette est riche d'aliments énergétiquement denses* et plus il s'avère difficile, non seulement de ne pas prendre de poids, mais aussi d'en perdre[728, 734-736, 1015-1017]. Même si cela peut paraître curieux, il est manifeste, nous l'avons déjà souligné, que notre organisme n'est pas équipé pour évaluer la charge énergétique du bol alimentaire. Pour s'en sortir, les capteurs de satiété sont contraints d'opérer, pour partie, « au volume ». En d'autres termes, ils ne tiennent nul compte de la densité calorique des aliments et décident de la fin du repas lorsqu'une quantité donnée (à peu près constante) de nourriture a été consommée[1018]. Ainsi, par exemple, si vous allez régulièrement au *fast-food*, il y a des chances pour que vous ne

---

* Comme indiqué dans une note précédente, la densité énergétique d'un aliment est donnée par le nombre de calories dans un (ou 100) gramme(s) de cet aliment.

mangiez pas plus que chez vous. Cependant, comme chaque bouchée apporte un surcroît de calories, vous grossissez irrévocablement[735].

Au quotidien, ainsi que nous l'avons signalé, diminuer la densité de nos repas n'est guère compliqué[737]. On peut choisir d'abord des produits peu concentrés en gras et sucres : du lait demi-écrémé plutôt que du lait entier ; un sorbet plutôt qu'une glace ; une salade de fruits frais plutôt qu'un fondant au chocolat ; une escalope de veau plutôt qu'une côtelette d'agneau ; une bavette plutôt qu'une entrecôte de bœuf, etc. On peut aussi privilégier des modes de cuisson peu caloriques : pommes de terre au four plutôt que frites ; viandes grillées plutôt que revenues au beurre, etc. On peut encore augmenter la consommation de légumes, fruits, ou soupes. Cela n'a rien de tapageur mais s'avère redoutablement efficace sur la durée.

Ainsi, par exemple, dans une étude récente, des sujets se virent proposer lors du déjeuner des plats identiques (ex. lasagnes, chili) en version forte densité (avec de la viande) ou faible densité (avec des champignons)[1019]. Dans les deux cas, nos participants mangèrent une quantité de nourriture similaire, avec un plaisir identique et sans altérer leur niveau d'activité physique ultérieur. Cela entraîna, pour la condition forte densité, un déséquilibre positif de la balance énergétique d'une ampleur de 420 Calories. Cet excès ne fut que très partiellement compensé lors des repas suivants (≈ 10 %) de sorte que le surcroît énergétique quotidien total lié à la version « viande » s'éleva à 375 Calories. Dans un autre travail, des femmes se virent prescrire une salade faiblement calorique en entrée. Cela entraîna une diminution de la prise énergétique totale du repas d'à peu près 10 %.[1020, 1021] Un effet du même ordre émergea lorsque la salade fut remplacée par de la soupe[1022] ou lorsque les sujets furent incités à utiliser, chez eux, au quotidien, des produits moins gras.[739, 740]

Au-delà de ces travaux, il est aussi prouvé que diminuer la densité énergétique des produits consommés entraîne un amaigrissement significatif et favorise à long terme le maintien du poids.[1023-1026] Par exemple, des femmes obèses furent autorisées à manger à volonté sous une double contrainte : limiter l'ingestion de graisses et accroître la consommation de fruits et légumes. En un an, elles perdirent 8 kilos[1027]. Dans un autre travail comparable impliquant des hommes et des femmes, les participants furent invités à manger chaque jour au moins 10 aliments à faible densité (c'est-à-dire apportant moins de 100 Calories pour 100 grammes ; fruits, légumes, filet de cabillaud, etc.) et au plus deux aliments à forte densité (c'est-à-dire apportant plus de 300 Calories pour 100 grammes ; pizza, chips, pain, etc.)[1028]. Ce changement se traduisit par une perte pondérale de 9 kilos en un an. Ces données font clairement écho à l'observation selon laquelle les individus obèses consomment typiquement une nourriture plus dense que leurs homologues de poids sain[1029]. À un niveau général, ce type d'observation rend aussi compte, sans doute, pour une bonne part, de l'influence positive du régime méditerranéen sur le poids (voir chapitre précédent). Ce régime est en effet riche d'aliments à faible densité énergétique (légumes, fruits, poissons, etc.).

Perfides volumes

Malheureusement, le fait que notre système nerveux contrôle, pour partie, la prise alimentaire en estimant le volume de nourriture ingérée ne signifie pas que nos neurones soient, en ce domaine, parfaitement compétents. Des dizaines d'études montrent que l'ampleur de notre consommation énergétique croit significativement avec la disponibilité et la variété alimentaire.[479, 501, 503, 728, 1015, 1016, 1030-1033] En d'autres termes, un individu mange d'autant plus que son assiette est remplie et que son repas s'avère riche de denrées différentes. Commençons par le premier de ces points.

Sur les dernières décennies, le volume de nos consommations alimentaires s'est fortement accru quel que soit le lieu du repas (restaurant ou domicile).[1034-1037] Aux États-Unis, par exemple, chez *Burger King*, un sandwich qui pesait 110 grammes en 1954 affichait un demi-siècle plus tard un poids compris entre 125 g pour la version basique (hamburger) et 357 g pour le modèle cossu (double whopper), en passant par 173 g pour le gabarit médian (whopper Jr.)[1038]. Chez *McDonald*, sur une période comparable, la portion de frites standard (68 g) devint « petite » et se vit adjoindre d'autres versions joliment qualifiées de moyenne (150 g), large (179 g) et super-large (201 g). Ces changements ont évidemment contribué à modifier profondément nos normes collectives, en altérant la notion largement implicite de portion alimentaire « normale ».[1039, 1040]

Ainsi, par exemple, entre 1977 et 1996, le poids moyen d'un hamburger fait maison a augmenté de 47 % pour passer de 162 g à 238 g, ce qui représente un surplus énergétique d'à peu près 220 Calories[1041]. Cette tendance inflationniste ne s'est évidemment pas limitée au continent américain comme l'illustre une amusante étude réalisée en terre danoise. Des chercheurs ont analysé les préconisations d'un livre de recettes particulièrement populaire, au cours de 13 versions successives réparties sur un siècle : 1909 – 2009[1042]. Résultat : une augmentation des portions correspondant à un surplus calorique moyen de 21 % pour les recettes individuelles, et de 77 % pour un repas standard composé à partir de ces recettes.

Au plan expérimental, l'illustration la plus frappante de notre relative incapacité à mesurer l'ampleur de nos repas provient sans doute d'une expérience réalisée par l'équipe de Brian Wansink[1043]. Des sujets naïfs de poids sain ou excessif se virent servir un bol de soupe dans un restaurant universitaire. Chez la moitié des participants, ce bol était relié à un tuyau invisible qui réinjectait de la soupe au fur et à mesure du repas, à raison, en moyenne, de 60 centilitres pour 100 centilitres consommés. Les sujets contrôles mangèrent 251 centilitres de soupe contre 435 centilitres pour leurs alter ego du groupe expérimental, soit un accroissement de 73 % correspondant à un surplus énergétique de 113 Calories. Fait particulièrement parlant, le sentiment de satiété, la perception d'être « plein », l'impression d'avoir trop mangé (ou pas), et l'estimation du volume de nourriture ingéré se révélèrent identiques dans les deux groupes.

Dans une autre étude, des jeunes adultes de poids sain furent invités à déjeuner une fois par semaine pendant un mois[1044]. Ces individus se virent alors servir un plat de pâtes au fromage selon quatre versions : 500, 625, 750, 1 000 grammes. Une augmentation quasi linéaire de la prise alimentaire et donc du compte calorique fut observée en fonction du facteur « portion ». Les sujets mangèrent 30 % de plus ($\approx$ 100 g) dans la condition 1 000 grammes que dans la condition 500 grammes, soit un surcroît de 162 Calories. Ces différences ne donnèrent lieu, là encore, à aucune variation du sentiment de satiété. Dans d'autres études, ce genre de résultat fut reproduit chez de très jeunes enfants de 4 à 6 ans. Il fut alors montré, toujours avec des pâtes au fromage, que l'accroissement de la prise alimentaire, compris entre 25 et 60 %, provenait de la tendance des enfants à prendre, lorsque la portion servie était plus généreuse, des bouchées plus grandes sans changer le nombre total de bouchées ingurgitées.[1045, 1046] Ces mêmes enfants se servaient spontanément, quand ils en avaient la liberté, une portion adaptée à leurs besoins.

Revenons au cas des adultes qui nous intéresse plus particulièrement ici. L'effet de portion a depuis 10 ans été largement reproduit dans des situations expérimentales diverses où les sujets se voient offrir des sandwichs[1047], des boîtes de popcorns[1048], des paquets de chips,[1049, 1050] des bols de céréales[1051] ou des repas complets,[1052, 1053] identiques quant à leur composition mais variable quant à leur taille. Dans un travail particulièrement intéressant, car de long terme, des employés d'un centre médical se virent remettre pendant deux mois des boîtes déjeuner contenant les mêmes aliments mais en quantité soit importante (1 528 Calories), soit raisonnable (767 Calories)[1054]. Les participants recevaient l'un des deux types de boîtes pendant un mois, avant de passer à l'autre. La version «importante» entraîna, par rapport à la version «raisonnable» un déséquilibre énergétique de 332 Calories. Seule une faible part de cet excès donna lieu à compensation lors des repas suivants. En moyenne, les grosses portions augmentèrent de 278 Calories le bilan énergétique quotidien, sans que n'apparaisse le moindre signe d'adaptation à long terme. Sur un mois, la condition «boîte importante» provoqua, en accord avec les prédictions des modèles énergétiques classiques*, une prise pondérale d'un peu plus de 1 kilo. Ces résultats ont récemment été confirmés par une étude de longue haleine (6 mois) montrant que des sujets à qui l'on octroyait chaque jour une boîte déjeuner de 1 600 Calories mangeaient 220 Calories de plus que des individus similaires dotés d'une boîte identique quant à sa composition mais de moindre volume (400 Calories). Aucune trace de compensation ne fut observée à court (repas suivants) ou long terme (6 mois)[1055].

Bien sûr, dans toutes ces études, les participants ne se rendent absolument pas compte qu'ils mangent davantage

---

* Cf. *Estimer les besoins énergétiques,* p. 172.

lorsque leurs assiettes sont plus copieusement garnies. Quand on leur signale cette incongruité, 5 % l'admettent, 20 % la contestent et 75 % lui trouvent, *a posteriori,* une explication rationnelle (ex : « j'avais très faim »)[1056]. Encore une fois, le point vraiment remarquable, c'est que ce genre de distorsion n'affecte pas le système perceptif de satiété. Ainsi, et cette donnée est loin d'être anodine pour qui veut perdre du poids, des portions plus restreintes conduisent à manger moins sans changer la sensation de faim ni accroître notablement la prise alimentaire au cours des repas suivants.

Nécessaire variété

La quantité de nourriture disponible n'est évidemment pas le seul élément pris en compte par notre système nerveux pour décider de la fin du repas. La diversité des aliments présents joue également un rôle majeur. À ce sujet, on sait aujourd'hui clairement que plus il y a de produits différents sur la table (ou dans l'assiette) et plus la prise calorique est importante.[501-503, 1057-1060] Par exemple, dans une étude très simple, fréquemment citée, les sujets se voyaient proposer, pour le repas de midi, des sandwichs (jambon, œuf, tomate, fromage) soit en version unique, soit sous forme d'assortiment. Cette seconde situation entraîna une augmentation de la prise alimentaire de plus de 30 %[1061]. Dans une autre condition expérimentale, les sandwichs furent remplacés par des yaourts de différentes saveurs (noisette, cassis, orange). Là encore, la modalité « assortiment » se traduisit par un accroissement substantiel des volumes consommés ($\approx$ 20 %). Cet effet s'avéra présent même lorsque les sujets se trouvaient exposés, dans la condition unique, à leur yaourt ou sandwich préféré.

Dans une recherche plus récente, des chercheurs rapportèrent le même genre de résultats avec des M&M's : le simple fait de passer de 7 à 10 couleurs conduisit les participants à manger presque 60 % de bonbons en plus[1062]. Dans un autre travail, plus général, des étudiants de l'université Cornell furent soumis à un même repas composé de légumes sautés divers sous deux conditions expérimentales : un plat unique mélangeant tous les légumes ; des plats séparés présentant indépendamment tous les légumes[505]. La seconde condition entraîna, par rapport à la première, une augmentation de près de 20 % du volume de nourriture consommée. Bref, si vous voulez maigrir, une bonne idée consiste à ne pas multiplier les plats et les saveurs à l'intérieur d'un même repas.

Salutaire lenteur

Au-delà de ces problèmes de disponibilité et de variété, la prise alimentaire dépend aussi directement du facteur temps. On sait aujourd'hui que la vitesse d'ingestion des aliments est corrélée positivement avec l'indice de masse corporel et le risque de prise de poids.[1063-1070] Cela signifie que les individus qui mangent le plus vite sont aussi ceux qui ont le plus de chances d'être en surpoids ou de le devenir. Cette association épidémiologique s'explique assez bien à la lumière d'un large corpus expérimental montrant que nous avons tendance, lorsque nous consommons notre nourriture plus lentement, à manger moins sans pour autant ressentir une plus forte sensation de faim.[1071-1075]

Dans une étude récente, par exemple, des individus de poids sain et excessif furent invités à diminuer la vitesse de leur prise alimentaire, en se forçant à mâcher davantage leur nourriture[1076]. Deux résultats furent obtenus : 1. les sujets de poids sain mangeaient plus lentement (≈ 20 %) que les individus en surpoids ou obèses, quelle que soit la condition expérimentale («pas de consigne» *versus* «se forcer à mâcher davantage»); 2. pour les deux groupes, lorsque la durée du repas augmentait (de 11 à 15 minutes), le volume de la prise alimentaire s'affaissait significativement (de 15 %) sans altération concomitante du sentiment de satiété. En d'autres termes, lorsque les participants tempéraient la vivacité de leur coup de fourchette, ils mangeaient substantiellement moins, sans pour autant avoir plus faim au terme du repas. Ce bénéfice pourrait s'expliquer par la mise en action relativement lente et progressive des systèmes physiologiques de satiété. L'idée veut alors que le fait de manger plus lentement permette à ces systèmes d'agir avant qu'une quantité trop importante de nourriture n'ait été absorbée.[1075, 1077, 1078]

D'autres recherches ont permis d'étendre ces résultats positifs au-delà du repas courant. Des individus naïfs furent, par exemple, séparés en deux groupes après avoir été invités à déjeuner : aucune consigne; ou manger plus lentement en mâchant davantage. Deux heures après le repas, des bonbons furent offerts à tous les participants. Les membres du second groupe en mangèrent 60 % de moins[1079]. Dans un travail complémentaire, il fut établi que la sensation de faim était atténuée et les marqueurs physiologiques de satiété optimisés deux heures après la prise d'un en-cas consommé lentement[1080]. Ce résultat fait écho à d'autres études montrant que le seul fait de mâcher un chewing-gum à l'issue du déjeuner diminue de 10 % la prise calorique d'un en-cas présenté trois heures plus tard.[1081, 1082]

* * *

Ainsi donc, la capacité à tenir un régime d'amaigrissement dépend non seulement de décisions conscientes, mais aussi de facteurs perceptifs implicites dont il est assez facile de réorienter l'action dans un sens vertueux. Quatre axes d'intervention semblent particulièrement prometteurs : 1. réduire la densité énergétique des repas en privilégiant des aliments peu denses et des modes de préparation peu caloriques ; 2. diminuer les portions de nourriture cuisinée et servie ; 3. ne pas mélanger trop de produits différents au sein d'un même repas ; 4. ralentir la prise alimentaire. En manipulant astucieusement ces facteurs, il est possible d'abaisser notablement la consommation calorique sans modifier les signaux de satiété. Au bout du compte l'individu mange moins, sans avoir plus faim.

La démarche s'avère d'autant plus facile à appliquer qu'elle peut aisément être adossée à certaines faiblesses structurelles de notre organisation cérébrale. En effet, nos comportements alimentaires sont en grande partie régulés par des paramètres environnementaux externes dont il est, au fond, assez simple de manipuler le fonctionnement. Dès lors, comme le démontre le chapitre suivant, il faut souvent bien peu de chose pour amener l'organisme à manger moins, sans même qu'il s'en rende compte.

Démanteler les « semeurs de kilos » de son environnement

Chaque jour, nous sommes confrontés à des centaines de décisions alimentaires[1056]. En première analyse, il est tentant de croire que notre cerveau traite ces dernières à partir d'une lecture objective (quand bien même elle serait inconsciente) de nos états physiologiques internes : faim, soif, conditions hormonales, etc. Il n'en est rien : lorsque nous choisissons de manger, de boire, de nous resservir, de prendre un goûter, ou d'opter pour la tarte aux fruits plutôt que pour le fondant au chocolat, nous obéissons le plus souvent à des signaux d'ambiance externes dont la nature occulte masque habilement la puissance incitative.[532, 649, 1013, 1014, 1030, 1083] Ces signaux, Brian Wansink les nomme d'ailleurs joliment les « *instigateurs clandestins* »[160]. Nommons-les ici les « semeurs de kilos ».

Imaginons que vous décidiez d'aller au cinéma. Avant d'entrer dans la salle vous achetez, comme il se doit, un sachet de pop-corn. Tranquillement assis dans votre fauteuil, vous commencez à grignoter en regardant quelques publicités dont certaines concernent des produits alimentaires. Un petit détail qui, sans que vous en ayez conscience, augmente votre désir de manger et entraîne une surconsommation de pop-corn d'à peu près 50 %.[1084, 1085] Au terme de la séance, lorsque vous sortez de la salle, des étudiants vous proposent gentiment une canette de soda à l'occasion d'une manifestation commerciale. En général, vous refusez ce genre de sollicitation. Pourtant là, vous acceptez, sans savoir que votre décision a été massivement influencée par un certain nombre d'images disséminées au cœur du film que vous venez de voir, images dont, évidemment, vous n'avez pas consciemment perçu l'existence. En moyenne, les chances qu'un spectateur accepte le soda sont multipliées par trois lorsque son cerveau a préalablement été exposé à des stimuli visuels subliminaux figurant l'idée de boire (bouteille de soda, verre à pied, mots tels que boire, Coca-cola ou Orangina).[1086, 1087]

Imaginons maintenant qu'après la séance, vous décidiez d'aller dîner. À l'entrée du restaurant, sur le comptoir, se trouve un pot de chocolats dans lequel il vous est permis de piocher. Vous vous laissez tenter sans même noter la présence de papiers vides à côté du pot. En témoignant du fait que les clients précédents se sont servi, ces papiers ont pourtant triplé la probabilité que vous tendiez la main à votre tour[1088]. Après un ou deux chocolats, voilà que la serveuse arrive enfin. Pour se faire pardonner sa lenteur, elle propose de vous offrir, en guise d'apéritif, un morceau de fromage et un verre de vin. Elle vous explique que ce dernier vient d'un terroir viticole reconnu (Californie). À d'autres clients, moins chanceux, aléatoirement sélectionnés, elle offre plutôt un vin originaire d'une région perdue dont vous n'auriez jamais soupçonné que l'on pût y faire pousser un pied de vigne (Dakota du Nord)[1089]. En réalité, le vin provient toujours d'une même barrique de piquette à bas prix. Au bout du compte, vous trouvez évidemment excellent non seulement votre breuvage estampillé «Californie», mais aussi le fromage qui l'accompagne. En fait, c'est carrément l'ensemble du repas subséquent que vous estimez être d'une qualité supérieure, ce qui vous conduit à manger 12 % de plus que si vous aviez initialement reçu l'improbable vin du Dakota.

Heureux de votre festin, vous décidez de finir la soirée en allant boire un verre de bon vin dans un pub du coin où vous avez vos habitudes. Au moment de commander, vous ne vous demandez pas, évidemment, si la sono joue un air de musique français ou allemand, et cela vous semble sans doute assez peu important. Pourtant, dans le premier cas vous avez 85 % de chances d'opter pour un vin français contre seulement 35 % dans le second[1090]. Au moment de boire, vous ne vous rendez évidemment pas compte, non plus, du fait que la musique est juste un peu plus forte qu'à l'accoutumée. Changement anodin, mais qui vous pousse à boire plus rapidement et en plus grande quantité. Au final, sans en avoir aucune conscience, c'est un supplément alcoolique de 30 à 40 % que vous ingurgitez.[1091, 1092] Si l'on fait le total de votre soirée depuis les pop-corn jusqu'au vin, c'est facilement entre 400 et 600 Calories gratuites que vous avez consommées par la grâce de nos chers instigateurs clandestins!

Des influences de ce genre, la littérature scientifique en décrit à foison. Tout au long de la journée des dizaines de stimuli alimentaires nous frappent agressivement sans que nous puissions ajuster nos défenses. Comment le «Moi» conscient pourrait-il se protéger d'ennemis invisibles? Faut-il alors baisser pavillon et admettre défaite? Clairement non car s'il est impossible de recâbler notre cerveau, il est tout à fait envisageable de modifier certains éléments clés de notre environnement dans un sens vertueux. Ainsi, plutôt que de laisser le monde extérieur jouer contre nous, transformons-le en auxiliaire coopérant de notre campagne « obésiphobe ». Comme le souligne une célèbre formule attribuée par Madame Coulomb*, magnifique professeur d'histoire de mon enfance, au bon roi Henry IV, le meilleur moyen de se défaire d'un ennemi c'est encore de s'en faire un allié. Voyons comment y parvenir.

Réorganiser l'espace domestique

Le foyer est sans conteste le lieu de tous les dangers pour qui est au régime. En effet, dans l'intimité de nos demeures, sollicitations et tentations sont aussi permanentes que vigoureuses. Un morceau de quiche par-ci, un biscuit par-là, un chocolat en passant, deux ou trois chips l'air de rien et c'est facilement plusieurs dizaines de Calories gratuites que nous absorbons chaque jour sans nous en rendre compte. Quelques mesures simples permettent de combattre avec succès ce genre d'infâme traquenard que nous nous tendons à nous-même.

Premièrement, cachez tout ce qui de près ou de loin a un rapport avec l'alimentation. L'amorçage, aussi appelé « *priming* », est en effet, sans conteste, l'un des semeurs de kilos les plus puissants. Techniquement, ce phénomène psychique s'appuie sur un processus d'association on ne peut plus basique : quand le cerveau est confronté de manière directe (nourriture, odeurs, etc.) ou indirecte (images de nourriture, couverts, etc.) à des stimuli alimentaires, il recrute les réseaux neuronaux de consommation typiquement associés à ces stimuli. En d'autres termes, tout ce qui touche à la nourriture active le désir de manger et, ce faisant, accroît fortement les probabilités de passage à l'acte.[1083-1087, 1093-1095] La parade est alors assez

---

* Puisse-t-elle me pardonner si j'assassine ici l'orthographe de son nom.

simple : garder soigneusement hors de vue tout ce qui peut être associé à l'idée de manger, et évitez de mettre les pieds dans votre cuisine lorsque ce n'est pas absolument nécessaire. En particulier (mais la liste est loin d'être exhaustive), rangez la nourriture dans des placards, utilisez des contenants opaques, enfermez les aliments odorants dans des boîtes hermétiques, ne laissez rien traîner sur la table ou le plan de travail, ne restez pas dans votre cuisine pour lire le journal ou lorsque vos enfants goûtent, etc.

Dans une expérience amusante, destinée à illustrer la pertinence de ces conseils, Brian Wansink et ses collègues ont offert à des secrétaires un pot de bonbons au chocolat[1096]. Selon les cas, le pot était soit opaque, soit transparent. Au bout de la journée les pauvres secrétaires du second groupe avaient mangé presque deux fois plus de chocolats que leurs collègues du premier groupe, soit une différence nette d'à peu près 80 Calories, ou si vous préférez un peu plus de 2,5 kg sur une année de travail.

Dans le même ordre d'idée, nous pourrions aussi évoquer les comportements d'achat. Deux conseils très simples viennent alors à l'esprit : d'une part, ne jamais faire ses courses en ayant faim ; d'autre part, toujours utiliser une liste préétablie et s'y tenir fermement. Il est en effet parfaitement déraisonnable de croire en l'humanisme des industriels tant ceux-ci ont tendance à se moquer avec un cynisme effarant des impératifs sanitaires les plus basiques[201]. Ces gens maîtrisent parfaitement la question du *priming* et ne se privent pas d'utiliser contre nous, leurs clients, toute la puissance de ce savoir[533]. Une bonne façon de s'en sortir consiste justement à avoir une liste et à ne pas s'en écarter. Quand vous passerez, pour ne prendre qu'un exemple, à côté du rayon boulangerie, juste là où l'on vous colle dans les trous de nez un parfum artificiel de cookie ou de pain chaud à faire péter d'envie tous vos neurones, vous ne trouverez pas d'alliée plus sûre et plus précieuse que votre petite liste. Si vous savez lui être fidèle, elle vous fera assurément économiser pas mal d'argent… et de kilos.

Pour ceux qui douteraient du bien-fondé de ces propos, juste quelques mots d'une interview récemment parue dans un quotidien d'information gratuit*. Le journaliste demande à Greg, responsable adjoint des produits frais chez Leclerc (une enseigne de grande distribution) ce qui lui plaît le plus dans son métier. Réponse de l'intéressé : « *C'est d'avoir à atteindre des objectifs, tout en sachant qu'on travaille avec des produits de première nécessité. Il faut donc pouvoir déclencher des achats d'impulsion en mettant en avant les produits et les assortiments, pour amener les clients à acheter autre chose que ce qu'ils avaient prévu.* » Eh oui, manipuler le chaland, ça fait partie du boulot, c'est même ce qui excite le plus notre ami Greg.

Mais peut-être est-il bon de préciser ici que l'amorçage n'est pas forcément condamné aux influences néfastes. Utilisé à bon escient, il peut aussi avoir des effets salvateurs sur la prise alimentaire. Ainsi, ces mêmes processus inconscients qui nous poussent à trop manger peuvent, lorsqu'ils sont correctement activés, aider grandement à la modération. Un travail expérimental récent en fournit une illustration éloquente[1097]. Des étudiants furent invités, dans un bar de quartier, à assister à la finale du championnat de football américain (le fameux *Super Bowl*). Ailes de poulets et boissons non alcoolisées étaient offertes à volonté sous forme d'un buffet constamment réalimenté au centre de la pièce. Sur les tables, destinées à accueillir quatre personnes, de larges contenants transparents avaient été disposés afin de récupérer les carcasses d'ailes. Préalablement

---

* *Metronews*, 31 mars 2014.

à l'arrivée des consommateurs, les serveuses avaient reçu une double consigne : pour une moitié des tables, vider régulièrement les contenants ; pour l'autre moitié, ne rien toucher. Dans cette seconde condition, les participants mangèrent 20 % de moins que dans la première. La mécanique mentale alors sollicitée peut se décrire comme suit : les os signalent aux étudiants qu'ils ont déjà pas mal mangé, ce qui aboutit à amorcer un sentiment de satiété et une réponse comportementale de cessation. En d'autres termes, pour le dire simplement : « *Le paquet d'os est déjà haut, mieux vaut que j'arrête ici les dégâts.* » Tout cela se jouant bien évidemment à un niveau parfaitement inconscient.

De manière remarquable, ce type d'amorçage négatif est aussi observé lorsqu'un sujet doit, avant une prise alimentaire, se rappeler ce qu'il a mangé lors des repas précédents.[17, 1098] Par exemple, dans une étude souvent citée, Suzanne Higgs, chercheuse en psychobiologie à l'université de Birmingham, invita des étudiantes à répondre à un questionnaire avant de goûter des biscuits[1099]. Ce questionnaire comportait trois versions, distribuées chacune à un groupe différent : 1. quelles sont vos pensées du moment ? 2. qu'avez-vous mangé hier à midi ? 3. qu'avez-vous mangé aujourd'hui à midi ? Les participantes consommèrent 80 % de biscuits en plus dans les deux premières conditions que dans la troisième. De ces données on peut conclure qu'une stratégie efficace pour réduire nos prises alimentaires (notamment nos pulsions de grignotage) consiste, avant de passer à table, à prendre systématiquement quelques instants pour se demander ce que l'on a mangé lors des repas ou grignotages précédents.

L'apprivoisement des processus d'amorçage peut aussi être efficacement complété, dans le cadre d'un programme d'amaigrissement, par une certaine diplomatie de la pénibilité. L'idée est de rendre aussi «coûteux» que possible l'accès à la nourriture. Par exemple, il est probable que Nathalie y regardera à deux fois avant de succomber à une subite envie de hamburger si elle habite au cinquième étage sans ascenseur et doit aller chercher sa petite gâterie en plein hiver, par moins 5 degrés, au *fast-food* du coin. Si la demoiselle n'a pas mangé depuis 24 heures, que ses placards sont désespérément vides et que les magasins alentours sont fermés en raison de l'heure tardive, les chances qu'elle fasse l'effort de descendre sont grandes. Ce ne sera évidemment plus le cas si d'autres aliments sont présents dans la maison (même si ces derniers font a priori moins «envie» à Nathalie) ou si le désir de manger un hamburger n'est pas motivé par une réelle sensation de faim mais par une impulsion disons «gourmande» (les chercheurs diraient «hédonique»[1100]).

Ce genre de situations, notre système nerveux en rencontre constamment[1056]. Pour chaque désir ressenti, il confronte alors la valeur du bénéfice attendu au coût de l'effort nécessaire. De ce processus généralement inconscient naît, ultimement, la décision d'agir… ou pas. Les premières études sur le sujet furent réalisées dans les années 1970 par le psychologue américain Stanley Schachter.[1101, 1102] Dans un travail fondateur, notre homme invita des individus obèses à remplir un questionnaire en leur proposant, s'ils le désiraient, de grignoter des amandes placées dans un sachet devant eux. Lorsque les amandes étaient décortiquées, 95 % des participants se servaient. Lorsque la coque devait être enlevée à l'aide d'un casse-noix le pourcentage tombait à 5 %.

Depuis 30 ans, un grand nombre de travaux ont reproduit ce genre d'observations. Par exemple, le simple fait de présenter des chocolats dans du papier, plutôt que nus, diminue la consommation d'un facteur deux[1103] à quatre[1104]. Un impact comparable à celui observé quand des confiseries[1105] ou un broc d'eau[1106] sont placés à quelques mètres plutôt qu'à portée de main, ou lorsque l'on rajoute une porte au congélateur à glace de la cafétaria[1107].

De manière intéressante, ces données se généralisent élégamment dans la notion de «préséance». L'idée veut alors que l'organisme ait tendance, lorsqu'il a faim, à ne pas prendre de risques superflus et à sélectionner les premiers aliments qui lui tombent sous la main. D'un strict point de vue évolutif, cette stratégie du «*mieux vaut tenir que courir*» semble plutôt compréhensible et avisée. Sa validité a récemment été confirmée expérimentalement dans une étude pour le moins astucieuse[1108]. Lors d'une conférence, les participants se voyaient orientés aléatoirement vers un buffet parmi deux. Les mêmes aliments étaient alors proposés selon deux agencements différents. Dans un cas, que nous appellerons «propice», les produits les plus sains apparaissaient en premier (fruits, yaourts maigres, muesli) suivis de leurs acolytes plus obésigènes (bacon, œufs brouillés au fromage, pommes de terre sautées, etc.). Dans l'autre cas, que nous appellerons «hostile», l'ordre était inversé. L'effet se révéla prodigieux. Dans les deux conditions, les premiers aliments rencontrés furent les plus massivement choisis. Les sujets de la condition «hostile» furent ainsi, par exemple, 2,6 fois plus nombreux à prendre des pommes de terre sautées (45 % *vs* 17 %), 2,6 fois plus nombreux à prendre des œufs brouillés au fromage (75 % *vs* 29 %), 11 fois plus nombreux à prendre du bacon (54 % *vs* 5 %), 1,6 fois moins nombreux à prendre des fruits (54 % *vs* 87 %) et 2,3 fois moins nombreux à prendre un yaourt maigre (20 % *vs* 46 %). Ces différences sont considérables.

Que conclure de toutes ces données relatives aux concepts d'effort et de préséance? Trois choses essentiellement pour qui voudrait maigrir (ou éviter de grossir). Premièrement, il est primordial de maximiser l'effort à fournir pour amener la nourriture depuis son lieu de stockage jusqu'à l'assiette. Deuxièmement, il est souhaitable d'associer aux aliments les plus denses et les plus caloriques le niveau d'effort le plus lourd. Troisièmement, il est malin d'organiser l'espace domestique de façon à ce que l'organisme en recherche de nourriture rencontre d'abord les produits les plus favorables. Concrètement ces grands principes permettent de formuler un ensemble de stratégies organisationnelles simples.

1. Quand vous mangez, ne mettez jamais les plats sur la table ; laissez-les le plus possible à l'écart sur la cuisinière ou le plan de travail, de façon à obliger celui qui voudrait se resservir à se déplacer. Mieux encore, si c'est possible, mangez dans le salon et laissez les plats dans la cuisine, ce qui vous obligera à un faire un effort pour vous resservir, prendre un supplément de pain ou attraper un dessert.

2. Rangez les aliments faciles à grignoter (biscuits, chocolats, chips, etc.) dans des boîtes et placez ces dernières au fond des placards les moins facilement atteignables.

3. Plus globalement, organisez vos espaces de stockage (placards, réfrigérateur, congélateur, etc.) de façon à simplifier l'accessibilité des aliments peu denses (fruits, légumes, féculents, etc.) au détriment des produits fortement caloriques (fromage, beurre, viande rouge, plats cuisinés, etc.).

4. Veillez à stocker le moins possible d'aliments denses, à haute teneur énergétique. Si vous avez envie, par exemple, de manger un fromage gras, il n'y a pas de souci tant que cela rentre dans votre compte calorique, mais essayez d'acheter ce fromage au coup par coup, en quantité restreinte. Évitez d'avoir en permanence un plateau de fromage visible et aisément accessible dans votre réfrigérateur.

5. Plus que tout, bannissez férocement de chez vous toutes les cochonneries inutiles dégoulinantes de mauvaises graisses,

sucres et sel, qui démolissent votre organisme et galvanisent votre pèse-personne : plats industriels, céréales de petits-déjeuners, pâte chocolatée, biscuits, chips, sodas, etc. Ces produits n'ont rien à faire dans vos placards. En les éjectant vous augmenterez substantiellement votre espérance de vie* sans compromettre, c'est le moins que l'on puisse dire, la richesse de votre univers culinaire!

Au fond, si l'on devait résumer ce paragraphe en quelques mots, on pourrait dire que le plus simple pour éviter les ennuis reste encore, au moment des courses, de ne pas acheter toutes ces saloperies obésigènes qui sont aussi bénéfiques au porte-monnaie des industriels qu'elles sont néfastes à la santé du consommateur[699]; car le fait est aussi certain qu'incontournable : si ces trucs atterrissent dans vos placards, vous finirez par les manger. Comme précédemment indiqué, en ce domaine (mais le conseil vaut vraiment qu'on s'y attarde), rien de mieux qu'une liste préétablie pour accomplir vos courses.

Changer de vaisselle

Depuis un siècle, la taille de notre vaisselle a évolué conformément au mouvement, précédemment évoqué, d'augmentation des portions alimentaires**. En un peu plus de 100 ans le diamètre moyen des assiettes plates est ainsi passé de 24 à 30 centimètres, soit un accroissement de 25 %[1109]. Or, plus le contenant est grand et plus les gens mangent. Nombre d'études le démontrent aujourd'hui clairement.[160, 1012] Dans l'une d'entre elles, des spectateurs naïfs se sont vus offrir, avant une séance de cinéma, des pop-corn dans un récipient de taille moyenne

---

* Cf. *Les régimes restrictifs sont dangereux pour la santé*, p. 79, et *L'assiette idéale*, p. 243.
** Cf. *Manger moins en trompant son cerveau*, p. 259.

(120 g) ou grande (240 g). Deux résultats furent observés. D'une part, la plupart des gens ne finissaient pas leur paquet ; d'autre part, les membres du groupe «grande taille» ingurgitaient presque 50 % de produit en plus (86 g contre 59 g)[1048]. Si vous remplacez les boîtes de pop-corn par de petits (114 bonbons), moyens (228 bonbons) ou grands (342 bonbons) paquets de M&M's, rien ne change. La consommation se révèle minimale pour le petit paquet (63 bonbons), intermédiaire pour le moyen (103 bonbons) et maximale pour le grand (122 bonbons)[1110]. Un effet globalement similaire est observé lorsque des individus naïfs se voient offrir la même quantité de soupe dans un bol de grande ou de petite taille[1109]. Même tendance encore quand des nutritionnistes et étudiants en nutrition (!) reçoivent des bols et des cuillères de tailles différentes après avoir été invités à se servir de la crème glacée[1111]. Les grands bols induisent une surconsommation de 31 % (127 Calories) et les grandes cuillères de 14 % (60 Calories).

Sans surprise, ce type de biais n'est aucunement limité à l'adulte. Il affecte également massivement les enfants[1112]. Plus étonnant sans doute, il s'observe aussi lorsque les récipients remis aux gens sont les mêmes, mais que la nourriture est présentée dans des contenants de volumes variables. Par exemple, des étudiants furent invités à se servir des amuse-gueules dans des bols standards, à partir de saladiers de tailles moyennes ou grandes[1113]. Les résultats montrèrent une surconsommation de 50 % dans ce second cas, soit un excès de 146 Calories. Ces données expliquent pourquoi les promotions commerciales (genre deux pour le prix d'un) et autres paquets familiaux ne constituent pas toujours, contrairement aux apparences, de très bonnes affaires. Lorsqu'un produit est présent en plus grande quantité dans nos placards ou lorsqu'il est conditionné dans un format plus généreux, notre consommation augmente significativement.[1039, 1049, 1110, 1114] Curieusement, cet effet n'est pas limité au domaine alimentaire, il semble vraiment inscrit au cœur de notre système perceptif et s'exprime aussi, par exemple, avec des paquets de lessive : plus la taille est grande, plus on en met[1110]. À l'arrivée, si vous avez payé 15 % de moins un détergent conditionné en grand format, mais que vous en avez inutilement utilisé 20 % de plus, il n'est pas certain que vous ayez réalisé la meilleure affaire de l'année. Les industriels connaissent parfaitement ce genre de biais, qu'ils ne se privent pas d'utiliser au mieux de leurs intérêts économiques.

Trois grands facteurs explicatifs principaux peuvent être avancés pour rendre compte de ces résultats. Premièrement, comme cela a déjà été signalé dans le chapitre précédent, les grands contenants biaisent dans le sens d'une surestimation notre appréhension de ce que doit être une «portion normale». Deuxièmement, plus les couverts sont de petite taille, plus les bouchées sont modestes, et plus les gens ont tendance à manger lentement[1071] ce qui, nous l'avons vu là aussi, est un facteur de réduction de la prise alimentaire. Enfin, troisièmement, une illusion perceptive bien connue, appelée «illusion de Delboeuf»*, fait qu'une même portion de nourriture apparaît plus petite si elle est placée dans un grand plutôt que dans un petit contenant[1109] (figure 16A). Ce type d'illusion s'observe d'ailleurs aussi quand sont comparés des récipients identiques de formes différentes (*figure 16B*). Par exemple, des adultes et des adolescents à qui l'on propose du jus de fruit se servent et consomment respectivement 20 % et 75 % de liquide en plus si le verre est large et bas plutôt que haut et fin[1115]. Un effet similaire est observé pour des bouteilles d'eau. Après un exercice physique, les sujets boivent 35 % de plus, sans en

---

* Du nom d'un scientifique belge, Joseph Delboeuf (1831-1896).

16. Illusion de Delboeuf. A. Plus le plat est petit, plus (chez la plupart des gens) l'œuf paraît gros (le même œuf est ici reporté dans les 3 assiettes). B. Plus le verre est large et moins il semble contenir de liquide (il y a exactement la même quantité de liquide dans chaque verre).

avoir conscience, quand les bouteilles sont larges plutôt qu'allongées[1116]. De manière intéressante, cet effet marche aussi à rebours au sens où, poussé sans doute par l'habitude et des normes biaisées, les sujets ayant l'IMC le plus élevé sont aussi ceux qui choisissent les assiettes les plus larges lorsque différentes tailles sont disponibles[1063].

Bref, de tout cela il faut retenir que si vous voulez effacer facilement plusieurs dizaines de Calories de votre bilan quotidien, une solution simple consiste à réduire la taille de vos couverts et de votre vaisselle tout en évitant l'achat de produits commercialisés au format familial. Encore une fois cette diminution de consommation se fait sans aucune augmentation de la sensation de faim.

Faire une chose à la fois

Manger n'est pas, en soi, une activité foncièrement excitante. Cela explique sans doute pourquoi nous accompagnons souvent nos repas d'activités diverses et variées : écouter la radio, regarder la télévision, lire le journal, travailler, etc. Selon une étude récente de grande ampleur, les gens, lorsqu'ils sont seuls, combinent la prise de nourriture avec une autre activité dans plus de 80 % des cas[1117]! Quand le repas est partagé entre plusieurs convives, ce pourcentage baisse un peu, mais sans passer pour autant sous la barre des 50 %. Or, deux résultats sont aujourd'hui clairement établis : au plan épidémiologique, plus une personne partage son repas avec d'autres activités distractives, et plus elle a de chances d'être en surpoids ou obèse[1118] ; au plan expérimental, le fait de manger en faisant autre chose retarde l'émergence du sentiment de satiété et augmente significativement l'ampleur de la prise calorique.[1119-1130]

Ces effets de surconsommation ont été documentés pour un grand nombre d'activités secondaires dont écouter la radio, écouter de la musique, jouer à un jeu vidéo, manger en situation sociale avec d'autres convives, et regarder la télévision. Pour cette dernière occupation, par exemple, si un individu décide de manger sa pizza ou ses pâtes au fromage devant le petit écran plutôt que tranquillement assis dans une cuisine, la consommation croît de 36 % (pizza) et 77 % (pâtes au fromage), ce qui représente une punition énergétique globalement constante de 260 Calories[1131]. L'effet est alors d'autant plus important que le programme est tonique et excitant[1132]. Dans le même ordre d'idée, si quelqu'un choisit d'inviter deux, quatre, six ou huit amis, plutôt que de dîner seul, il mangera respectivement 47 %, 69 %, 72 % et 96 % de plus.[1133, 1134] Au quotidien, manger devant la télévision est l'habitude comportementale qui présente la corrélation positive la plus massive avec l'indice de masse corporel[1135]. Manger tranquillement dans la cuisine ou la salle à manger est celle qui présente la plus forte corrélation négative.

Ces données s'avèrent d'autant plus accablantes que l'effet d'inattention ne s'arrête pas au repas courant. Il résonne à long terme et conduit typiquement ses victimes à remanger plus vite et en plus grande quantité qu'elles ne l'auraient fait si elles avaient pris leur repas précédent dans une ambiance moins distractive.[1136, 1137] Dans un travail représentatif, des adultes naïfs se virent servir un repas identique strictement calibré sous deux conditions : manger seul sans occupation secondaire ; ou manger seul en jouant à un jeu vidéo[1138]. Dans ce dernier cas, les participants se déclarèrent moins rassasiés en sortant de table ; et lorsque des biscuits leur furent proposés 30 minutes après la fin du repas, ils en mangèrent presque deux fois plus. Récemment, une méta-analyse portant sur plusieurs dizaines d'études a démontré la robustesse et la généralité de ces résultats[1139]. Quel que soit le biais distractif (télévision, radio, livre, jeu vidéo, etc.) et les caractéristiques des participants (poids, âge, au régime ou non, etc.), une surconsommation alimentaire est observée lorsque l'individu se nourrit en poursuivant une activité secondaire. Cette surconsommation porte à la fois sur le repas courant et les prises ultérieures.

Le processus engagé relève alors de différents facteurs que l'on peut classer en trois groupes principaux. 1. Des facteurs physiologiques renvoyant à une mauvaise prise en compte des marqueurs internes de satiété lorsque l'attention de l'individu est portée vers des signaux non-alimentaires[1014]. 2. Des facteurs cognitifs associés à une altération des mécanismes de mémorisation lorsque le sujet mange en condition distractive (comme nous l'avons vu, une meilleure mémorisation du repas courant diminue l'ampleur des prises alimentaires subséquentes[17, 1098]). 3. Des facteurs sociaux liés au fait que nous mangeons davantage lorsque nous sommes en groupe[1134], exception faite, bien sûr, de certains contextes particuliers qui nous poussent à manger moins pour faire «bonne impression» comme cela peut arriver, par exemple, dans le cadre d'une première rencontre amoureuse.[1140, 1141]

Bien qu'il ne soit pas encore complètement compris, ce dernier effet de facilitation sociale semble avoir au moins trois causes majeures. D'abord, un plus grand degré d'excitation pousse les gens à manger plus vite (or, nous l'avons vu, on mange plus quand on mange vite).[1128, 1142] Ensuite, un processus de désinhibition comportementale pousse les gens à manger avec moins de retenue[1143]. Enfin, un allongement global de la durée du repas pousse les gens à manger plus longtemps et donc davantage.[1143-1145] De manière schématique, ce dernier point suggère que les convives les plus lents dictent le rythme du repas et, ce faisant, poussent la majorité des participants à se resservir et à manger davantage.

Un phénomène de ce genre pourrait aussi rendre compte, en partie, de l'influence négative sur la prise alimentaire de toute une palette d'activités temporellement contraintes. Dans ce cas, la consommation augmente parce que le mangeur cale la durée de son repas sur celle de l'activité secondaire qu'il est en train de poursuivre. Par exemple, en France, deux foyers sur trois dînent devant la télévision[1146]. La durée moyenne du repas correspond alors exactement à la durée du journal télévisé, soit 35 minutes : les gens continuent à manger tant que le programme n'est pas terminé. À titre personnel, j'ai moi-même largement expérimenté ce type de processus. En effet, lorsque le temps ne m'était pas compté (par exemple le week-end), j'ai longtemps pris mon petit-déjeuner en consultant le journal. Je mangeais alors tant que je n'avais pas terminé ma lecture, ce qui me conduisait souvent à des niveaux de surconsommation assez effarants. Sur deux semaines, par exemple, au tout début de mon régime, alors que j'en étais à évaluer mes prises et habitudes alimentaires, j'ai pris mon petit-déjeuner neuf fois sans journal et cinq fois avec, pour des apports énergétiques moyens respectifs de 375 et 1 015 Calories. Cela signifie qu'en virant simplement le journal de ma table matinale, j'ai économisé 1 300 Calories par semaine. Quantitativement, cela représente un peu plus de 10 kg de bon gras viré de la balance !

Partant de ces données, il est possible de formuler quatre grands principes protecteurs pour qui veut maigrir ou ne pas grossir.

1. Pendant le repas, proscrivez absolument toutes les activités annexes telles que regarder la télé, travailler sur votre ordinateur, lire le journal, répondre au téléphone, jouer à un jeu vidéo, etc.

2. Lorsque vous mangez avec des collègues, des amis, ou vos proches, calez votre rythme sur la tortue du groupe. Commencez le premier et finissez le dernier sans, évidemment, vous resservir en route.

3. Avant de manger ou grignoter, prenez quelques secondes pour interroger vos souvenirs et vous remémorer ce que vous avez avalé lors des prises alimentaires précédentes (repas, grignotage, etc.). Ce comportement modère significativement les ardeurs de notre fourchette en activant des représentations de satiété.

4. Quand, au cours de la journée, vous être pris d'un désir de grignoter, ne le faites pas à la va-vite en avalant, sans cesser votre activité courante, « un mars et ça repart » ou des cookies qui traînent par là. Posez-vous dans la cuisine ou à l'écart de votre bureau et stoppez ce que vous étiez en train de faire. Si votre envie est essentiellement de nature hédonique, il y a toutes les chances pour que cette contrainte vous fasse renoncer. Si votre envie est physiologiquement fondée, le fait d'aller vous poser à table vous conduira à manger moins quoi qu'il arrive.

Restreindre l'omniprésente télévision

Parmi tous les éléments de notre environnement domestique, le petit écran est très certainement, et de loin, le plus solidement obésigène. Comme toute bonne canaille, ce faux ami avance masqué et s'arrange pour agir à l'insu de ses nombreuses victimes. Son mode opératoire est lent, mais déterminé. Aux États-Unis, l'adulte moyen offre chaque semaine 35 heures de vie à notre tartuffe médiatique[1147]. En France, on est autour de 28 heures[1148]. Cela signifie, si l'on considère qu'un individu normal dort à peu près 7 heures par nuit, qu'au terme de sa vie, vers 80 ans, un Américain standard aura dilapidé 24 ans d'existence éveillée devant la télé; son congénère français aura été plus parcimonieux avec «seulement» 19 années concédées!

Pour astronomiques qu'elles soient, ces valeurs varient largement en fonction du statut pondéral des individus. Moins ceux-ci consacrent de temps à notre faiseur de kilos audiovisuel et moins ils ont de chances d'être obèses ou en surpoids.[201, 1123, 1149-1155]

Un excellent exemple de cette réalité nous est fourni par les individus qui ont fortement et durablement maigri. En moyenne, ces gens présentent, après régime, une consommation audiovisuelle «effondrée», inférieure à 10 heures hebdomadaire[1156]. Cette observation fait écho aux données d'un travail récent ayant suivi 2 500 sujets de 14 à 21 ans[1157]. Conclusion: «*Les individus qui avaient réduit leur consommation de télévision durant la période de transition de l'adolescence à l'âge adulte avaient moins de risques de devenir obèses et les sujets qui avaient maintenu ou augmenté leur consommation de télévision avaient plus de risques de devenir obèses.*» Ce schéma est compatible avec les enseignements d'une autre étude épidémiologique menée sur 2 000 individus de plus de 15 ans et dont il ressort que chaque heure de télévision augmente de 30 % le risque d'obésité après prise en compte, comme c'est la norme, d'une large liste de covariables potentielles (sexe, âge, niveau d'éducation, statut marital, tabagisme, activité physique de loisir, dépense physique au travail, temps de sommeil, etc.)[607]. Ce point est important. Il veut dire en effet, notamment, que nos chances d'être obèses augmentent significativement en réponse à l'usage télévisuel, indépendamment du niveau d'activité physique. En d'autres termes, faire de l'exercice ne préserve pas efficacement de l'effet délétère de la télévision sur le poids (figure 17)[1158].

Pour surprenante qu'elle puisse paraître de prime abord, cette conclusion est loin d'être inattendue si l'on veut bien considérer que le petit écran exerce son action négative à travers des leviers qui, pour une part, se révèlent totalement indépendants des questions de sédentarité[201]. Parmi ces leviers, les plus fondamentaux ont déjà été évoqués en détail et nous n'y reviendrons donc pas ici. Ils concernent, pour mémoire : l'orientation précoce des goûts alimentaires, *via* la publicité, vers des produits gras et sucrés ; la stimulation du grignotage *via* des mécanismes de priming que les nombreux stimuli alimentaires implantés dans les programmes se font un plaisir de solliciter ; et l'altération des processus de satiété lorsque nous mangeons en mode zombie face à l'écran.

S'offrir du temps

Le fait que les influences négatives de la télévision sur le poids opèrent, pour une part, indépendamment des questions de sédentarité, ne signifie pas, évidemment, que ces dernières

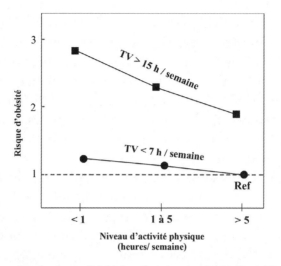

17. Augmentation du risque d'obésité en fonction du niveau d'activité physique. Le risque d'obésité (axe vertical) est apprécié en fonction du niveau d'activité physique (axe horizontal) pour deux niveaux de consommation audiovisuelle (forte : supérieure à 15 heures par semaine, carrés noirs, courbe haute ; faible : inférieure à 7 heures par semaine, ronds noirs, courbe basse). «Ref» définit le sujet de référence (risque = 1) ayant une consommation audiovisuelle faible et un niveau d'activité physique important. Toute diminution du niveau d'activité physique ou augmentation du temps audiovisuel aboutit à majorer très significativement le risque d'obésité. Ainsi, un individu qui fait peu d'exercice et regarde beaucoup la télé (carré le plus haut) a presque trois fois plus de chances d'être obèse que notre sujet de référence. Pour un individu qui regarde beaucoup la télé en ayant une activité importante (carré le plus bas), la probabilité est quasiment doublée. D'après[1158].

sont à négliger. Comme cela a été souligné précédemment, l'exercice est un facteur essentiel non seulement de perte de poids mais aussi de bien-être et de maintien à long terme de l'amaigrissement*. Les membres du *National Weight Control Registry* qui ont perdu plusieurs dizaines de kilos sans reprise subséquente en constituent une parfaite illustration. En

---

* Cf. *Se dépenser davantage,* p. 153.

moyenne, ces individus s'imposent chaque jour l'équivalent de 60 à 75 minutes d'exercice modéré (marche soutenue, par exemple), soit 35 à 45 minutes d'exercice plus intensif (jogging, par exemple)[1159]. Dans une majorité de cas, plusieurs activités sont combinées : 80 % de ces gens marchent, 20 % font du vélo, 16 % de l'aérobique, 14 % courent ou utilisent des appareils de cardio (steppers, tapis de course, etc.), 30 % font de la musculation, 10 % font de la gymnastique (Pilates – gym douce –, yoga, exercices au sol, etc.) et 5 % nagent. Dans le domaine de la marche, ces personnes présentent un niveau de pratique à la fois équivalent à celui des sujets de poids sain n'ayant jamais été en surpoids et deux fois supérieur à celui de sujets en surpoids.[36, 1160] Ce dernier résultat est compatible avec les données de nombreuses autres études montrant que le niveau d'activité physique est significativement moins important chez les sujets obèses et en surpoids que dans la population de poids sain.[1161-1165] Pour une large part, cette différence semble liée à la une forte décroissance du niveau d'activité physique organisé (course, marche, jogging, etc.) lorsque l'indice de masse corporel augmente[1166].

Bien sûr, dégager de 45 minutes à une heure quinze quotidiennement pour faire de l'exercice peut être compliqué. Toutefois, l'extrême diversité des activités potentiellement appropriées suggère, qu'en cherchant bien, chacun peut trouver dans sa vie de quoi prendre soin de sa santé. Pour l'écrasante majorité de la population, la seule télévision offre un incroyable gisement d'heures dans lequel il s'avère possible de piocher généreusement. Un individu qui abaisserait sa consommation hebdomadaire de 30 heures (à peu près la moyenne d'usage nous l'avons vu[1147, 1148]) à 10 heures s'offrirait quasiment trois heures de liberté par jour. C'est considérable. Mais bien sûr, ce n'est qu'un exemple et pour la minorité d'individu qui n'a pas la télévision ou la regarde très peu* il est sans doute possible, en cherchant bien, de dégager du temps ailleurs. Ce temps pourra alors aider efficacement l'organisme à réguler son poids (et préserver sa santé !) en lui permettant de s'offrir un peu d'exercice. Je me suis déjà permis, à ce sujet, de parler de mon cas personnel. Avant, pour aller travailler, je passais 70 minutes par jour dans les transports en commun. Désormais j'utilise mes pieds. Pour 20 minutes de plus, je parviens à caser quotidiennement une heure trente d'activité physique.

L'exercice physique n'est cependant pas le seul ennemi de l'obésité. Sur la route de cette dernière s'élève également le sommeil, activité elle aussi largement mise à mal par nos modes de vie modernes et le surplus d'écrans.[201, 1167-1169] Depuis plus de dix ans, les résultats épidémiologiques et expérimentaux s'accumulent pour pointer l'effet très négatif du manque de sommeil sur le fonctionnement du système immunitaire[1170] et l'émergence d'un grand nombre de pathologies chroniques dont le diabète de type 2, l'hypertension, la dépression, le cancer du sein et l'obésité.[522, 1169, 1171-1178] Concernant cette dernière condition, une large étude a récemment permis de montrer, par exemple, que le risque d'être obèse ou en surpoids était presque quadruplé chez les sujets qui dormaient moins de six heures par nuit, par rapport à une population de référence présentant un temps de sommeil compris entre 7 et 8 heures[541].

En accord avec ces données, nombre de travaux démontrent qu'un sommeil insuffisant, ou décalé par rapport à l'horloge

---

* En tant que spectateurs, la plupart d'entre nous possèdent cependant une terrifiante capacité à minimiser notre consommation effective et à nous voir comme des usagers bien plus raisonnables que nous ne le sommes vraiment[201]. De ce point de vue, il peut être intéressant de mesurer pendant une semaine ou deux le temps que nous passons effectivement devant cette chère petite lucarne.

biologique (travail de nuit, couchers tardifs, etc.), induit une large matrice de désordres physiologiques obésigènes. Ceux-ci impliquent notamment une diminution du métabolisme de repos (le corps économise son énergie), un accroissement de l'appétit (via les voies hormonales) et une augmentation de la réactivité cérébrale aux stimuli alimentaires.[1179-1189] Par exemple, en situation de sommeil insuffisant, notre cerveau devient particulièrement sensible à la présence d'aliments «hédoniques», fortement caloriques[1190]. Tout cela explique en partie pourquoi nous mangeons davantage lorsque nous ne dormons pas assez. Dans une étude récente, des hommes adultes de poids normal ont ingurgité 22 % de Calories en plus sur une journée (soit 559 Cal) lorsqu'ils avaient lors de la nuit précédente dormi quatre heures, au lieu de huit[1191]. Pour ne rien arranger, ce type d'effet est indirectement amplifié par une tendance à moins bouger en condition de sommeil insuffisant[1192], à cause sans doute d'un plus grand niveau de fatigue physique et mentale[1193]. Enfin, plus prosaïquement, il s'avère aussi que l'augmentation du temps d'éveil augmente les risques de grignotages, notamment le soir[1194]. C'est particulièrement vrai pour ceux qui regardent la télé et se trouvent alors soumis à toutes sortes de stimuli incitatifs opérant sur la base de mécanismes d'amorçage précédemment décrits[201].

Bref, pour maigrir, vous avez tout intérêt à faire trois choses. Premièrement, diminuer le temps que vous offrez à la télévision et autres activités numériques du même genre. Deuxièmement, augmenter le temps que vous consacrez à marcher ou faire de l'exercice. Troisièmement, vous assurer d'un sommeil suffisant. D'un strict point de vue épidémiologique, ces éléments sont indépendants les uns des autres: la télé, par exemple, s'avère délétère même chez les personnes qui dorment suffisamment et font beaucoup d'exercice. En pratique, cependant, ils sont souvent liés : l'incroyable stock d'heures offert chaque jour à Facebook ou la télé empêche généralement de garder suffisamment de temps pour dormir et faire de d'exercice.

Patience et obstination

Résumons-nous : dans le domaine alimentaire nous agissons le plus souvent de manière parfaitement machinale et conditionnée, sans que le «Moi» conscient n'ait la moindre connaissance des déterminants qui le poussent à agir. Comme nous vivons dans un environnement d'extrême abondance, où tout est fait pour nous conduire à manger bien plus que nécessaire, ces réponses automatiques, patiemment construites par des centaines de milliers d'années d'évolution afin de nous faciliter la vie, finissent par se retourner contre nous.[160, 161, 1011, 1013]

Encore une fois, comment pourrions-nous savoir, alors que nous attendons notre pizza au restaurant, que nous buvons deux fois plus parce que les gens qui patientent silencieusement à l'entrée, et dont nous n'avons même pas noté la présence, sont souriants plutôt que renfrognés[1195] ? Comment pourrions-nous deviner que nous venons de manger 25 % de chocolat en moins parce que nous avons croisé juste avant de goûter, sans nous en rendre compte, l'image d'un corps outrageusement filiforme[885] ? Comment pourrions-nous soupçonner que si nous craquons pour la pizza «quatre fromages» bien grasse enterrée au fond du congélateur, c'est parce que nous avons mal dormi la nuit précédente[1190] ?

Pour espérer s'en sortir, il est impératif de se soustraire à ces automatismes. Ce n'est pas simple. La seule solution fiable consiste à modifier notre environnement proche (utiliser des assiettes plus petites, mettre les aliments hors de vue, etc.) et à favoriser les comportements vertueux au détriment des pratiques dommageables (ne pas manger devant la télé, dormir suffisamment, etc.). Pour maigrir durablement on ne peut se contenter de quelques rustines temporaires. C'est l'ensemble notre mode de vie qu'il convient d'adapter. L'affaire est heureusement plus simple qu'il n'y paraît de prime abord. Pour parvenir au but, il suffit d'un soupçon de patience, d'une bonne dose d'obstination et de quelques connaissances de bases sur le mécanisme de formation des habitudes. La partie suivante aborde directement cette dernière problématique.

PARTIE IV

Trois mois
pour une vie

« Souvenez-vous que, dans la vie, sans un peu de travail
on n'a point de plaisir. »
Jean-Pierre Claris de Florian, poète[1196]

De l'ensemble des éléments présentés au sein de cet ouvrage, on peut conclure que la meilleure (pour ne pas dire la seule) façon de perdre du poids de manière durable consiste à capitaliser sur l'aveuglement de l'organisme aux déficits énergétiques de faible ampleur. Cette approche possède, par rapport aux méthodes restrictives brutales et déséquilibrées, un atout primordial : elle est soutenable sur la durée. Contrairement au lièvre pressé qui comme le vent court à l'échec, la tortue patiente avance inexorablement vers son but. Ce brave reptile progresse certes moins vite que sa doublure aux grandes oreilles, mais il chemine sans épuiser ni son organisme, ni sa volonté. À terme, cela fait toute la différence. En effet, comme nous l'avons dans la deuxième partie, maigrir n'est pas le plus difficile.

« En ce qui me concerne, je ne parle jamais de régime mais de mode alimentaire […] Il n'existe aucun régime miracle. Il n'existe aucune pilule miracle. Les "brûleurs de graisse" n'existent pas. »

Gilles Lartigot[1197]

Ce qui est vraiment compliqué c'est de ne pas reprendre nos amas graisseux aussi vite qu'ils furent abandonnés. En ce domaine les régimes restrictifs ont fait depuis 50 ans la preuve de leur stupéfiante inefficacité.

D'ailleurs, pour ceux qui placeraient quelque espoir dans les « nouvelles méthodes », forcément miraculeuses, qui ne manqueront pas de fleurir à la prochaine rentrée, on peut rappeler que toutes ces révolutions annuelles ne sont jamais, en fin de compte, que des resucées fraîchement rhabillées de pratiques déjà connues et depuis longtemps disqualifiées. Il est tellement facile de capitaliser à bon marché sur la souffrance des gens en leur faisant miroiter sans vergogne je ne sais quel espoir de solution miracle. Ces solutions, les cimetières de la biologie en sont malheureusement pleins. Depuis plus de 50 ans, toutes sortes d'approches de bazar censément prodigieuses ont été testées expérimentalement chez l'humain et l'animal. Croyez-vous vraiment que si l'une d'entre elles fonctionnait effectivement ce serait passé inaperçu? Croyez-vous vraiment, par exemple, que les dizaines d'études parfaitement contrôlées, menées par les meilleurs groupes de recherche de la planète, auraient toutes livré, comme elles l'ont fait, des résultats négatifs si la répartition en macronutriments (protéines, glucides, lipides) avait un réel pouvoir amaigrissant au-delà du compte calorique global? À un moment donné, il faut être sérieux et dire aux gens la vérité. Ce business des régimes saisonniers serait incontestablement un amusant sujet d'étude marketing si la plaisanterie n'était pas aussi lourde de conséquences psychiques et sanitaires pour ceux qui en sont les victimes.

Il est clair que l'attrait des méthodes commerciales vient en grande partie de leur incroyable simplicité. Pas besoin de réfléchir beaucoup pour s'assujettir à leurs tristes consignes : gavez-vous de viande, bourrez-vous de protéines, ne consommez que des fruits et des légumes, mangez les graisses le matin et les féculents à midi, jeûnez deux jours par semaine, etc. Fabuleusement simple et séduisant en apparence ; furieusement dangereux et inefficace en réalité.

« Il peut être utile de dire aux gens qu'ils peuvent s'attendre à ce que la formation d'une habitude (sur la base d'une répétition quotidienne) prenne à peu près 10 semaines. »

Benjamin Gardner *et al.,* chercheurs en psychologie de la santé, University College, Londres[1198]

Pour maigrir sainement et durablement, il faut changer ! Qu'on le déplore ou s'en félicite, il n'y a simplement pas d'alternative à cette nécessité, et ce pour deux raisons. Premièrement, dites-vous bien que c'est votre mode de vie qui est la cause directe de votre état pondéral ; dès lors si ce mode de vie perdure, il n'y a aucune raison pour que le poids s'abaisse. Deuxièmement, il est évident que si vous vous contentez d'une modification transitoire, le temps d'un régime, vous n'obtiendrez qu'une perte pondérale éphémère.

Trouver un nouvel équilibre

À ce sujet, s'il n'y a qu'une chose à retenir du présent ouvrage c'est bien que l'amaigrissement n'est pas un processus actif mais une condition induite. En effet, il se produit « tout seul », d'une façon purement mécanique, lorsque l'état énergétique corporel change. C'est un peu comme si vous aviez un poids accroché à un élastique vertical. Dans cette situation, un équilibre se

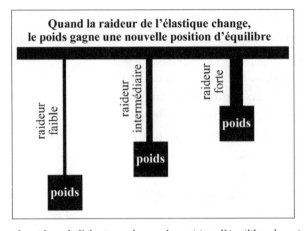

18. Lorsque la raideur de l'élastique change, la position d'équilibre du poids change aussi. De même, lorsque la balance calorique (que l'on peut assimiler à notre élastique) évolue, le poids se stabilise à un niveau différent. On voit bien alors qu'un régime ne peut être transitoire. Dès que vous allez revenir à votre balance énergétique d'avant régime, votre poids va repartir à la hausse pour regagner le point d'équilibre correspondant à ce niveau énergétique.

crée et le poids ne bouge pas. Toutefois, si vous modifiez la raideur de l'élastique (de sorte pourrait-on dire qu'il « tire » plus ou moins fort), le point d'équilibre change et le poids gagne une nouvelle position (figure 18). Il se passe globalement la même chose quand un sujet modifie son bilan énergétique : le poids change progressivement de position jusqu'à atteindre un nouvel équilibre. Par exemple, dans mon cas, avant de maigrir, compte tenu de mon mode de vie relativement sédentaire, une prise énergétique quotidienne d'à peu près 3 200 Calories correspondait à un poids stable de 129 kilos. Aujourd'hui, je fais un peu plus d'exercice et avec une prise énergétique calée autour de 2 700 Calories par jour, j'ai stabilisé mon poids à 74 kilos. Si demain je remonte mon niveau de prise alimentaire et/ou renonce à une partie de ma dépense physique, mon poids repartira automatiquement à la hausse pour atteindre un nouvel équilibre.

Cheminer dans un monde d'habitudes

Dans le domaine sanitaire, il est largement admis que tout changement comportemental passe, en priorité, par le champ des décisions conscientes et volontaires.[1199-1201] En termes simples, cela signifie qu'il existe théoriquement une filiation directe entre le fait de vouloir quelque chose et l'accomplissement de cette chose. Ainsi, par exemple, il suffirait en principe que je décide d'emprunter l'escalier plutôt que l'ascenseur pour que cela advienne. Malheureusement, dans la réalité, les choses ne sont pas aussi simples. Je ne saurais dire combien de fois je me suis retrouvé, le soir, en rentrant chez moi, à l'intérieur de l'ascenseur plutôt que dans l'escalier, sans l'avoir voulu, en «mode automatique». Le script comportemental alors mis en jeu relevait d'un mécanisme associatif on ne peut plus trivial. Pendant des années, jour après jour, j'avais suivi la même routine : relever mon courrier, y jeter un coup d'œil en appuyant sur le bouton d'appel de l'ascenseur, monter dans la cabine et ressortir au cinquième étage. Ce script, j'ai eu un mal fou à le «casser». Souvent, les premiers temps, ce n'est qu'une fois arrivé devant ma porte que je me rappelais avec agacement que j'avais décidé, désormais, de prendre l'escalier.

L'erreur serait de ne voir dans cet exemple qu'une simple anecdote isolée. En effet, plusieurs études de synthèse s'accordent à souligner que seule une fraction de nos comportements (entre 20 et 30 %) découle de délibérations intentionnelles conscientes.[1202, 1203] Cette conclusion s'appréhende aisément à la lumière d'autres travaux montrant qu'il est parfaitement irréaliste de croire que toute intention se traduit en action.[531, 1010, 1204] En matière de santé notamment, nos résolutions conscientes n'affectent que très imparfaitement le champ des conduites effectives[1205]. Pour le dire clairement, ce n'est pas parce que quelqu'un décide d'arrêter de fumer, de faire de la gym trois fois par semaine, de ne plus boire de soda, de manger moins gras, ou de prendre les escaliers qu'il va y arriver. Cette évidence rejoint les conclusions d'une large méta-analyse relative à la question des décisions volontaires[1206]. Alors que ces dernières jouent un rôle central dans nombre de domaines dont, par exemple, l'accomplissement scolaire, elles n'ont qu'une influence limitée sur la façon dont nous nous nourrissons. Il y a à cela trois raisons principales. Premièrement, notre motivation a tendance à s'éroder sur la durée, ce qui ne manque pas d'entraîner une chute concomitante du niveau de détermination[1198]. Deuxièmement, une large part de nos conduites alimentaires échappe au champ des processus conscients pour répondre aux signaux occultes de notre environnement.[160, 1011, 1013] Troisièmement, la volonté éprouve les pires difficultés à contrôler efficacement nos comportements appris les plus routiniers.[39, 1207, 1208]

De prime abord, on pourrait juger décourageants ces éléments. Ce serait une erreur. En effet, au-delà de leur nature précise, nos habitudes se révèlent fondamentalement amorales. Bonnes ou mauvaises, elles naissent, vivent et périssent selon des lois parfaitement identiques. Dès lors, la question de l'amaigrissement va pouvoir se résoudre, pour une large part, en créant de nouvelles habitudes vertueuses à partir de comportements initialement produits sur une base volontaire. C'est un peu comme quand vous avez appris à conduire. Au début, la tâche était épuisante. Il fallait faire attention à tout, penser et contrôler chaque geste. Puis, progressivement, les choses ont évolué vers plus de simplicité, jusqu'à devenir parfaitement automatiques. Aujourd'hui vous prenez votre voiture sans même y penser. Ce que vous avez fait avec votre voiture, vous pouvez le faire avec votre santé.

Créer des habitudes positives

Pragmatiquement parlant, nos habitudes naissent de la répétition. D'un point de vue théorique, elles peuvent se définir en tant que comportement acquis, plus ou moins élaboré, déclenché automatiquement en réponse à une situation connue[1209]. Cela veut dire, et c'est tout l'intérêt de l'opération, que l'habitude s'exprime en grande partie indépendamment des élans volontaires et motivationnels. L'inhiber est à la fois coûteux, difficile et incertain. Une fois constituée, elle se développe « *naturellement* » et « *sans effort* »[39] à la manière d'une véritable « *seconde nature* »[1198], ainsi que l'indique l'équipe de Benjamin Gardner, de l'University College de Londres. Ce qui va demander un effort, au moins initialement, c'est évidemment la construction de l'habitude. Cet effort opère cependant, qu'on me permette d'insister, sur une base temporaire. Il s'adoucit progressivement avec le temps[1210], jusqu'à atteindre une pleine automaticité au bout de deux à trois mois en moyenne.[1211, 1212] Trois mois d'efforts pour poser les bases d'une nouvelle vie, exempte de surpoids et d'obésité, ça vaut le coup, je crois.

Pour transformer des intentions volontaires en habitudes automatiques, il va simplement falloir multiplier les expositions. Au quotidien, répétons-le, c'est la répétition qui crée l'habitude et ainsi, ultimement, l'automatisme. En d'autres termes, c'est à travers le respect quasi obsessionnel d'une règle prédéfinie, qu'il va s'avérer possible de construire une habitude pérenne. Cela implique que l'on ne peut réussir pleinement qu'en renonçant, au moins transitoirement, aux douces sirènes de l'exception*. Celles-ci opèrent sur un mode insidieux et trouvent toujours une bonne raison pour faire exploser nos résolutions les plus anodines : « *Il pleut, je ferais mieux de rentrer en métro plutôt qu'à pied comme je l'avais prévu.* » ; « *J'avais décidé de prendre des légumes et une viande maigre à la cantine, mais la matinée a été stressante alors, je vais, exceptionnellement, me laisser tenter par un hamburger / frites, c'est mon plat préféré.* » ; « *J'avais décidé de ne plus manger devant la télé, mais ce soir c'est particulier il y a le match de foot.* », etc.

L'exemple des orientations alimentaires est particulièrement intéressant. Il indique que quand vous aurez passé trois mois à prendre systématiquement des légumes plutôt que des frites vous finirez, sans même y penser, par privilégier les légumes et ignorer les frites ; à condition bien sûr que ce « remplacement » ne conduise pas à un état de carence susceptible d'entraîner une réaction brutale des défenses métaboliques** ; en d'autres termes, cela ne marchera que si les besoins organiques sont couverts et que le déficit calorique induit est assez faible pour être indifférent. De nombreuses recherches ont montré que plus les gens évitent, sur la durée, les produits gras et/ou riches en sucres ajoutés, et plus leur appétence pour ces types alimentaires diminue.[1213-1216] Au niveau cérébral, ce changement se traduit notamment par une modification de la réponse des circuits de récompense qui augmentent progressivement leur intérêt pour les aliments « habituels » tout en diminuant leur sensibilité aux denrées désertées[1217]. Cette

---

* Cela ne veut pas dire que vous êtes à jamais condamné à vivre comme un moine ascétique. Il vous arrivera de temps en temps, c'est inéluctable, de faire quelques entorses à la règle en mangeant des aliments dont vous savez très bien qu'ils sont sanitairement et énergétiquement peu recommandables. Cela étant dit, il est préférable au début d'éviter ce genre d'écarts pour ne pas se compliquer inutilement la vie. Moins les exceptions initiales seront nombreuses et plus l'habitude s'installera avec force, constance et facilité.
** Cf. *Un échec biologiquement programmé*, p. 116.

altération s'accompagne d'une modification de la réponse salivaire qui tend à devenir moins importante en présence de produits gras fortement obésigènes[1218]. Tout cela indique, au bout du compte, que l'être humain n'a pas seulement tendance à manger ce qu'il aime. Avec la répétition, il finit aussi par aimer ce qu'il mange et plus généralement ce qu'il se rappelle avoir mangé.[1219, 1220]

Ce résultat est fondamental (pour ne pas dire fondamentalissime!), car il souligne que les goûts alimentaires précocement acquis sont en partie modifiables. Plus vous mangerez «sainement», plus vous trouverez que c'est «bon», et moins ce sera une contrainte. J'en suis, croyez-le bien, l'exemple vivant, moi qui frisais l'apoplexie à la seule idée de devoir approcher des brocolis, que je mange maintenant avec délectation. Mais, encore une fois, ce genre de transformation n'est pas instantané. Il n'opère que si vous arrivez, pendant deux ou trois mois, à respecter aussi scrupuleusement qu'il est possible vos engagements. Plus vous inclurez des frites au milieu des légumes, et plus vous rendrez difficile la constitution de l'habitude et la transformation du goût. Ce niveau d'adhérence initial n'est pas facile à mettre en œuvre. Cela étant, il semble malgré tout largement abordable. Même les régimes restrictifs les plus brutaux voient leurs victimes persévérer entre trois et six mois*.

La question de régularité des prises alimentaires fournit un autre exemple intéressant des effets positifs de l'habitude sur l'embonpoint.[25, 1178] On sait, en effet, que l'irrégularité des repas favorise la prise de poids[1221], notamment en altérant le fonctionnement métabolique dans un sens obésigène.[1222, 1223] D'après les conclusions d'une synthèse de la littérature, la meilleure approche pour atteindre et maintenir un poids sain consiste à répartir la prise alimentaire quotidienne sur au moins trois repas stables[1224].

---

* Cf. *Des régimes impossibles à suivre,* p. 111.

À partir de là, que vous préfériez en faire trois, quatre, cinq ou six ne change pas grand-chose[1225], même si une répartition en trois repas plus deux collations a été décrite comme optimale pour le contrôle de l'appétit[1226]. Encore une fois, ce qui est ici important, au-delà des détails quantitatifs, c'est la mise en place d'une routine d'alimentation invariable permettant de stabiliser le métabolisme et de limiter les risques de grignotages intempestifs.

Dissoudre les habitudes dommageables

Au-delà de ces éléments, se pose évidemment, aussi, le problème de l'extinction des habitudes délétères. Il y a là trois stratégies possibles[39]. La première consiste à substituer à la réponse nuisible un comportement adapté[1227]. Par exemple, si vous avez coutume de dévaliser le distributeur de confiseries à 16 h au boulot, décidez désormais, lorsque viendra l'heure du goûter, que vous irez plutôt discuter avec un collègue ou que vous remplacerez les «kinder bueno» par des aliments moins délétères : un fruit, un yoghourt maigre, quelques galettes de riz complet soufflé, une ou deux tranches de pain noir à la farine complète, etc. Et surtout ne prenez pas votre collation en travaillant, assis devant votre ordinateur !

La seconde stratégie possible consiste à éviter les situations piégeuses[1228]. Par exemple, si comme beaucoup de gens,[518, 1229] vous avez tendance à manger systématiquement trop quand vous fréquentez le buffet «à volonté» du restaurant d'en bas, passez votre chemin et allez manger ailleurs.

Enfin, la troisième stratégie suppose, quand la tentation ne peut être évitée, de s'interdire toute délibération superflue. En effet, lorsque l'envie pointe son nez, vous aurez d'autant plus de chances de craquer que vous évaluerez en détail la possibilité d'un «pourquoi pas». Pour éviter tout problème, le plus sûr est alors d'avoir dans sa besace un simple «non» capable de claquer vertement sans délai ni détour. Par exemple, si le restaurateur vous propose au terme d'un repas déjà copieux une belle part de fondant au chocolat, ne commencez surtout pas à peser le pour et le contre en vous disant que vous n'avez pas petit-déjeuné ou que vous irez faire du sport le lendemain. Dites non! tout de suite, sans tergiverser davantage. Ce sera d'autant plus facile que vous aurez décidé, par avance, que vous ne prendrez plus de dessert au restaurant à midi, en dehors éventuellement d'un fruit frais. À ce sujet, j'aime beaucoup, je dois l'avouer, le passage suivant tiré d'un ouvrage monastique séculaire: «*Il faut veiller cependant, surtout au commencement de la tentation, car on triomphe beaucoup plus facilement de l'ennemi, si on ne le laisse point pénétrer dans l'âme, et si on le repousse à l'instant même où il se présente pour entrer. C'est ce qui a fait dire à un ancien: Arrêtez le mal dès son origine; le remède vient trop tard quand le mal s'est accru par de longs délais. D'abord une simple pensée s'offre à l'esprit, puis une vive imagination, ensuite le plaisir et le mouvement déréglé, et le consentement. Ainsi peu à peu l'ennemi envahit toute l'âme, lorsqu'on ne lui résiste pas dès le commencement. Plus on met de retard et de langueur à le repousser, plus on s'affaiblit chaque jour, et plus l'ennemi devient fort contre nous.*»[1230].

Avancer pas à pas

D'un point de vue pratique, il est bien évident que tout procédé facilitant sera le bienvenu pour étayer votre démarche d'automatisation comportementale. Par exemple, pour me rappeler de prendre les escaliers j'avais fini par enlever, de mon trousseau, la clé de la boîte aux lettres pour la mettre dans mon portefeuille, au sein d'un petit sachet en papier kraft sur lequel était écrit en rouge le mot «*escaliers*». De même, pour penser à me peser chaque matin, j'avais placé un énorme post-it sur le miroir de la salle de bain. Impossible de me raser sans lire le mot : «*Pèse-toi*». Côté exercice, j'avais décidé d'aller à la gym deux fois par semaine, le matin, avant le travail. Malheureusement, une fâcheuse tendance à éteindre le réveil sans daigner me lever avait causé, sur la durée, quelques retards d'application. C'était d'autant plus idiot que je prenais, après coup, lorsque j'avais réussi à m'extraire du lit, grand plaisir à ces séances matinales. Pour venir à bout de mes accès de flemme, j'ai simplement fini par placer hors de la chambre un réveil (choisi pour le côté détestable de son timbre), en priant instamment ma compagne (qui se lève plus tôt que moi) de le laisser sonner. Après trois mois de mise en œuvre patiente de ces différentes méthodes, prendre les escaliers chaque soir, me peser chaque matin et me lever deux fois par semaine pour aller à la gym était devenu parfaitement machinal. Il m'est même arrivé une fois, alors que j'étais chargé comme une mule, de faire le choix de l'ascenseur et de me retrouver sans savoir comment... dans l'escalier.

Attention toutefois : il faut se garder de pousser trop loin la tentation réglementaire. Si la liste des principes à appliquer est trop longue, elle saturera le système cognitif et deviendra parfaitement inopérante. Pour éviter cet écueil, veillez à ce que les règles mises en place soient à la fois peu nombreuses (disons entre 5 et 10 au maximum) et (sauf cas particulier) formulées sur un mode relativement général. Nourrie de cet *a priori*, l'équipe, déjà citée, de Benjamin Gardner a soumis des sujets obèses et en surpoids à une liste de 10 principes globaux susceptibles de favoriser la construction de routines vertueuses : essayer de manger chaque jour à la même heure ; marcher quotidiennement 10 000 pas – en utilisant un pédomètre ; choisir des aliments pauvres en graisses ;

mangez lentement sans faire autre chose en même temps, etc.[1211]. Après 32 semaines l'écrasante majorité des participants avaient traduit en habitudes comportementales tout ou partie de ces principes, pour une perte pondérale moyenne de 4 kilos. Des résultats comparables furent rapportés dans d'autres études porteuses de méthodologies similaires.[1014, 1231] Le tableau ci-dessous présente une liste récapitulative d'habitudes clés, susceptibles d'assurer à long terme la réussite de l'amaigrissement. Bien sûr, cette liste n'a qu'un caractère indicatif. Elle n'est nullement exhaustive et demande que chacun l'adapte aux spécificités de sa situation personnelle.

Domaine général	Habitudes associées
Contrôler le régime	• Se peser chaque matin • Suivre l'évolution du poids • Se montrer patient (maigrir trop vite est une cause majeure d'échec à long terme du régime) • Garder un œil sur les portions (et, initialement, pendant quelques semaines, ne pas hésiter à compter les calories).
Manger sainement	• Éviter les aliments denses, fortement obésigènes, saturés de mauvaises graisses et de sucres ajoutés • Adopter une alimentation équilibrée riche en aliments peu denses (beaucoup de fruits et de légumes, des féculents, des viandes maigres et du poisson, des huiles riches en bonnes graisses -ex : huile d'olive-).
Bouger	• Saisir toutes les occasions de marcher (pour aller au travail, durant la pause de midi, etc.) • Utiliser les escaliers plutôt que l'ascenseur • Essayer de participer à une activité structurée deux ou trois fois par semaine (jogging, musculation, fitness, tennis, piscine, yoga, etc.).
Prendre le temps	• Manger lentement, sans faire en même temps 50 autres choses (travail, télévision, lecture, téléphone portable, etc.) • Avant chaque repas prendre un instant pour se rappeler des prises alimentaires précédentes (repas et encas).

FAVORISER LES RÉGULARITÉS	• Manger à des heures régulières • Ne pas grignoter hors des repas • S'inscrire à une activité physique structurée et s'y rendre chaque semaine à des moments préétablis • Se peser chaque matin
PRÉSERVER LE SOMMEIL	• Dormir au moins 7 h 30 chaque nuit • Se coucher avant minuit et ne pas vivre «contre la montre» (sauf obligation professionnelle incontournable)
ANTICIPER LES DIFFICULTÉS	• Faire ses courses avec une liste précise • Décider a priori d'une conduite à tenir en cas de repas à l'extérieur (ex: je ne prendrai ni amuse-gueule, ni dessert) • Avoir une stratégie toute prête pour les fringales (ex: je mange un fruit ou quelques galettes de riz complet, je vais marcher, etc.) • Avant de craquer pour un encas, ou de céder à ce joli dessert si appétissant, convertir en temps d'exercice physique le coût du «petit» plaisir que vous envisagez (ex: ce fondant au chocolat c'est une heure de vélo stationnaire) • Alternativement, avant de craquer, convertir la charge calorique du petit plaisir envisagé en équivalent nutritif (ex: ce fondant au chocolat qui ne me calera pas plus de quelques minutes est équivalent à un repas complet constitué de 150 g de filet de poulet + 500 g de haricots verts + 300 g de framboises fraîches) • Se projeter dans le futur en se demandant ce que l'on ressentira dans quelques minutes, après avoir «craqué» (sera-t-on fier d'avoir passé notre tour, ou abattu de n'avoir pas su renoncer à ce fondant dont on aurait, finalement, fort bien pu se passer).
CONTRÔLER L'ENVIRONNEMENT	• Éviter de stocker chez soi des cochonneries obésigènes et produits outrageusement riches (chips, biscuits, charcuterie, fromages, etc.) • Ne laisser aucun aliment visible pour éviter tout phénomène de priming (surtout si cet aliment est propice au grignotage) • Utiliser des assiettes et couverts de petites tailles.

TABLEAU 5. Liste d'habitudes clés, susceptibles de favoriser l'amaigrissement et le maintien d'un poids sain

À vous!

Ainsi donc, nous voilà arrivés au terme de cet ouvrage. L'idée de départ, qu'on me permette de le rappeler, était de dessiner, sur la base des données scientifiques existantes, un chemin sûr, durable et optimal vers l'amaigrissement. Un chemin qu'il serait possible à chacun de s'approprier pour le décliner à l'aune des singularités de sa propre vie. Ce point est important car l'autonomie et la flexibilité sont deux éléments essentiels des régimes réussis. Or ces qualités ne peuvent s'exprimer sans une compréhension fine des raisons qui font que tel comportement est souhaitable quand tel autre s'avère indésirable. Cinquante ans de recherches rigoureuses montrent, sans la moindre équivoque, que les solutions toutes faites, rigidement imposées du dehors, ne fonctionnent pas sur la durée.

En pratique, même s'il est loin de s'avérer trivial, le chemin ici articulé n'est ni infranchissable, ni accablant ; j'en suis la preuve vivante (voir l'Épilogue). Il s'avère à la portée de tous au prix, c'est vrai, d'un peu de temps et d'attention, surtout pendant les deux ou trois premiers mois. Ensuite, si je puis dire, quand le pli est pris et que l'effort volontaire a été intériorisé sous forme d'habitude, tout devient bien plus simple et facile. Trois mois pour une vie, ce n'est vraiment pas cher payé.

En dernière analyse, la clé ultime de la réussite réside dans la capacité du régime que vous adopterez à être supportable à long terme. Or, un régime n'est durablement supportable que s'il ne brutalise pas le corps en lui imposant d'impossibles carences. Méfiez-vous, même si elles sont séduisantes, des promesses de camelots et des régimes miracles. Ces mirages sont au mieux inaptes et au pire dangereux. Vous payerez leurs folies du double prix de votre embonpoint et de votre santé. Mais, plus que tout, méfiez-vous des griseries initiales et du fardeau de l'impatience. Il n'y a pas de meilleure solution pour « *réussir à échouer* »[650] que de maigrir trop vite. Ici plus qu'ailleurs, c'est en allant doucement que vous irez sûrement.

ÉPILOGUE

Cinquante kilos d'espoir

Après tant d'échecs et de régimes rocambolesques, j'ai réussi. Enfin! Je ne suis plus obèse; pas même en surpoids. J'ai maigri et je m'y tiens. Plus d'un demi-quintal depuis le début de l'aventure, il y a presque quatre ans! Et tout cela sans être en rien exceptionnel. Je ne possède ni génome favorable (mon passé en témoigne), ni force d'âme prométhéenne. J'ai toutefois une chance particulière: ma formation scientifique. Loin du baratin médiatique des esbroufeurs professionnels, c'est elle qui m'a permis de comprendre pourquoi j'avais échoué jusque-là et ce que j'allais devoir faire pour arriver au but.

Au tout début, une fois prise la décision de maigrir, j'ai simplement commencé par me «regarder vivre». Pendant 15 jours, je me suis pesé quotidiennement et j'ai fait le compte de mes entrées caloriques. Je me suis ainsi aperçu que je mangeais infiniment plus que je ne l'aurais cru, en raison notamment d'automatismes irréfléchis: prendre mon petit-déjeuner en lisant le journal; avaler chaque matin un chocolat chaud et une «petite» madeleine avec les collègues devant la machine à café; organiser le cœur de mes repas autour d'aliments terriblement denses, gras et sucrés (charcuterie, pain, beurre, fromage, pizzas, frites, raviolis en boîtes, etc.) ; finir régulièrement l'assiette et les goûters de la petite ; etc.

À partir de là, une vraie transformation a pu être engagée. Parmi les changements adoptés, certains ont traversé le temps et me permettent aujourd'hui de ne pas regrossir. D'autres, n'ont été que transitoires, pour caler le régime sur ses bases et assurer la mise en place des habitudes indispensables.

Deux mesures de fond
pour une nouvelle balance énergétique

Manger mieux. Au tout début de mon régime, j'ai d'abord appris à cuisiner (un peu !). J'ai acheté des livres de recettes, et un ami dont c'est le métier m'a montré comment réaliser quelques plats simples et rapides, conformes aux préconisations du régime méditerranéen : beaucoup de légumes, de fruits, de féculents, du poisson, peu de viande et pas de produits abusivement gras ou sucrés (charcuterie, fromage, beurre, etc.). Cela m'a enseigné que l'on peut se faire plaisir sainement, pour un compte calorique raisonnable. Aujourd'hui, je mange autant (sinon plus) en volume que quand je pesais 129 kilos, mais mon bilan calorique s'avère bien inférieur (dans les 2 700 Calories contre 3 200 auparavant). Je n'ai pas faim. D'ailleurs, à aucun moment durant mon régime je n'ai eu faim. La recherche a raison. Les goûts alimentaires s'infléchissent progressivement sous l'effet de la répétition. Il y a quelques années, aucun légume n'aurait pu me faire renoncer à une tartiflette, une raclette ou une pizza au chorizo. Aujourd'hui, je préfère de très loin opter, par exemple, pour un wok de légumes au poulet avec du riz.

BOUGER. Dès le premier jour de mon régime, j'ai décidé de marcher 90 minutes pour me rendre au travail et en revenir (en transports en commun cela m'en demandait 70). De plus, deux fois par semaine, je me suis astreint à 45 minutes d'exercice structuré (tapis ou ellipteur). J'ai aussi renoncé sans regret à l'ascenseur et aux escaliers roulants. Ces changements, je les ai pérennisés. Lissés sur la semaine, ils représentent à ce jour autour de 350 Calories quotidiennes.

Trois mesures de contrôle

COMPTER LES CALORIES. Pour être certain de ne pas dépasser ma cible autorisée (2 700 Cal/j), j'ai compté les calories pendant les six premières semaines de mon régime. Franchement, ce n'est pas la chose la plus passionnante qu'il m'a été donné de faire, mais c'est sans aucun doute l'une des plus utiles. Cela m'a permis de me construire une « référence », un « modèle interne » de ce qu'il me serait désormais possible de manger chaque jour. Au-delà de ces six semaines, j'étais devenu capable d'estimer globalement, sans comptage détaillé, la justesse de ma prise énergétique. Je savais que si j'avais fait un excès à midi, je ne devais pas abuser le soir. Il est arrivé parfois, cependant, que la mécanique se dérègle. Mon poids repartait alors à la hausse ou cessait de baisser comme prévu. Je me remettais dans ce cas à compter précisément durant une quinzaine de jours.

SUIVRE L'ÉVOLUTION DU POIDS. Pendant deux ans, je me suis astreint à vérifier que mon amaigrissement suivait à peu près la courbe prévue. Cette procédure ne m'a demandé que quelques minutes d'attention tous les quinze jours. Un effort bien modeste si l'on considère qu'elle m'a permis de maintenir le cap sur la durée et de corriger sans délai tout signe de dérive.

ÉLIMINER TOUTE ENTORSE À LA RÈGLE. Pendant les trois premiers mois de mon amaigrissement, j'ai pris soin d'éliminer scrupuleusement tout écart alimentaire. J'ai renoncé à aller au restaurant et j'ai systématiquement décliné les invitations de mes amis. Ce ne fut pas chose aisée, mais chaque écart n'aurait fait que rendre le chemin plus instable et difficile. Plus le comportement initial est constant et dénué d'exceptions et plus solidement se forge l'habitude. Depuis, évidemment, j'ai assoupli la règle. Je n'ai pas l'âme (et c'est heureux) d'un ayatollah hygiéniste. Il m'arrive de craquer. Mais globalement, je reste vigilant et m'assure que ces écarts restent suffisamment rares et contrôlés pour ne pas entraîner de reprise pondérale.

Trois mesures de « renforcement »

BANNIR LES SEMEURS DE KILOS. Dès le début du régime nous avons (avec ma compagne) acheté des assiettes plus petites. Nous avons aussi entrepris de ne plus faire les courses sans une liste précise à respecter scrupuleusement. Enfin, nous avons exclu de la maison toutes les cochonneries alimentaires «d'avant» (chips, Nutella, biscuits, charcuterie, fromages, glaces, etc.). Il est infiniment plus facile de résister à la tentation quand il faut, pour lui donner satisfaction, descendre 5 étages et marcher 15 minutes jusqu'à la supérette du coin.

ANTICIPER. J'ai appris à manger à heures régulières et plutôt que de succomber, le soir, à l'appel d'un bon livre, je tâche d'aller dormir. J'ai aussi appris à gérer les jours de grande flemme et les retours tardifs. Je garde dans mon congélateur quelques fruits (framboises, mirabelles, ananas, etc.), compotes (sans sucres ajoutés), sorbets (mangue, poire, fraise, etc.) et plats préparés équilibrés (poêlées de légumes, cabillaud au riz complet, saumon à l'oseille, etc.). Un coup de micro-onde et l'affaire est faite. C'est mieux qu'un dîner sur le pouce version charcuterie, fromage, pain, beurre comme je le faisais par le passé.

EMBARQUER LA FAMILLE. Au début, les filles ont un peu tordu le nez. Et puis, elles se sont habituées elles aussi, jusqu'à voir aujourd'hui ce régime méditerranéen comme la façon «normale» de se nourrir. C'est désormais toute la famille qui mange sainement. Les choses sont devenues bien plus faciles.

**Et c'est ainsi que ces 50 kg en trop
sont devenus 50 kg d'espoir.**

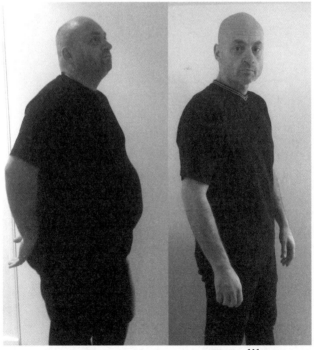

avant   aujourd'hui

Annexe

Liste des « Équivalents métaboliques » (EM) pour une sélection d'activités physiques *

Une liste complète (en français, anglais, italien ou japonais) est disponible en ligne : (accès : 20/10/2014)

https://sites.google.com/site/compendiumofphysicalactivities/compendia

Calcul :

La formule suivante permet d'obtenir une estimation niveau du niveau de dépense énergétique partir de l'équivalent métabolique (EM).

Calories = EM × Poids (en kg) × Durée (en minutes) / 60.

Par exemple une personne de 75 kg, marchant pendant 80 minutes sur terrain plat à vitesse modérée (≈ 4 km/h ; 3 EM) consommera, en moyenne, 300 Calories (3 x 75 x 80 / 60).

---

* *Modifié d'après :* Ainsworth *et al.* 2011, Compendium of Physical Activities : a second update of codes and MET values, *Med. Sci. Sports. Exerc.* 43, 1575-1581 (2011).

Marche

EM	ACTIVITÉ SPÉCIFIQUE
2,0	Marcher très lentement sur terrain plat, flâner (< 3 km/h)
3,0	Marcher lentement sur terrain plat (3 à 4 km/h)
3,0	Promener le chien
3,5	Marcher à vitesse modérée sur terrain plat (4,5 à 5 km/h)
4,3	Marcher rapidement sur terrain plat (5,5 km/h)
5,0	Marcher très rapidement sur terrain plat (6,5 km/h)
7,0	Marcher extrêmement rapidement sur terrain plat (7 km/h)
7,0	Randonnée
4,5	Marcher dans le sable à rythme normal
8,0	Marcher à vitesse modérée (4,5 à 5 km/h) en montée (6 à 15 %)
3,5	Descendre les escaliers
4,0	Monter les escaliers, rythme lent
8,8	Monter les escaliers, rythme rapide
2,5	Marcher dans l'eau lentement, effort léger
4,5	Marcher dans l'eau normalement, effort modéré
6,8	Marcher dans l'eau rapidement, effort vigoureux

Course

EM	ACTIVITÉ SPÉCIFIQUE
7,0	Jogging général
6,0	Courir à 6,5 km/h (9 minutes au km)
8,3	Courir à 8 km/h (7,5 min au km)
9,0	Courir à 8,4 km/h (7,3 min au km)
9,8	Courir à 9,6 km/h (6,25 min au km)
10,5	Courir à 10,8 km/h (5,5 min au km)
11,0	Courir à 11,3 km/h (5,3 min au km)
11,5	Courir à 12 km/h (5 minutes au km)
11,8	Courir à 12,9 km/h (4,65 min au km)
12,3	Courir à 13,8 km/h (4,3 min au km)
12,8	Courir à 14,5 km/h (4,1 min au km)

14,5	Courir à 16,0 km/h (3,75 min au km)
16,0	Courir à 17,7 km/h (3,4 min au km)
19,0	Courir à 19,3 km/h (3,1 min au km)

Cyclisme

EM	ACTIVITÉ SPÉCIFIQUE
7,5	Cyclisme, général
8,5	Cyclisme en montagne, général
3,5	Cyclisme de loisir, très lent 9 km/h
5,8	Cyclisme de loisir, lent 15 km/h
6,8	Cyclisme de loisir, 16-19 km/h, rythme lent, effort léger
8,0	Cyclisme de loisir, 19-22,5 km/h, rythme moyen, effort modéré
10,0	Cyclisme de loisir, 22,5-26 km/h, rythme rapide, effort vigoureux
12,0	Cyclisme de compétition, 25,7-30,6 km/h, rythme très rapide
15,8	Cyclisme, de compétition, > 32 km/h, course, rythme extrêmement rapide
8,5	BMX

Natation

EM	ACTIVITÉ SPÉCIFIQUE
6,0	Natation, loisirs, général
6,0	Natation, général, lac, océan, rivière
5,3	Brasse, loisirs
7,0	Brasse indienne, général
10,3	Brasse, effort soutenu, compétition ou entrainement
4,8	Dos, loisirs
9,5	Dos, effort soutenu, compétition ou entrainement
13,8	Papillon, général
9,0	Crawl, nage rapide, effort vigoureux

Activités sportives diverses (général, loisir)

EM	ACTIVITÉ SPÉCIFIQUE
6,5	Basket-ball
4,8	Golf
7,0	Football
7,3	Squash
4,0	Tennis de table
7,3	Tennis
5,5	Badminton
7,3	Aérobic
12,3	Corde à sauter
3,0	Bowling
3,0	Pilates (gym douce)
2,3	Etirements doux
7,8	Danse (disco, country, folk, etc.)
5,0	Kayak

Activités diverses

EM	ACTIVITÉ SPÉCIFIQUE
1,8	Activité sexuelle, général
2,8	Activité sexuelle vigoureuse
1,3	Etre debout ou dans une file d'attente
5,5	Tondre la pelouse
3,8	Jardiner, général (effort modéré)
2,5	Conduire une voiture
3,5	Rouler à moto ou en scooter
1,3	Regarder la télévision, assis
1,0	Dormir

Notes bibliographiques

1. Cocaul. *Le plaisir sans les kilos*, Marabout (2009)

2. Tomiyama *et al. If shaming reduced obesity, there would be no fat people,* Hastings Cent Rep 43 (2013)

3. Casazza *et al.* Myths, presumptions, and facts about obesity, *N. Engl. J. Med.* 368 (2013)

4. Klem *et al.* A descriptive study of individuals successful at long-term maintenance of substantial weight loss, *Am. J. Clin. Nutr.* 66 (1997)

5. Atkins. Dr. Atkins' *New Diet Revolution. Completely Updated,* M. Evans & Company (2002)

6. Dukan. *La méthode Dukan illustrée,* Flammarion (2009)

7. Choi *et al.* Purine-rich foods, dairy and protein intake, and the risk of gout in men, *N. Engl. J. Med.* 350 (2004)

8. Zhang *et al.* Purine-rich foods intake and recurrent gout attacks, *Ann. Rheum. Dis.* 71 (2012)

9. OMS. *Obésité: prévention et prise en charge de l'épidémie mondiale,* Organisation mondiale de la santé, (2003). http://whqlibdoc.who.int/trs/who_trs_894_fre.pdf (accès: 11/07/2012)

10. Benjamin. Harvard rejoint les universitaires pour un boycott des éditeurs, *leMonde.fr,* (25/04/2012). www.lemonde.fr/sciences/article/2012/04/25/harvard-rejoint-les-universitaires-pour-un-boycott-des-editeurs_1691125_1650684.html (accès: 11/05/2012)

11. Delabos. *Mincir sur mesure grâce à la chrono-nutrition,* Albin Michel (2012)

12. Lefief-Delcourt. *Soupes brûle-graisses,* Leduc. S (2010)

13. Cheung *et al. Le régime citron,* Leduc. S (2008)

14. Martinez. *Maigrir pendant son sommeil,* Albin Michel (2011)

15. Berger. *Maigrir avec la lune,* Le courrier du livre (2013)

16. ANSES. Évaluation des risques liés aux pratiques alimentaires d'amaigrissement. Rapport d'expertise collective, Agence nationale de sécurité sanitaire, (11/2010). www.anses.fr/Documents/NUT2009sa0099Ra.pdf (accès: 25/05/2012)

17. Higgs. Cognitive influences on food intake: the effects of manipulating memory for recent eating, *Physiol. Behav.* 94 (2008)

18. Higgs *et al.* Focusing on food during lunch enhances lunch memory and decreases later snack intake, *Appetite* 57 (2011)

19. Vanwormer *et al.* The impact of regular self-weighing on weight management: a systematic literature review, *Int. J. Behav. Nutr. Phys. Act* 5 (2008)

20. VanWormer *et al.* Self-weighing promotes weight loss for obese adults, *Am. J. Prev. Med.* 36 (2009)

21. Burke *et al.* Self-monitoring in weight loss: a systematic review of the literature, *J. Am. Diet Assoc.* 111 (2011)

22. Fabricatore. Behavior therapy and cognitive-behavioral therapy of obesity: is there a difference?, *J. Am. Diet Assoc.* 107 (2007)

23. HAS. *Surpoids et obésité de l'adulte: prise en charge médicale de premier recours.* Argumentaire, Haute Autorité de Santé, (09/2011). www.has-sante.fr/portail/upload/docs/application/pdf/2011-09/2011_09_30_obesite_adulte_argumentaire.pdf (accès: 09/05/2012)

24. Bacon *et al.* Weight science: evaluating the evidence for a paradigm shift, *Nutr. J.* 10 (2011)

25. Elfhag *et al.* Who succeeds in maintaining weight loss? A conceptual review of factors associated with weight loss maintenance and weight regain, *Obes.Rev.* 6 (2005)

26. Li *et al.* Weight cycling in a very low-calorie diet programme has no effect on weight loss velocity, blood pressure and serum lipid profile, *Diabetes Obes. Metab.* 9 (2007)

27. Mason *et al.* History of weight cycling does not impede future weight loss or metabolic improvements in postmenopausal women, *Metabolism* (2012)

28. Wardle *et al.* Nutrition knowledge and food intake, *Appetite* 34 (2000)

29. Klohe-Lehman *et al.* Nutrition knowledge is associated with greater weight loss in obese and overweight low-income mothers, *J. Am. Diet. Assoc.* 106 (2006)

30. Nuss *et al.* Greater nutrition knowledge is associated with lower 1-year postpartum weight retention in low-income women, *J. Am. Diet. Assoc.* 107 (2007)

31. Beydoun *et al.* Do nutrition knowledge and beliefs modify the association of socio-economic factors and diet quality among US adults?, *Prev. Med.* 46 (2008)

32. Kresic *et al.* The effect of nutrition knowledge on dietary intake among Croatian university students, *Coll. Antropol* 33 (2009)

33. Chen *et al.* Significant effects of implementation of health-promoting schools on schoolteachers' nutrition knowledge and dietary intake in Taiwan, *Public Health Nutr.* 13 (2010)

34. McKinnon *et al.* The contribution of three components of nutrition knowledge to socio-economic differences in food purchasing choices, *Public Health Nutr.* (2013)

35. Bonaccio *et al.* Nutrition knowledge is associated with higher adherence to Mediterranean diet and lower prevalence of obesity. Results from the Moli-sani study, *Appetite* 68 (2013)

36. Wyatt *et al.* Lessons from Patients Who Have Successfully Maintained Weight Loss, *Obes. Manage.* 1 (2005)

37. Deci *et al.* The support of autonomy and the control of behavior, *J. Pers. Soc. Psychol.* 53 (1987)

38. Ryan *et al.* Self-determination theory and the facilitation of intrinsic motivation, social development, and well-being, *Am. Psychol.* 55 (2000)

39. Lally *et al.* Promoting habit formation, *Health Psychol. Rev.* 7 (2011)

NOTES BIBLIOGRAPHIQUES

40. Teixeira *et al.* Motivation, self-determination, and long-term weight control, *Int. J. Behav. Nutr. Phys. Act.* 9 (2012)

41. Mata *et al.* Motivational "spill-over" during weight control: increased self-determination and exercise intrinsic motivation predict eating self-regulation, *Health Psychol.* 28 (2009)

42. Palmeira *et al.* Predicting short-term weight loss using four leading health behavior change theories, *Int. J. Behav. Nutr. Phys. Act.* 4 (2007)

43. Silva *et al.* Exercise autonomous motivation predicts 3-yr weight loss in women, *Med. Sci. Sports Exerc.* 43 (2011)

44. Silva *et al.* Using self-determination theory to promote physical activity and weight control: a randomized controlled trial in women, *J. Behav. Med.* 33 (2010)

45. Teixeira *et al.* Mediators of weight loss and weight loss maintenance in middle-aged women, *Obesity* (Silver. Spring) 18 (2010)

46. Huisman *et al.* Low goal ownership predicts drop-out from a weight intervention study in overweight patients with type 2 diabetes, *Int. J. Behav. Med.* 17 (2010)

47. Paul-Ebhohimhen *et al.* Systematic review of the use of financial incentives in treatments for obesity and overweight, *Obes. Rev.* 9 (2008)

48. Moller *et al.* Financial motivation undermines maintenance in an intensive diet and activity intervention, *J. Obes.* 2012 (2012)

49. Deci *et al.* A meta-analytic review of experiments examining the effects of extrinsic rewards on intrinsic motivation *Psychol. Bull.* 125 (1999)

50. Montignac. *La méthode Montignac illustrée. La référence pour maigrir,* J'ai Lu (2012)

51. Nutrinet Santé. *État d'avancement et résultats préliminaires 3 ans après le lancement. Régimes amaigrissants : Acceptabilité et perception de l'efficacité,* Unité de recherche en épidémiologie nutritionnelle (Inserm U577), (10/05/2012). http://media.etude-nutrinet-sante.fr/resultats_nutrinet_10_05_12.pdf (accès : 25/05/2012)

52. Dukan. *Je ne sais pas maigrir,* J'ai Lu (2011)

53. Boorstin. *Les découvreurs,* Robert Laffont (1988)

54. Hellman. *Great feuds in Science,* John Wiley & Sons (1998)

55. Radosh. The good book business: Why publishers love the Bible, *The New Yorker,* (2006). www.newyorker.com/archive/2006/12/18/061218fa_fact1 (accès : 12/07/2012)

56. Catholic Biblical Federation. *Survey on the use of the bible,* (2009). www.c-b-f.org/start.php?CONTID=09_06_00&LANG=en (accès : 11/07/2012)

57. Delabos. *Le régime starter : jusqu'à 8 kilos en 4 semaines maxi,* Albin Michel (2006)

58. Westman *et al.* *Le nouveau régime Atkins,* Thierry Souccar (2011)

59. Mayo Clinic. *The Mayo Clinic Diet: Eat Well, Enjoy Life, Lose Weight,* Good Books (2010)

60. Tarnower *et al.* *Scarsdale régime médical infaillible,* Marabout (1996)

61. Wooley *et al.* Obesity treatment: the high cost of false hope, *J. Am. Diet. Assoc.* 91 (1991)

62. Garner *et al.* Confronting the failure of behavioral and dietary treatments for obesity, *Clinical Psychology Review* 11 (1991)

63. Hill *et al.* Weight maintenance: what's missing?, *J. Am. Diet. Assoc.* 105 (2005)

64. Mann *et al.* Medicare's search for effective obesity treatments: diets are not the answer, A*m. Psychol.* 62 (2007)

65. Loveman *et al.* The clinical effectiveness and cost-effectiveness of long-term weight management schemes for adults: a systematic review, *Health Technol. Assess.* 15 (2011)

66. Tomiyama *et al.* Long-term Effects of Dieting: Is Weight Loss Related to Health?, *Soc. Personal Psychol. Compass.* 7 (2013)

67. Genthialon. Pierre Dukan: Mon régime n'est pas carencé (Interview), *Liberation.fr,* (25/11/2010). www.liberation.fr/vous/01012304503-pierre-dukan-mon-regime-n-est-pas-carence (accès: 11/07/2012)

68. Wiernsperger *et al.* Microvascular diseases: is a new era coming?, *Cardiovasc. Hematol. Agents Med. Chem.* 10 (2012)

69. Wiernsperger *et al.* Fructose and cardiometabolic disorders: the controversy will, and must, continue, *Clinics* (Sao Paulo) 65 (2010)

70. Wiernsperger *et al.* Trace elements in glucometabolic disorders: an update, *Diabetol. Metab. Syndr.* 2 (2010)

71. Rapin *et al.* Possible links between intestinal permeability and food processing: A potential therapeutic niche for glutamine, *Clinics* (Sao Paulo) 65 (2010)

72. Adine *et al. Les régimes font maigrir ou grossir ?,* Editions First - Gründ (2011)

73. Hayflick. The future of ageing, *Nature* 408 (2000)

74. Finch *et al.* Meat-adaptive genes and the evolution of slower aging in humans, Q. Rev. Biol. 79 (2004)

75. Stanford. *The Hunting Apes: Meat Eating and the Origins of Human Behavior,* Princeton University Press (1999)

76. Stanford *et al. in: Moral sentiments and material interests: The foundations of cooperation in economic life* (eds Gintis *et al.*), The Natural History of Human Food Sharing and Cooperation: A Review and a New Multi-Individual approach to the Negotiation of Norms, 75-113, MIT Press (2005)

77. Goodall. *The Chimpanzees of Gombe: Patterns of Behavior,* Harvard University Press (1986)

78. Garber. Foraging startegies among living primates, *Ann. Rev. Anthropol.* 16 (1987)

79. Bomsel. Chimpanzé, *Encyclopaedia universalis* (version électronique sur CD Rom) (2011)

80. Kaplan *et al.* A theory of human life history evolution: diet, intelligence, and longevity, *Evol. Anthropol.* 9 (2000)

81. Stanford *et al. Meat Eating and Human evolution,* Oxford University Press (2001)

82. Wells. The evolution of human fatness and susceptibility to obesity: an ethological approach, *Biol. Rev. Camb. Philos. Soc.* 81 (2006)

83. Eaton *et al.* Paleolithic vs. modern diets--selected pathophysiological implications, *Eur. J. Nutr.* 39 (2000)

84. Eaton *et al.* Stone Agers in the Fast Lane: Chronic Degenerative Diseases in Evolutionary Perspective, *Am. J. Med.* 84 (1988)

85. Bellisari. Evolutionary origins of obesity, *Obes. Rev.* 9 (2008)

NOTES BIBLIOGRAPHIQUES

86. Lee. The role of genes in the current obesity epidemic, *Ann. Acad. Med. Singapore* 38 (2009)

87. Chakravarthy *et al.* Eating, exercise, and "thrifty" genotypes: connecting the dots toward an evolutionary understanding of modern chronic diseases, *J. Appl. Physiol.* 96 (2004)

88. Cordain *et al.* Physical activity, energy expenditure and fitness: an evolutionary perspective, *Int. J. Sports Med.* 19 (1998)

89. O'Keefe *et al.* Achieving hunter-gatherer fitness in the 21(st) century: back to the future, *Am. J. Med.* 123 (2010)

90. BDA. *Top 5 Worst Celebrity Diets to Avoid in 2011,* The British Dietetic Association, (12/12/2010). www.bda.uk.com/news/101213weirddiets.html (accès: 11/07/2012)

91. Cusack *et al.* Blood type diets lack supporting evidence: a systematic review, *Am. J. Clin. Nutr.* 98 (2013)

92. Wang *et al.* ABO Genotype, 'Blood-Type' Diet and Cardiometabolic Risk Factors, *PLoS One* 9 (2014)

93. Site officiel de la méthode Montignac. *L'échec des régimes hypocaloriques,* (2012). www.montignac.com/fr/l-echec-des-regimes-hypocaloriques/ (accès: 09/05/2012)

94. Heini *et al.* Divergent trends in obesity and fat intake patterns: the American paradox, *Am. J. Med.* 102 (1997)

95. Stubbs *et al.* The obesity epidemic: both energy intake and physical activity contribute, *Med. J. Aust.* 181 (2004)

96. IOM. *Accelerating Progress in Obesity Prevention: Solving the Weight of the Nation,* Institute of Medicine, (2012). www.iom.edu/Reports/2012/Accelerating-Progress-in-Obesity-Prevention.aspx (accès: 27 juillet 2012)

97. INPES. *La santé vient en mangeant,* Institut national de prévention et d'éducation pour la santé, (2002). www.inpes.sante.fr/CFESBases/catalogue/pdf/581.pdf (accès: 13/20/2014)

98. OMS. *Régime alimentaire, nutrition et prévention des maladies chroniques* (Série de rapports techniques 916), Organisation mondiale de la santé, (2003). http://apps.who.int/iris/bitstream/10665/42754/1/WHO_TRS_916_fre.pdf (accès: 13/02/2014)

99. AGDHA. *Australian dietary guidelines and Food for Health, Australian Government Dept of Health and Aging,* (2005). www.nhmrc.gov.au/_files_nhmrc/publications/attachments/n31.pdf (accès: 01/01/2013)

100. IOM. Dietary Reference Intakes: The Essential Guide to Nutrient Requirements, *The National Academies Press* (2006)

101. Lichtenstein *et al.* Diet and lifestyle recommendations revision 2006: a scientific statement from the American Heart Association Nutrition Committee, *Circulation* 114 (2006)

102. USDA *et al. Dietary Guidelines for Americans,* 2010. 7th Edition, U.S. Department of Agriculture and U.S. Department of Health and Human Services, (12/2010). www.health.gov/dietaryguidelines/dga2010/dietaryguidelines2010.pdf (accès: 01/01/2013)

103. CDC. Can Lifestyle Modifications Using Therapeutic Lifestyle Changes (TLC) Reduce Weight and the Risk for Chronic Disease?, *Research to Practice Series* 7 (2011)

104. Kushi *et al.* American Cancer Society Guidelines on nutrition and physical activity for cancer prevention: reducing the risk of cancer with healthy food choices and physical activity, *CA Cancer J. Clin.* 62 (2012)

105. Betti-Cusso. Pierre Dukan répond aux critiques (interview), *lefigaro.fr*, (01/07/2011). http:// sante.lefigaro.fr/actualite/2011/07/01/10993-pierre-dukan-repond-critiques (accès: 9/05/2012)

106. Larsen *et al.* Diets with high or low protein content and glycemic index for weight-loss maintenance, *N. Engl. J. Med.* 363 (2010)

107. Johnstone. Safety and efficacy of high-protein diets for weight loss, *Proc. Nutr. Soc.* 71 (2012)

108. Halkjaer *et al.* Intake of total, animal and plant protein and subsequent changes in weight or waist circumference in European men and women: the Diogenes project, *Int. J. Obes.* (Lond) 35 (2011)

109. Bujnowski *et al.* Longitudinal association between animal and vegetable protein intake and obesity among men in the United States: the Chicago Western Electric Study, *J. Am. Diet. Assoc.* 111 (2011)

110. Vergnaud *et al.* Macronutrient composition of the diet and prospective weight change in participants of the EPIC-PANACEA study, *PLoS One* 8 (2013)

111. IOM. Dietary Reference Intakes for Energy, Carbohydrate, Fiber, Fat, Fatty Acids, Cholesterol, Protein, and Amino Acids (Macronutrients), *The National Academies Press* (2005)

112. Bilsborough *et al.* A review of issues of dietary protein intake in humans, *Int. J. Sport Nutr. Exerc. Metab.* 16 (2006)

113. Brehm *et al.* Benefits of high-protein weight loss diets: enough evidence for practice?, *Curr. Opin. Endocrinol. Diabetes Obes.* 15 (2008)

114. Bantle *et al.* Nutrition recommendations and interventions for diabetes: a position statement of the American Diabetes Association, *Diabetes Care* 31 Suppl. 1 (2008)

115. Jia *et al.* Long-term high intake of whole proteins results in renal damage in pigs, *J. Nutr.* 140 (2010)

116. Wakefield *et al.* A diet with 35% of energy from protein leads to kidney damage in female Sprague-Dawley rats, *Br. J. Nutr.* 106 (2011)

117. Solon-Biet *et al.* The Ratio of Macronutrients, Not Caloric Intake, Dictates Cardiometabolic Health, Aging, and Longevity in Ad Libitum-Fed Mice, *Cell metabolism* 19 (2014)

118. Lagiou *et al.* Low carbohydrate-high protein diet and mortality in a cohort of Swedish women, *J. Intern. Med.* 261 (2007)

119. Levine *et al.* Low Protein Intake Is Associated with a Major Reduction in IGF-1, Cancer, and Overall Mortality in the 65 and Younger but Not Older Population, *Cell metabolism* 19 (2014)

120. Levine *et al.* Low Protein Intake Is Associated with a Major Reduction in IGF-1, Cancer, and Overall Mortality in the 65 and Younger but Not Older Population (Supplemental Information), *Cell metabolism* 19 (2014)

121. World Cancer Research Fund / American Institute for Cancer Research. *Food, Nutrition, Physical Activity, and the Prevention of Cancer: a Global Perspective*, AICR (2007)

122. Sinha *et al.* Meat intake and mortality: a prospective study of over half a million people, *Arch. Intern. Med.* 169 (2009)

123. Larsson *et al.* Red meat consumption and risk of stroke in Swedish men, *Am. J. Clin. Nutr.* 94 (2011)

124. Larsson *et al.* Red meat consumption and risk of stroke in Swedish women, *Stroke* 42 (2011)

125. Norat *et al.* Meat consumption and colorectal cancer risk: dose-response meta-analysis of epidemiological studies, *Int. J. Cancer* 98 (2002)

126. Pan *et al.* Red meat consumption and risk of type 2 diabetes: 3 cohorts of US adults and an updated meta-analysis, *Am. J. Clin. Nutr.* 94 (2011)

127. Yang *et al.* Meat consumption and risk of lung cancer: evidence from observational studies, *Ann. Oncol.* (2012)

128. Bernstein *et al.* Major dietary protein sources and risk of coronary heart disease in women, *Circulation* 122 (2010)

129. Pan *et al.* Red meat consumption and mortality: results from 2 prospective cohort studies, *Arch. Intern. Med.* 172 (2012)

130. Richman *et al.* Egg, red meat, and poultry intake and risk of lethal prostate cancer in the prostate-specific antigen-era: incidence and survival, *Cancer Prev. Res.* (Phila) 4 (2011)

131. Spence *et al.* Egg yolk consumption and carotid plaque, *Atherosclerosis* (2012)

132. AFSSA. *Apport en protéines : consommation, qualité, besoins et recommandations,* Agence française de sécurité sanitaire des aliments, (2007). www.afssa.fr/Documents/NUT-Ra-Proteines. pdf (accès : 16/08/2012)

133. Bernstein *et al.* Are high-protein, vegetable-based diets safe for kidney function? A review of the literature, *J. Am. Diet. Assoc.* 107 (2007)

134. Wang *et al.* Association between obesity and kidney disease: a systematic review and meta-analysis, *Kidney Int.* 73 (2008)

135. Gelber *et al.* Association between body mass index and CKD in apparently healthy men, *Am. J. Kidney Dis.* 46 (2005)

136. Hsu *et al.* Body mass index and risk for end-stage renal disease, *Ann. Intern. Med.* 144 (2006)

137. Srivastava. Nondiabetic consequences of obesity on kidney, *Pediatr. Nephrol.* 21 (2006)

138. Wiggins *et al.* The influence of obesity on the development and survival outcomes of chronic kidney disease, *Adv. Chronic Kidney Dis.* 12 (2005)

139. IFOP. *Bilan auprès des stabilisés inscrits sur le site de coaching régimeDukan.com,* RegimeDukan. com, (11/2011). www.regimedukan.com/la-communaute/etude-ifop-2011 (accès : 23/12/2012)

140. M&M. *Global Weight Loss and Gain Market (2009-2014),* marketsandmarkets.*com,* (2009). www.marketsandmarkets.com/ PressReleases/global-market- for-weight-loss-worth-$726-billion-by-2014.asp (for a summary) (accès : 15/09/2012)

141. Glantz *et al. The Cigarette Papers,* University of California Press (1998)

142. Healy. *Pharmagedon,* University of California Press (2012)

143. HAS. *Surpoids et obésité : repérer plus tôt et mieux prendre en charge.* Communiqué de presse, Haute Autorité de Santé, (06/10/2011). www.has-sante.fr/portail/jcms/c_1102600/surpoids-et-obesite-reperer-plus-tot-et-mieux-prendre-en-charge?xtmc=&xtcr=1 (accès : 05/05/2012)

144. *Le grand Robert de la langue française,* Dictionnaires le Robert-Vuef (2001)

145. National Research Council. *Recommended Dietary Allowances: 10ᵗʰ Edition,* National Academic Press (1989)

146. Thomas *et al.* A simple model predicting individual weight change in humans, *J. Biol. Dyn.* 5 (2011)

147. Hall *et al.* Quantification of the effect of energy imbalance on bodyweight, *Lancet* 378 (2011)

148. Park. *Twinkie diet helps nutrition professor lose 27 pounds,* cnn.com, (08/11/2008). http://edition.cnn.com/2010/HEALTH/11/08/twinkie.diet.professor/index.html (accès: 12/07/2012)

149. Calder. Prof gets slinky with twinkies, *New York Post,* (09/11/2010). www.nypost.com/p/news/national/prof_gets_slinky_with_twinkies_icXqngEihvyUJ3NNuDz3zN (accès: 30/07/2012)

150. Peppers. Forget Super Size Me: Man loses 37lbs and lowers his cholesterol by a third after eating only McDonald's for three months, *Mail Online,* (2014). www.dailymail.co.uk/femail/article-2533353/Forget-Super-Size-Me-Man-loses-37lbs-lowers-cholesterol-eating-McDonalds-three-months.html (accès: 05/01/2014)

151. IFOP. *Étude IFOP pour la méthode et le régime DUKAN: étude de comportements et d'opinions auprès des Stabilisés,* RegimeDukan.com, (12/2010). www.regimedukan.com/la-communaute/etude-ifop-2010 (accès: 23/12/2012)

152. Veldhorst *et al.* Protein-induced satiety: effects and mechanisms of different proteins, *Physiol. Behav.* 94 (2008)

153. Westerterp-Plantenga *et al.* Dietary protein, weight loss, and weight maintenance, *Annu. Rev. Nutr.* 29 (2009)

154. Leidy *et al.* Increased dietary protein consumed at breakfast leads to an initial and sustained feeling of fullness during energy restriction compared to other meal times, *Br. J. Nutr.* 101 (2009)

155. Duraffourd *et al.* Mu-opioid receptors and dietary protein stimulate a gut-brain neural circuitry limiting food intake, *Cell* 150 (2012)

156. Long *et al.* Effect of habitual dietary-protein intake on appetite and satiety, *Appetite* 35 (2000)

157. Frost *et al.* The short-chain fatty acid acetate reduces appetite via a central homeostatic mechanism, *Nat. Commun.* 5 (2014)

158. Sleeth *et al.* Free fatty acid receptor 2 and nutrient sensing: a proposed role for fibre, fermentable carbohydrates and short-chain fatty acids in appetite regulation, *Nutr. Res. Rev.* 23 (2010)

159. Pietilainen *et al.* Does dieting make you fat? A twin study, *Int. J. Obes.* (Lond.) 36 (2012)

160. Wansink. *Conditionnés pour trop manger,* Marabout (2009)

161. Levitsky *et al.* Free will and the obesity epidemic, *Public Health Nutr.* 15 (2012)

162. Finucane *et al.* National, regional, and global trends in body-mass index since 1980: systematic analysis of health examination surveys and epidemiological studies with 960 country-years and 9.1 million participants, *Lancet* 377 (2011)

163. WHO. *Obesity and overweight,* Fact sheet N°311, World Health Organization, (05/2012). www.who.int/mediacentre/factsheets/fs311/en/ (accès: 23/09/2012)

164. Flegal *et al.* Prevalence of obesity and trends in the distribution of body mass index among US adults, 1999-2010, *JAMA* 307 (2012)

165. Levi *et al.* *F as in Fat: How Obesity Threatens America's Future*, Trust for America's Health & Robert Wood Johnson Foundation, (09/2012). www.healthyamericans.org/assets/files/TFAH-2011FasInFat10.pdf (accès: 23/09/2012)

166. AFSSA. *Étude individuelle nationale des consommations alimentaires 2 (INCA2)*, Agence française de sécurité sanitaire et des aliments, (2009). www.anses.fr/Documents/PASER-Ra-INCA2. pdf (accès: 24/09/2012)

167. Ipsos. *Enquête auprès de la population jeune : des habitudes de vie qui exposent ausurpoids et à l'obésité*, Ipsos pour DoingGoodDoingWell, (2012). www.ipsos.fr/ipsos-public-affairs/actualites/2012-10-11-habitudes-vie-jeunes-exposent-au-surpoids-et-l%E2%80%99obesite (accès: 15/10/2012)

168. INSERM *et al.* *Enquête épidémiologique nationale sur le surpoids et l'obésité* (2012), Roche. fr, (2012). www.roche.fr/fmfiles/re7199006/enquete_obepi_2012/obepi_2012.pdf (accès: 16/10/2012)

169. Serdula *et al.* Prevalence of attempting weight loss and strategies for controlling weight, *JAMA* 282 (1999)

170. Mack *et al.* Health and sociodemographic factors associated with body weight and weight objectives for women: 2000 behavioral risk factor surveillance system, *J. Womens Health.* (Larchmt) 13 (2004)

171. Bish *et al.* Diet and physical activity behaviors among Americans trying to lose weight: 2000 Behavioral Risk Factor Surveillance System, *Obes. Res.* 13 (2005)

172. Weiss *et al.* Weight-control practices among U.S. adults, 2001-2002, *Am. J. Prev. Med.* 31 (2006)

173. Wharton *et al.* Weight loss practices and body weight perceptions among US college students, J. *Am. Coll. Health* 56 (2008)

174. Lemon *et al.* Contributions of weight perceptions to weight loss attempts: differences by body mass index and gender, *Body Image* 6 (2009)

175. Field *et al.* Weight-control behaviors and subsequent weight change among adolescents and young adult females, *Am. J. Clin. Nutr.* 91 (2010)

176. Baradel *et al.* Temporal changes in trying to lose weight and recommended weight-loss strategies among overweight and obese Americans, 1996-2003, *Prev. Med.* 49 (2009)

177. Bish *et al.* Health-related quality of life and weight loss practices among overweight and obese US adults, 2003 behavioral risk factor surveillance system, *MedGenMed* 9 (2007)

178. Marketdata Enterprises Inc. *The U.S. Weight Loss & Diet Control Market* (11th Edition), marketresearch.com, (2011). www.marketresearch.com/Marketdata-Enterprises-Inc-v416/Weight-Loss-Diet-Control-11th-6314539/ (accès: 15/10/2012)

179. Robison. Weight, Health, and Culture: Shifting the Paradigm for Alternative Health Care, *Complementary Health Pract Rev* 5 (1999)

180. Miller *et al.* The health at any size paradigm for obesity treatment: the scientific evidence, *Obes. Rev.* 2 (2001)

181. Aphramor. Validity of claims made in weight management research: a narrative review of dietetic articles, *Nutr. J.* 9 (2010)

182. Reel *et al.* Is The "Health at Every Size" Approach Useful for Addressing Obesity?, *J. Community Med. Health Educ.* 2 (2012)

183. Sandowski. What is the ideal body weight?, *Fam. Pract.* 17 (2000)

184. USDHHS. *Clinical guidelines on the identification, evaluation, and treatment of overweight and obesity in adults. The evidence report* (98-4083), NIH Publications, (09/1998). www.ncbi.nlm. nih.gov/books/NBK2003/pdf/TOC.pdf (accès: 08/11/2012)

185. National Health & Medical Research Council. *Clinical Practice Guidelines for the Management of Overweight and Obesity in Adults,* NHMRC, (2003). www.health.gov.au/internet/main/ publishing.nsf/Content/7AF116AFD4E2EE3DCA256F190003B91D/$File/adults.pdf (accès: 08/11/2012)

186. AMA. *Roadmaps for Clinical Practice: Assessment and Management of Adult Obesity,* American Medical Association, (11/2003). www.ama-assn.org/ama/pub/physician-resources/public-health/ general-resources-health-care-professionals/roadmaps-clinical-practice-series/assessment-manage-ment-adult-obesity.page (accès: 10/11/2012)

187. Douketis *et al.* Canadian guidelines for body weight classification in adults: application in clinical practice to screen for overweight and obesity and to assess disease risk, *CMAJ* 172 (2005)

188. Despres *et al.* Regional distribution of body fat, plasma lipoproteins, and cardiovascular disease, *Arteriosclerosis* 10 (1990)

189. Rexrode *et al.* Abdominal adiposity and coronary heart disease in women, *JAMA* 280 (1998)

190. Lee *et al.* Indices of abdominal obesity are better discriminators of cardiovascular risk factors than BMI: a meta-analysis, *J. Clin. Epidemiol.* 61 (2008)

191. Schneider *et al.* The predictive value of different measures of obesity for incident cardiovascular events and mortality, *J. Clin. Endocrinol. Metab.* 95 (2010)

192. Huxley *et al.* Body mass index, waist circumference and waist:hip ratio as predictors of cardio-vascular risk – a review of the literature, *Eur. J. Clin. Nutr.* 64 (2010)

193. Seidell. Waist circumference and waist/hip ratio in relation to all-cause mortality, cancer and sleep apnea, *Eur. J. Clin. Nutr.* 64 (2010)

194. Lohman *et al. Anthropometric standardization reference manual.* Abridged edn., Human Kinetics (1988)

195. Lear *et al.* Appropriateness of waist circumference and waist-to-hip ratio cutoffs for different ethnic groups, *Eur. J. Clin. Nutr.* 64 (2010)

196. Liang *et al.* Cigarette smoking and colorectal cancer incidence and mortality: systematic review and meta-analysis, *Int. J. Cancer* 124 (2009)

197. Moghaddam *et al.* Obesity and risk of colorectal cancer: a meta-analysis of 31 studies with 70,000 events, *Cancer Epidemiol. Biomarkers Prev.* 16 (2007)

198. Shah *et al.* Smoking and stroke: the more you smoke the more you stroke, *Expert Rev. Cardio-vasc. Ther.* 8 (2010)

199. Strazzullo *et al.* Excess body weight and incidence of stroke: meta-analysis of prospective studies with 2 million participants, *Stroke* 41 (2010)

200. IOM. *Bridging the Evidence Gap in Obesity Prevention: A Framework to Inform Decision Making,* The National Academies Press (2010)

NOTES BIBLIOGRAPHIQUES

201. Desmurget. *Tv Lobotomie: La vérité scientifique sur les effets de la télévision*, Max Milo (2012)

202. Nichter. Hype and weight, *Med. Anthropol.* 13 (1991)

203. ANSES. *Avis de l'Agence nationale de sécurité sanitaire de l'alimentation, de l'environnement et du travail relatif à la demande d'évaluation des risques liés aux pratiques alimentaires d'amaigrissement*, Agence nationale de sécurité sanitaire, (04/05/2011). www.anses.fr/Documents/NUT2009sa0099.pdf (accès: 07/11/2012)

204. ANSES. *Actualités: Suite à la mise en consultation de son rapport d'expertise, l'Anses publie un avis sur les régimes amaigrissants*, Agence nationale de sécurité sanitaire, (12/05/2011). www.anses.fr/index.htm (accès: 07/11/2012)

205. Kruger *et al.* Attempting to lose weight: specific practices among U.S. adults, *Am. J. Prev. Med.* 26 (2004)

206. Thompson *et al.* Thin-Ideal Internalization: Mounting Evidence for a New Risk Factor for Body-Image Disturbance and Eating Pathology, *Curr. Dir. Psychol Sci.* 10 (2001)

207. Strasburger. Children, adolescents, and the media, *Curr. Probl. Pediatr. Adolesc. Health Care* 34 (2004)

208. Pope *et al.* *The Adonis Complex: How to Identify, Treat and Prevent Body Obsession in Men and Boys*, The Free Press (2002)

209. Groesz *et al.* The effect of experimental presentation of thin media images on body satisfaction: a meta-analytic review, *Int. J. Eat Disord.* 31 (2002)

210. Spettigue *et al.* Eating disorders and the role of the media, *Can. Child Adolesc. Psychiatr. Rev.* 13 (2004)

211. Cafri *et al.* The Influence of Sociocultural Factors on Body Image: A Meta-Analysis, *Clinical Psychology: Science and Practice* 12 (2005)

212. Derenne *et al.* Body image, media, and eating disorders, *Acad. Psychiatry* 30 (2006)

213. Hill. Motivation for eating behaviour in adolescent girls: the body beautiful, *Proc. Nutr. Soc.* 65 (2006)

214. Hogan *et al.* Body image, eating disorders, and the media, *Adolesc. Med. State Art Rev.* 19 (2008)

215. Grabe *et al.* The role of the media in body image concerns among women: a meta-analysis of experimental and correlational studies, *Psychol. Bull.* 134 (2008)

216. Grogan. *Body Image: understanding body dissatisfaction in men, women and children* (2e ed.), Routledge (2008)

217. Marshall *et al.* Body dissatisfaction among middle-aged and older women, *Can. J. Diet Pract. Res.* 73 (2012)

218. Garner *et al.* Cultural expectations of thinness in women, *Psychol. Rep.* 47 (1980)

219. Silverstein *et al.* The role of the mass media in promoting a thin standard of bodily attractiveness for women, *Sex Roles* 14 (1986)

220. Wiseman *et al.* Cultural expectations of thinness in women: An update, *Int. J. Eat Disord.* 11 (1992)

221. Spitzer *et al*. Gender Differences in Population Versus Media Body Sizes: A Comparison over Four Decades, *Sex Roles* 40 (1999)

222. Voracek *et al*. Shapely centrefolds? Temporal change in body measures: trend analysis, *BMJ* 325 (2002)

223. Sypeck *et al*. No longer just a pretty face: fashion magazines' depictions of ideal female beauty from 1959 to 1999, *Int. J. Eat Disord*. 36 (2004)

224. Sypeck *et al*. Cultural representations of thinness in women, redux: Playboy magazine's depiction of beauty from 1979 to 1999, *Body Image* 3 (2006)

225. Harrison. Television Viewers' Ideal Body Proportions: The Case of the Curvaceously Thin Woman, *Sex Roles* 48 (2003)

226. Seifert. Anthropomorphic characteristics of centerfold models: trends towards slender figures over time, *Int. J. Eat Disord*.... 37 (2005)

227. Voracek *et al*. Success is all in the measures: androgenousness, curvaceousness, and starring frequencies in adult media actresses, *Arch. Sex Behav*. 35 (2006)

228. Rubinstein *et al*. Is Miss America an undernourished role model?, *JAMA* 283 (2000)

229. Tovee *et al*. Supermodels: stick insects or hourglasses?, *Lancet* 350 (1997)

230. Levine *et al. in: The developmental psychopathology of eating disorders: Implications for research, prevention, and treatment* (eds Levine *et al*.), Media as a context for the development of disordered eating, 235-257, Lawrence Erlbaum Associates (1996)

231. Fryar *et al. Prevalence of Underweight Among Adults Aged 20 Years and Over: United States, 2007-2008,* Center For Disease Control and Prevention, (2010). www.cdc.gov/NCHS/data/hestat/underweight_adult_07_08/underweight_adult_07_08.pdf (accès: 17/10/2014)

232. CDC. *Anthropometric Reference Data for Children and Adults: United States, 2007–2010 Center for Disease Control,* (2012). www.cdc.gov/nchs/data/series/sr_11/sr11_252.pdf (accès: 16/11/2014)

233. NEDA. *Statistics: Eating Disorders and Their Precursors,* National Eating Disorders Association, (2005). www.nationaleatingdisorders.org/uploads/file/Statistics%20%20Updated%20Feb%2010,%202008%2B.pdf (accès: 02/12/2012)

234. Effron *et al*. Fashion Models: By the Numbers, *ABC News,* (14/09/2011). http://abcnews.go.com/blogs/lifestyle/2011/09/fashion-models-by-the-numbers/ (accès: 16/11/2014)

235. Andersen *et al*. Diet vs. shape content of popular male and female magazines: A dose-response relationship to the incidence of eating disorders?, *Int. J. Eat Disord*. 11 (1992)

236. Greenberg *et al*. Portrayals of overweight and obese individuals on commercial television, *Am. J. Public. Health* 93 (2003)

237. Flegal *et al*. Prevalence and trends in obesity among US adults, 1999-2008, *JAMA* 303 (2010)

238. Norton *et al*. Ken and Barbie at life size, *Sex Roles* 34 (1996)

239. Amalou. *Le livre noir de la pub,* Stock (2001)

240. Rodgers. *Barbie Culture,* Sage Publications (1999)

241. Brownell *et al*. Distorting reality for children: Body size proportions of Barbie and Ken dolls, *Int. J. Eat Disord*. 18 (1995)

NOTES BIBLIOGRAPHIQUES

242. *Britney Spears retouchée, les fans en colère,* Yahoo France, (12/02/2012). http://fr.pourelles. yahoo.com/britney-spears-retouch%C3%A9e--les-fans-en-col%C3%A8re.html (accès: 02/12/2012)

243. *Gucci dans le collimateur pour une retouche photo,* Yahoo France, (12/12/2012). http:// fr.pourelles.yahoo.com/gucci-dans-le-collimateur-pour-une-retouche-photo-124106769.html (accès: 15/12/2012)

244. Fouts *et al.* Television Situation Comedies: Female Body Images and Verbal Reinforcements, *Sex Roles* 40 (1999)

245. Fouts *et al.* Television Situation Comedies: Female Weight, Male Negative Comments, and Audience Reactions, *Sex Roles* 42 (2000)

246. Herbozo *et al.* Beauty and thinness messages in children's media: a content analysis, *Eat Disord.* 12 (2004)

247. Himes *et al.* Fat stigmatization in television shows and movies: a content analysis, *Obesity* (Silver Spring) 15 (2007)

248. Puhl *et al.* The stigma of obesity: a review and update, *Obesity* (Silver Spring) 17 (2009)

249. Klein *et al.* Messages about physical attractiveness in animated cartoons, *Body Image* 3 (2006)

250. Klein *et al.* Thin is "in and stout is out" what animated cartoons tell viewers about body weight, *Eat Weight Disord* 10 (2005)

251. Latner *et al.* Childhood obesity stigma: association with television, videogame, and magazine exposure, *Body Image* 4 (2007)

252. Malterud *et al.* Norwegians fear fatness more than anything else – a qualitative study of normative newspaper messages on obesity and health, *Patient Educ. Couns.* 81 (2010)

253. Tang-Peronard *et al.* Stigmatization of obese children and adolescents, the importance of gender, *Obes. Rev.* 9 (2008)

254. Ata *et al.* Weight bias in the media: a review of recent research, *Obes. Facts* 3 (2010)

255. Heuer *et al.* Obesity stigma in online news: a visual content analysis, *J. Health Commun.* 16 (2011)

256. McClure *et al.* Obesity in the news: do photographic images of obese persons influence antifat attitudes?, *J. Health Commun.* 16 (2011)

257. Gerbner. Cultivation Analysis: An Overview, *Mass Commun. Soc.* 1 (1998)

258. Morgan *et al.* The State of Cultivation, *J. Broadcasting Electron. Media* 54 (2010)

259. Want. Meta-analytic moderators of experimental exposure to media portrayals of women on female appearance satisfaction: Social comparisons as automatic processes, *Body Image* 6 (2009)

260. Anschutz *et al.* The direct effect of thin ideal focused adult television on young girls' ideal body figure, *Body Image* 8 (2011)

261. Stice. Risk and maintenance factors for eating pathology: a meta-analytic review, *Psychol. Bull.* 128 (2002)

262. Stice *et al.* Role of body dissatisfaction in the onset and maintenance of eating pathology: a synthesis of research findings, *J. Psychosom. Res.* 53 (2002)

263. Johnson *et al.* Dietary restraint, body dissatisfaction, and psychological distress: a prospective analysis, *J. Abnorm. Psychol.* 114 (2005)

264. Paxton *et al.* Body dissatisfaction prospectively predicts depressive mood and low self-esteem in adolescent girls and boys, *J. Clin. Child Adolesc. Psychol.* 35 (2006)

265. Neumark-Sztainer *et al.* Does body satisfaction matter? Five-year longitudinal associations between body satisfaction and health behaviors in adolescent females and males, *J. Adolesc. Health* 39 (2006)

266. Becker *et al.* Eating behaviours and attitudes following prolonged exposure to television among ethnic Fijian adolescent girls, *Br. J. Psychiatry* 180 (2002)

267. Field *et al.* Exposure to the mass media and weight concerns among girls, *Pediatrics* 103 (1999)

268. Kendrick *et al.* Contrast effects and judgments of physical attractiveness: When beauty becomes a social problem, *J. Pers. Soc. Psychol.* 38 (1980)

269. Cash *et al.* Mirror, Mirror, on the Wall...?: Contrast Effects and Self-Evaluations of Physical Attractiveness, *Personality and Social Psychology Bulletin* 9 (1983)

270. Harrison *et al.* The relationship between media consumption and eating disorders, *J. Commun.* 47 (1997)

271. Hatoum *et al.* Mags and Abs: Media Consumption and Bodily Concerns in Men, *Sex Roles* 51 (2004)

272. Agliata *et al.* The Impact of Media Exposure on Males' Body Image, *J. Soc. Clin. Psychol.* 23 (2004)

273. Barlett *et al.* Action Figures and Men, *Sex Roles* 53 (2005)

274. Blond. Impacts of exposure to images of ideal bodies on male body dissatisfaction: a review, *Body Image* 5 (2008)

275. Barlett *et al.* Meta-Analyses of the Effects of Media Images on Men's Body-image Concerns, *J. Soc. Clin. Psychol.* 27 (2008)

276. Labre. Burn Fat, Build Muscle: A Content Analysis of Men's Health and Men's Fitness, *Int. J. Mens. Health* 4 (2005)

277. Leit *et al.* Cultural expectations of muscularity in men: the evolution of playgirl centerfolds, *Int. J. Eat Disord.* 29 (2001)

278. Pope *et al.* Evolving ideals of male body image as seen through action toys, *Int. J. Eat Disord.* 26 (1999)

279. Fouts *et al.* Television Situation Comedies: Male Weight, Negative References, and Audience Reactions, *Sex Roles* 46 (2002)

280. Field *et al.* Peer, parent, and media influences on the development of weight concerns and frequent dieting among preadolescent and adolescent girls and boys, *Pediatrics* 107 (2001)

281. Botta. For Your Health? The Relationship Between Magazine Reading and Adolescents' Body Image and Eating Disturbances, *Sex Roles* 48 (2003)

282. Stevens *et al.* Sudden cardiac death of an adolescent during dieting, *South Med. J.* 95 (2002)

283. Kjeldsen. Hypokalemia and sudden cardiac death, *Exp. Clin. Cardiol.* 15 (2010)

NOTES BIBLIOGRAPHIQUES

284. Best *et al.* Cardiac complications in pediatric patients on the ketogenic diet, *Neurology* 54 (2000)

285. Francois *et al.* Ketogenic regime as anti-epileptic treatment: its use in 29 epileptic children, *Arch. Pediatr.* 10 (2003)

286. Advani *et al.* Life-threatening hypokalaemia on a low-carbohydrate diet associated with previously undiagnosed primary hyperaldosteronism [corrected], *Diabet. Med.* 22 (2005)

287. Bank *et al.* Sudden cardiac death in association with the ketogenic diet, *Pediatr. Neurol.* 39 (2008)

288. Barnett *et al.* Development of symptomatic cardiovascular disease after self-reported adherence to the Atkins diet, *J. Am. Diet. Assoc.* 109 (2009)

289. Brown *et al.* Cardiac complications of protein-sparing modified fasting, *JAMA* 240 (1978)

290. Michiel *et al.* Sudden death in a patient on a liquid protein diet, *N. Engl. J. Med.* 298 (1978)

291. Isner *et al.* Sudden, unexpected death in avid dieters using the liquid-protein-modified-fast diet. Observations in 17 patients and the role of the prolonged QT interval, *Circulation* 60 (1979)

292. Sours *et al.* Sudden death associated with very low calorie weight reduction regimens, *Am. J. Clin. Nutr.* 34 (1981)

293. Wadden *et al.* Very low calorie diets: their efficacy, safety, and future, *Ann. Intern. Med.* 99 (1983)

294. Stern *et al.* The effects of low-carbohydrate versus conventional weight loss diets in severely obese adults: one-year follow-up of a randomized trial, *Ann. Intern. Med.* 140 (2004)

295. Peto *et al.* Smoking, smoking cessation, and lung cancer in the UK since 1950: combination of national statistics with two case-control studies, *BMJ* 321 (2000)

296. Serdula *et al.* Weight loss counseling revisited, *JAMA* 289 (2003)

297. WHO. *Food based dietary guidelines in the WHO European Region, World Health Organization,* (2003). www.euro.who.int/__data/assets/pdf_file/0017/150083/E79832.pdf (accès: 01/01/2003)

298. Freedman *et al.* Popular diets: a scientific review, *Obes. Res.* 9 Suppl 1 (2001)

299. Kennedy *et al.* Popular diets: correlation to health, nutrition, and obesity, *J. Am. Diet. Assoc.* 101 (2001)

300. ANSES. *Les apports conseillés en énergie,* Agence nationale de sécurité sanitaire, (2013). www.anses.fr/PNS701.htm (accès: 14/01/2013)

301. Australian Ministry of Health, *Nutrient Reference Values for Australia and New Zealand,* Australian Ministry of Health, (2005). www.nhmrc.gov.au/_files_nhmrc/publications/attachments/n35.pdf (accès: 06/02/2014)

302. Eisenstein *et al.* High-protein weight-loss diets: are they safe and do they work? A review of the experimental and epidemiologic data, *Nutr. Rev.* 60 (2002)

303. Agatston. *The South Beach Diet Supercharged: Faster Weight Loss and Better Health for Life,* Rodale (2008)

304. Westman *et al.* Effect of 6-month adherence to a very low carbohydrate diet program, *Am. J. Med.* 113 (2002)

305. Yancy *et al.* A low-carbohydrate, ketogenic diet versus a low-fat diet to treat obesity and hyperlipidemia: a randomized, controlled trial, *Ann. Intern. Med.* 140 (2004)

306. Sondike *et al.* Effects of a low-carbohydrate diet on weight loss and cardiovascular risk factor in overweight adolescents, *J. Pediatr.*142 (2003)

307. Chen *et al.* A life-threatening complication of Atkins diet, *Lancet* 367 (2006)

308. Shah *et al.* Ketoacidosis during a low-carbohydrate diet, *N. Engl. J. Med.* 354 (2006)

309. Freeman *et al.* Acute Intractable Vomiting and Severe Ketoacidosis Secondary to the Dukan Diet(c), *J. Emerg. Med.* 47 (2014)

310. Steffen *et al.* Carbohydrates: how low can you go?, *Lancet* 367 (2006)

311. Czarnecki *et al.* in: *Dietary Proteins: How They Alleviate Disease and Promote Better Health* (eds Liepa *et al.*), Dietary protein and atherosclerosis, 42-56, American Oil Chemists' Society (1993)

312. Robertson *et al.* The effect of high animal protein intake on the risk of calcium stone-formation in the urinary tract, *Clin. Sci.* (Lond.) 57 (1979)

313. Robertson *et al.* Dietary changes and the incidence of urinary calculi in the U.K. between 1958 and 1976, *J. Chronic Dis.* 32 (1979)

314. Curhan *et al.* A prospective study of dietary calcium and other nutrients and the risk of symptomatic kidney stones, *N. Engl. J. Med.* 328 (1993)

315. Aune *et al.* Meat consumption and the risk of type 2 diabetes: a systematic review and meta-analysis of cohort studies, *Diabetologia* 52 (2009)

316. Micha *et al.* Unprocessed red and processed meats and risk of coronary artery disease and type 2 diabetes – an updated review of the evidence, *Curr. Atheroscler. Rep.* 14 (2012)

317. de Koning *et al.* Low-carbohydrate diet scores and risk of type 2 diabetes in men, *Am. J. Clin. Nutr.* 93 (2011)

318. Feskens *et al.* Meat consumption, diabetes, and its complications, *Curr. Diab. Rep.* 13 (2013)

319. Kelemen *et al.* Associations of dietary protein with disease and mortality in a prospective study of postmenopausal women, *Am. J. Epidemiol.* 161 (2005)

320. Lagiou *et al.* Low carbohydrate-high protein diet and incidence of cardiovascular diseases in Swedish women: prospective cohort study, *BMJ* 344 (2012)

321. Zyriax *et al.* Nutrition is a powerful independent risk factor for coronary heart disease in women--The CORA study: a population-based case-control study, *Eur. J. Clin. Nutr.* 59 (2005)

322. Bernstein *et al.* Dietary protein sources and the risk of stroke in men and women, *Stroke* 43 (2012)

323. De Stefani *et al.* Diet and risk of cancer of the upper aerodigestive tract – I. Foods, *Oral Oncol.* 35 (1999)

324. Tavani *et al.* Red meat intake and cancer risk: a study in Italy, *Int. J. Cancer* 86 (2000)

325. Norat *et al.* Meat, fish, and colorectal cancer risk: the European Prospective Investigation into cancer and nutrition, *J. Natl. Cancer Inst.* 97 (2005)

326. Chan *et al.* Red and processed meat and colorectal cancer incidence: meta-analysis of prospective studies, *PLoS One* 6 (2011)

327. Choi *et al.* Consumption of red and processed meat and esophageal cancer risk: meta-analysis, *World J. Gastroenterol.* 19 (2013)

328. Salehi *et al.* Meat, fish, and esophageal cancer risk: a systematic review and dose-response meta-analysis, *Nutr. Rev.* 71 (2013)

329. Aune *et al.* Red and processed meat intake and risk of colorectal adenomas: a systematic review and meta-analysis of epidemiological studies, *Cancer Causes Control* 24 (2013)

330. Trichopoulou *et al.* Low-carbohydrate-high-protein diet and long-term survival in a general population cohort, *Eur. J. Clin. Nutr.* 61 (2007)

331. Fung *et al.* Low-carbohydrate diets and all-cause and cause-specific mortality: two cohort studies, *Ann. Intern. Med.* 153 (2010)

332. Foo *et al.* Vascular effects of a low-carbohydrate high-protein diet, *Proc. Natl. Acad. Sci. USA* 106 (2009)

333. McLaughlin *et al.* Report Details Dr. Atkins's Health Problems, *Wall Street Journal,* (10/02/2004). http://online.wsj.com/article/0,,SB107637899384525268,00.html (accès: 12/01/2013)

334. Meyer *et al.* Carbohydrates, dietary fiber, and incident type 2 diabetes in older women, *Am. J. Clin. Nutr.* 71 (2000)

335. Schulze *et al.* Glycemic index, glycemic load, and dietary fiber intake and incidence of type 2 diabetes in younger and middle-aged women, *Am. J. Clin. Nutr.* 80 (2004)

336. Boeing *et al.* Critical review: vegetables and fruit in the prevention of chronic diseases, *Eur. J. Nutr.* 51 (2012)

337. Carter *et al.* Fruit and vegetable intake and incidence of type 2 diabetes mellitus: systematic review and meta-analysis, *BMJ* 341 (2010)

338. Dauchet *et al.* Fruit and vegetable consumption and risk of stroke: a meta-analysis of cohort studies, *Neurology* 65 (2005)

339. Dauchet *et al.* Fruit and vegetable consumption and risk of coronary heart disease: a meta-analysis of cohort studies, *J. Nutr.* 136 (2006)

340. Streppel *et al.* Dietary fiber intake in relation to coronary heart disease and all-cause mortality over 40 y: the Zutphen Study, *Am. J. Clin. Nutr.* 88 (2008)

341. Gil *et al.* Wholegrain cereals and bread: a duet of the Mediterranean diet for the prevention of chronic diseases, *Public Health Nutr.* 14 (2011)

342. Lanou *et al.* Reduced cancer risk in vegetarians: an analysis of recent reports, *Cancer Manag. Res.* 3 (2010)

343. Hercberg *et al.* *Les apports de fibres alimentaires dans la population française.* Étude Nurinet-Santé, (11/2012). www.inra.fr/var/plain/storage/htmlarea/35118/file/DOSSIER_PRESSE_ Nutrinet-Sante_22_11_12.pdf (accès: 12/02/2013)

344. Loef *et al.* Fruit, vegetables and prevention of cognitive decline or dementia: a systematic review of cohort studies, *J. Nutr. Health Aging* 16 (2012)

345. Pereira *et al.* Dietary fiber and risk of coronary heart disease: a pooled analysis of cohort studies, *Arch. Intern. Med.* 164 (2004)

346. Aune *et al.* Dietary fibre, whole grains, and risk of colorectal cancer: systematic review and dose-response meta-analysis of prospective studies, *BMJ* 343 (2011)

347. ANSES. *Actualisation des apports nutritionnels conseillés pour les acides gras,* Agence nationale de sécurité sanitaire, (2011). www.anses.fr/Documents/NUT2006sa0359Ra.pdf (accès: 21/01/2013)

348. Afssa. *Avis de l'Agence française de sécurité sanitaire des aliments relatif à l'actualisation des apports nutritionnels conseillés pour les acides gras,* Agence française de sécurité sanitaire des aliments, (1/03/2010). www.anses.fr/sites/default/files/documents/NUT2006sa0359.pdf (accès: 20/01/2013)

349. USDA. *National Nutrient Database for Standard Reference,* United States Department of Agriculture. http://ndb.nal.usda.gov/ (accès: 20/01/2013)

350. Baum *et al.* Low-fat, high-carbohydrate diets and atherogenic risk, *Nutr. Rev.* 58 (2000)

351. Abeywardena. Dietary fats, carbohydrates and vascular disease: Sri Lankan perspectives, *Atherosclerosis* 171 (2003)

352. Albert *et al.* Fish consumption and risk of sudden cardiac death, *JAMA* 279 (1998)

353. Calder *et al.* Essential fats for future health. Proceedings of the 9th Unilever Nutrition Symposium, 26-27 May 2010, *Eur. J. Clin. Nutr.* 64 Suppl 4 (2010)

354. Gebauer *et al.* n-3 fatty acid dietary recommendations and food sources to achieve essentiality and cardiovascular benefits, *Am. J. Clin. Nutr.* 83 (2006)

355. Psota *et al.* Dietary omega-3 fatty acid intake and cardiovascular risk, *Am. J. Cardiol.* 98 (2006)

356. Pauwels *et al.* Fatty acid facts, Part III: Cardiovascular disease, or, a fish diet is not fishy, *Drug News Perspect* 21 (2008)

357. Ros. Nuts and novel biomarkers of cardiovascular disease, *Am. J. Clin. Nutr.* 89 (2009)

358. Kris-Etherton *et al.* Fish consumption, fish oil, omega-3 fatty acids, and cardiovascular disease, *Circulation* 106 (2002)

359. Musa-Veloso *et al.* Impact of low v. moderate intakes of long-chain n-3 fatty acids on risk of coronary heart disease, *Br. J. Nutr.* 106 (2011)

360. Djousse *et al.* Fish consumption, omega-3 fatty acids and risk of heart failure: a meta-analysis, *Clin Nutr* 31 (2012)

361. Kromhout *et al.* Update on cardiometabolic health effects of omega-3 fatty acids, *Curr. Opin. Lipidol.* 25 (2014)

362. Zheng *et al.* Marine N-3 polyunsaturated fatty acids are inversely associated with risk of type 2 diabetes in Asians: a systematic review and meta-analysis, *PLoS One* 7 (2012)

363. Zhang *et al.* Fish and Marine Omega-3 Polyunsatured Fatty Acid Consumption and Incidence of Type 2 Diabetes: A Systematic Review and Meta-Analysis, *Int. J. Endocrinol.* 2013 (2013)

364. Gerber. Omega-3 fatty acids and cancers: a systematic update review of epidemiological studies, *Br. J. Nutr.* 107 Suppl. 2 (2012)

365. Shen *et al.* Dietary intake of n-3 fatty acids and colorectal cancer risk: a meta-analysis of data from 489 000 individuals, *Br. J. Nutr.* 108 (2012)

366. Brasky *et al.* n-3 fatty acids and prostate cancer risk, *Br. J. Nutr.* 108 (2012)

367. Wells *et al.* Alterations in mood after changing to a low-fat diet, *Br. J. Nutr.* 79 (1998)

368. Bourre. Dietary omega-3 Fatty acids and psychiatry: mood, behaviour, stress, depression, dementia and aging, *J. Nutr. Health Aging* 9 (2005)

369. Bourre. Effects of nutrients (in food) on the structure and function of the nervous system: update on dietary requirements for brain. Part 2: macronutrients, *J. Nutr. Health Aging* 10 (2006)

370. Parker *et al.* Omega-3 fatty acids and mood disorders, *Am. J. Psychiatry* 163 (2006)

371. Pauwels *et al.* Fatty acid facts, Part I. Essential fatty acids as treatment for depression, or food for mood?, *Drug News Perspect.* 21 (2008)

372. Crawford *et al.* Fat intake and CNS functioning: ageing and disease, *Ann Nutr Metab* 55 (2009)

373. Lewis *et al.* Suicide deaths of active-duty US military and omega-3 fatty-acid status: a case-control comparison, *J. Clin. Psychiatry* 72 (2011)

374. Goren *et al.* The use of omega-3 fatty acids in mental illness, *J. Pharm. Pract.* 24 (2011)

375. Prior *et al.* (N-3) Fatty acids: molecular role and clinical uses in psychiatric disorders, *Adv. Nutr.* 3 (2012)

376. Perica *et al.* Essential fatty acids and psychiatric disorders, *Nutr. Clin. Pract.* 26 (2011)

377. Jacka *et al.* Dietary intake of fish and PUFA, and clinical depressive and anxiety disorders in women, *Br. J. Nutr.* (2012)

378. Third Report of the National Cholesterol Education Program (NCEP) Expert Panel on Detection, Evaluation, and Treatment of High Blood Cholesterol in Adults (Adult Treatment Panel III) final report, *Circulation* 106 (2002)

379. Keys *et al.* The diet and 15-year death rate in the seven countries study, *Am. J. Epidemiol.* 124 (1986)

380. Shrapnel *et al.* Diet and coronary heart disease. The National Heart Foundation of Australia, *Med. J. Aust.* 156 Suppl (1992)

381. Mann. Diet and risk of coronary heart disease and type 2 diabetes, *Lancet* 360 (2002)

382. Vartiainen *et al.* Thirty-five-year trends in cardiovascular risk factors in Finland, *Int. J. Epidemiol.* 39 (2010)

383. Stamler. Diet-heart: a problematic revisit, *Am. J. Clin. Nutr.* 91 (2010)

384. Mente *et al.* A systematic review of the evidence supporting a causal link between dietary factors and coronary heart disease, *Arch. Intern. Med.* 169 (2009)

385. Siri-Tarino *et al.* Meta-analysis of prospective cohort studies evaluating the association of saturated fat with cardiovascular disease, *Am. J. Clin. Nutr.* 91 (2010)

386. Hooper *et al.* Reduced or modified dietary fat for preventing cardiovascular disease, *Cochrane Database Syst. Rev.* 5 (2012)

387. Muller *et al.* High saturated fat and low carbohydrate diet decreases lifespan independent of body weight in mice, *Longev. Healthspan* 2 (2013)

388. Jensen *et al.* High dietary intake of saturated fat is associated with reduced semen quality among 701 young Danish men from the general population, *Am. J. Clin. Nutr.* 97 (2013)

389. Hu. Are refined carbohydrates worse than saturated fat?, *Am. J. Clin. Nutr.* 91 (2010)

390. Siri-Tarino *et al.* Saturated fat, carbohydrate, and cardiovascular disease, *Am. J. Clin. Nutr.* 91 (2010)

391. Siri-Tarino *et al.* Saturated fatty acids and risk of coronary heart disease: modulation by replacement nutrients, *Curr. Atheroscler. Rep.* 12 (2010)

392. Jakobsen *et al.* Macronutrient advice for ischemic heart disease prevention, *Curr. Opin. Lipidol.* 22 (2011)

393. Brand-Miller *et al.* The glycemic index issue, *Curr. Opin. Lipidol.* 23 (2012)

394. Jakobsen *et al.* Intake of carbohydrates compared with intake of saturated fatty acids and risk of myocardial infarction: importance of the glycemic index, *Am. J. Clin. Nutr.* 91 (2010)

395. Hu *et al.* Dietary fat intake and the risk of coronary heart disease in women, *N. Engl. J. Med.* 337 (1997)

396. Mozaffarian *et al.* Effects on coronary heart disease of increasing polyunsaturated fat in place of saturated fat: a systematic review and meta-analysis of randomized controlled trials, *PLoS Med.* 7 (2010)

397. Willett. Dietary fats and coronary heart disease, *J. Intern. Med.* 272 (2012)

398. Flock *et al.* Macronutrient replacement options for saturated fat: effects on cardiovascular health, *Curr. Opin. Lipidol.* 25 (2014)

399. Ascherio *et al.* Health effects of trans fatty acids, *Am. J. Clin. Nutr.* 66 (1997)

400. Brouwer *et al.* Effect of animal and industrial trans fatty acids on HDL and LDL cholesterol levels in humans--a quantitative review, *PLoS One* 5 (2010)

401. Willett. Trans fatty acids and cardiovascular disease-epidemiological data, *Atheroscler* Suppl 7 (2006)

402. Micha *et al.* Trans fatty acids: effects on metabolic syndrome, heart disease and diabetes, *Nat. Rev. Endocrinol.* 5 (2009)

403. Mozaffarian *et al.* Health effects of trans-fatty acids: experimental and observational evidence, *Eur. J. Clin. Nutr.* 63 Suppl 2 (2009)

404. Remig *et al.* Trans fats in America: a review of their use, consumption, health implications, and regulation, *J. Am. Diet. Assoc.* 110 (2010)

405. Cascio *et al.* Dietary fatty acids in metabolic syndrome, diabetes and cardiovascular diseases, *Curr. Diabetes Rev.* 8 (2012)

406. Mozaffarian *et al.* Trans fatty acids and cardiovascular disease, *N. Engl. J. Med.* 354 (2006)

407. Johnson. Micronutrients and cancer, *Proc. Nutr. Soc.* 63 (2004)

408. Ames. Optimal micronutrients delay mitochondrial decay and age-associated diseases, *Mech. Ageing Dev.* 131 (2010)

409. Lal *et al.* Association of chromosome damage detected as micronuclei with hematological diseases and micronutrient status, *Mutagenesis* 26 (2011)

410. Sanchez-Moreno *et al.* Stroke: roles of B vitamins, homocysteine and antioxidants, *Nutr. Res. Rev.* 22 (2009)

411. Fairfield *et al*. Vitamins for chronic disease prevention in adults: scientific review, *JAMA* 287 (2002)

412. Field *et al*. Nutrients and their role in host resistance to infection, *J. Leukoc. Biol*. 71 (2002)

413. Fletcher *et al*. Vitamins for chronic disease prevention in adults: clinical applications, *JAMA* 287 (2002)

414. Ahmadieh *et al*. Vitamins and bone health: beyond calcium and vitamin D, *Nutr. Rev*. 69 (2011)

415. Asfaw. Micronutrient deficiency and the prevalence of mothers' overweight/obesity in Egypt, *Econ. Hum. Biol*. 5 (2007)

416. Calton. Prevalence of micronutrient deficiency in popular diet plans, *J. Int. Soc. Sports Nutr*. 7 (2010)

417. IOM. *Dietary Reference Intakes for Water, Potassium, Sodium, Chloride, and Sulfate,* Institute of Medicine, (2004). www.nap.edu/catalog/10925.html (accès: 24/01/2013)

418. Strazzullo *et al*. Salt intake, stroke, and cardiovascular disease: meta-analysis of prospective studies, *BMJ* 339 (2009)

419. Whelton *et al*. Sodium, blood pressure, and cardiovascular disease: further evidence supporting the american heart association sodium reduction recommendations, *Circulation* 126 (2012)

420. Whelton *et al*. Health effects of sodium and potassium in humans, *Curr. Opin*. Lipidol.25 (2014)

421. Michaelsson *et al*. Long term calcium intake and rates of all cause and cardiovascular mortality: community based prospective longitudinal cohort study, *BMJ* 346 (2013)

422. Groupe de réflexion sur l'obésité et le surpoids. Le "régime Dukan" est une imposture !, *lemonde.fr* (10/01/2012). www.lemonde.fr/idees/article/2012/01/10/l-e-regime-dukan-est-une-imposture_1627854_3232.html (accès: 03/02/2012)

423. Zermati *et al*. *Mensonges, régime Dukan et balivernes,* Odile Jacob (2012)

424. Régimes: Pierre Dukan perd son procès contre Jean-Michel Cohen, *20minutes.fr* (05/07/2011). www.20minutes.fr/societe/753443-regimes-pierre-dukan-perd-proces-contre-jean-michel-cohen- (accès: 24/01/2013)

425. Lahti-Koski *et al*. Prevalence of weight cycling and its relation to health indicators in Finland, *Obes. Res*. 13 (2005)

426. Field *et al*. Weight cycling and mortality among middle-aged or older women, *Arch. Intern. Med*. 169 (2009)

427. Strohacker *et al*. Influence of obesity, physical inactivity, and weight cycling on chronic inflammation, *Front. Biosci*. (Elite Ed) 2 (2010)

428. Brown *et al*. Consequences of obesity and weight loss: a devil's advocate position, *Obes. Rev*. 16 (2015)

429. Guagnano *et al*. Weight fluctuations could increase blood pressure in android obese women, *Clin. Sci*. (Lond) 96 (1999)

430. Dulloo *et al*. Pathways from weight fluctuations to metabolic diseases: focus on maladaptive thermogenesis during catch-up fat, *Int. J. Obes. Relat. Metab. Disord* 26 Suppl 2 (2002)

431. Schulz *et al*. Associations of short-term weight changes and weight cycling with incidence of essential hypertension in the EPIC-Potsdam Study, *J. Hum. Hypertens.* 19 (2005)

432. Kajioka *et al*. Effects of intentional weight cycling on non-obese young women, *Metabolism* 51 (2002)

433. French *et al*. Weight variability and incident disease in older women: the Iowa Women's Health Study, *Int. J. Obes. Relat. Metab. Disord.* 21 (1997)

434. Lissner *et al*. Variability of body weight and health outcomes in the Framingham population, *N. Engl. J. Med.* 324 (1991)

435. Montani *et al*. Weight cycling during growth and beyond as a risk factor for later cardiovascular diseases: the 'repeated overshoot' theory, *Int. J. Obes.* (Lond.) 30 Suppl 4 (2006)

436. Olson *et al*. Weight cycling and high-density lipoprotein cholesterol in women: evidence of an adverse effect: a report from the NHLBI-sponsored WISE study. Women's Ischemia Syndrome Evaluation Study Group, *J Am Coll Cardiol* 36 (2000)

437. Blair *et al*. Body weight change, all-cause mortality, and cause-specific mortality in the Multiple Risk Factor Intervention Trial, *Ann. Intern. Med.* 119 (1993)

438. Hamm *et al*. Large fluctuations in body weight during young adulthood and twenty-five-year risk of coronary death in men, *Am. J. Epidemiol.* 129 (1989)

439. Tsai *et al*. Weight cycling and risk of gallstone disease in men, *Arch. Intern. Med.* 166 (2006)

440. Syngal *et al*. Long-term weight patterns and risk for cholecystectomy in women, *Ann. Intern. Med.* 130 (1999)

441. Thompson *et al*. Weight cycling and cancer: weighing the evidence of intermittent caloric restriction and cancer risk, *Cancer Prev Res* (Phila) 4 (2011)

442. Shade *et al*. Frequent intentional weight loss is associated with lower natural killer cell cytotoxicity in postmenopausal women: possible long-term immune effects, J. *Am. Diet. Assoc.* 104 (2004)

443. Hooper *et al*. Frequent intentional weight loss is associated with higher ghrelin and lower glucose and androgen levels in postmenopausal women, *Nutr Res* 30 (2010)

444. Chomentowski *et al*. Moderate exercise attenuates the loss of skeletal muscle mass that occurs with intentional caloric restriction-induced weight loss in older, overweight to obese adults, *J Gerontol A Biol Sci Med Sci* 64 (2009)

445. Lee *et al*. Weight loss and regain and effects on body composition: the Health, Aging, and Body Composition Study, *J Gerontol A Biol Sci Med Sci* 65 (2010)

446. Santarpia *et al*. Body composition changes after weight-loss interventions for overweight and obesity, *Clin Nutr* (2012)

447. Kroke *et al*. Recent weight changes and weight cycling as predictors of subsequent two year weight change in a middle-aged cohort, *Int J Obes Relat Metab Disord* 26 (2002)

448. Field *et al*. Frequent dieting and the development of obesity among children and adolescents, *Nutrition* 17 (2001)

449. Iribarren *et al*. Association of weight loss and weight fluctuation with mortality among Japanese American men, *N. Engl. J. Med.* 333 (1995)

NOTES BIBLIOGRAPHIQUES

450. Rzehak *et al.* Weight change, weight cycling and mortality in the ERFORT Male Cohort Study, *Eur J Epidemiol* 22 (2007)

451. Diaz *et al.* The association between weight fluctuation and mortality: results from a population-based cohort study, *J Community Health* 30 (2005)

452. Harrington *et al.* A review and meta-analysis of the effect of weight loss on all-cause mortality risk, *Nutr Res Rev* 22 (2009)

453. Sorensen. Weight loss causes increased mortality: pros, *Obes. Rev.* 4 (2003)

454. Sorensen *et al.* Intention to lose weight, weight changes, and 18-y mortality in overweight individuals without co-morbidities, *PLoS Med* 2 (2005)

455. Wedick *et al.* The relationship between weight loss and all-cause mortality in older men and women with and without diabetes mellitus: the Rancho Bernardo study, *J Am Geriatr Soc* 50 (2002)

456. Yaari *et al.* Voluntary and involuntary weight loss: associations with long term mortality in 9,228 middle-aged and elderly men, *Am. J. Epidemiol.* 148 (1998)

457. Ingram *et al.* Weight loss from maximum body weight and mortality: the Third National Health and Nutrition Examination Survey Linked Mortality File, *Int. J. Obes.* (Lond.) 34 (2010)

458. Yang *et al.* Weight loss causes increased mortality: cons, *Obes. Rev.* 4 (2003)

459. Richman *et al.* Weight loss and mortality in the elderly: separating cause and effect, *J. Intern. Med.* 268 (2010)

460. Kuller. No hazard or better health from weight loss?, *Am. J. Clin. Nutr.* 94 (2011)

461. Bray. The missing link - lose weight, live longer, *N. Engl. J. Med.* 357 (2007)

462. Adams *et al.* Long-term mortality after gastric bypass surgery, *N. Engl. J. Med.* 357 (2007)

463. Sjostrom *et al.* Effects of bariatric surgery on mortality in Swedish obese subjects, *N. Engl. J. Med.* 357 (2007)

464. Christou *et al.* Surgery decreases long-term mortality, morbidity, and health care use in morbidly obese patients, *Ann Surg* 240 (2004)

465. Flum *et al.* Impact of gastric bypass operation on survival: a population-based analysis, *J Am Coll Surg* 199 (2004)

466. Site officiel de la méthode Montignac. *Fondements Scientifiques,* (2012). www.montignac.com/fr/fondements-scientifiques/ (accès: 19/02/2013)

467. Golay *et al.* Similar weight loss with low- or high-carbohydrate diets, *Am. J. Clin. Nutr.* 63 (1996)

468. Golay *et al.* Weight-loss with low or high carbohydrate diet?, *Int J Obes Relat Metab Disord* 20 (1996)

469. Yang *et al.* Composition of weight lost during short-term weight reduction. Metabolic responses of obese subjects to starvation and low-calorie ketogenic and nonketogenic diets, *J Clin Invest* 58 (1976)

470. Leibel *et al.* Energy intake required to maintain body weight is not affected by wide variation in diet composition, *Am. J. Clin. Nutr.* 55 (1992)

471. Stubbs *et al.* Covert manipulation of the dietary fat to carbohydrate ratio of isoenergetically dense diets: effect on food intake in feeding men ad libitum, *Int J Obes Relat Metab Disord* 20 (1996)

472. Segal-Isaacson *et al.* A randomized trial comparing low-fat and low-carbohydrate diets matched for energy and protein, *Obes. Res.* 12 Suppl 2 (2004)

473. Donnelly *et al.* Alteration of dietary fat intake to prevent weight gain: Jayhawk Observed Eating Trial, *Obesity* (Silver Spring) 16 (2008)

474. Brinkworth *et al.* Long-term effects of a very-low-carbohydrate weight loss diet compared with an isocaloric low-fat diet after 12 mo, *Am. J. Clin. Nutr.* 90 (2009)

475. DAA. *DAA Best Practice Guidelines for the Treatment of Overweight and Obesity in Adults*, Dietetician Association of Australia, (2012). http://daa.asn.au/wp-content/uploads/2011/03/FINAL-DAA-obesity-guidelines-report-25th-January-2011-2.pdf (accès: 02/10/2013)

476. Nicklas *et al.* Effect of dietary composition of weight loss diets on high-sensitivity c-reactive protein: the Randomized POUNDS LOST trial, *Obesity* (Silver Spring) 21 (2013)

477. Levitsky. in: *Nutrition in the prevention and treatment of disease* (eds Coulston *et al.*), Macronutrient Intake and the Control of Body Weight, 407-430, Elsevier (2008)

478. Van Horn. Calories count: but can consumers count on them?, *JAMA* 306 (2011)

479. CDC. Do Increased Portion Sizes Affect How Much We Eat ?, *Research to Practice* Series 2 (2006)

480. NICE. *Obesity guidance on the prevention, identification, assessment and management of overweight and obesity in adults and children (clinical guideline 43)*, National Institude for Health and Care Excellence (2006). www.nice.org.uk/nicemedia/live/11000/30365/30365.pdf (accès: 19/02/2013)

481. Hill. Understanding and addressing the epidemic of obesity: an energy balance perspective, *Endocr Rev* 27 (2006)

482. Montignac. *The French Diet: The secrets of why french women don't get fat*, DK Publishing (2005)

483. Rozin *et al.* The ecology of eating: smaller portion sizes in France Than in the United States help explain the French paradox, *Psychol Sci* 14 (2003)

484. Sacks *et al.* Comparison of weight-loss diets with different compositions of fat, protein, and carbohydrates, *N. Engl. J. Med.* 360 (2009)

485. Dalle Grave *et al.* A randomized trial of energy-restricted high-protein versus high-carbohydrate, low-fat diet in morbid obesity, *Obesity* (Silver Spring) 21 (2013)

486. Skov *et al.* Randomized trial on protein vs carbohydrate in ad libitum fat reduced diet for the treatment of obesity, *Int J Obes Relat Metab Disord* 23 (1999)

487. Foster *et al.* A randomized trial of a low-carbohydrate diet for obesity, *N. Engl. J. Med.* 348 (2003)

488. Samaha *et al.* A low-carbohydrate as compared with a low-fat diet in severe obesity, *N. Engl. J. Med.* 348 (2003)

489. Dansinger *et al.* Comparison of the Atkins, Ornish, Weight Watchers, and Zone diets for weight loss and heart disease risk reduction: a randomized trial, *JAMA* 293 (2005)

NOTES BIBLIOGRAPHIQUES

490. Truby *et al.* Randomised controlled trial of four commercial weight loss programmes in the UK: initial findings from the BBC "diet trials", *BMJ* 332 (2006)

491. Gardner *et al.* Comparison of the Atkins, Zone, Ornish, and LEARN diets for change in weight and related risk factors among overweight premenopausal women: the A TO Z Weight Loss Study: a randomized trial, *JAMA* 297 (2007)

492. Alhassan *et al.* Dietary adherence and weight loss success among overweight women: results from the A TO Z weight loss study, *Int. J. Obes.* (Lond.) 32 (2008)

493. Shai *et al.* Weight loss with a low-carbohydrate, Mediterranean, or low-fat diet, *N. Engl. J. Med.* 359 (2008)

494. Johnston *et al.* Comparison of weight loss among named diet programs in overweight and obese adults: a meta-analysis, *JAMA* 312 (2014)

495. Bravata *et al.* Efficacy and safety of low-carbohydrate diets: a systematic review, *JAMA* 289 (2003)

496. Wilkinson *et al.* Is there an optimal macronutrient mix for weight loss and weight maintenance?, *Best Pract Res Clin Gastroenterol* 18 (2004)

497. Foreyt *et al.* Weight-reducing diets: are there any differences?, *Nutr. Rev.* 67 Suppl 1 (2009)

498. Tuttle *et al.* The "Eco-Atkins" diet: new twist on an old tale, *Arch. Intern. Med.* 169 (2009)

499. Stock *et al.* Nutrient intake of subjects on low carbohydrate diet used in treatment of obesity, *Am. J. Clin. Nutr.* 23 (1970)

500. Yudkin *et al.* The treatment of obesity by the "highfat" diet. The inevitability of calories, *Lancet* 2 (1960)

501. Raynor *et al.* Dietary variety, energy regulation, and obesity, *Psychol Bull* 127 (2001)

502. Raynor. Can limiting dietary variety assist with reducing energy intake and weight loss?, *Physiol Behav* 106 (2012)

503. McCrory *et al.* Dietary (sensory) variety and energy balance, *Physiol Behav* 107 (2012)

504. Levitsky. *in: Appetite and food intake. Behavioral and physiological considerations,* (eds Harris *et al.*), The control of food intake and the regulation of body weight in humans, 21-42, CRC Press (2008)

505. Levitsky *et al.* Number of foods available at a meal determines the amount consumed, *Eat Behav* 13 (2012)

506. Levitsky *et al.* Monitoring weight daily blocks the freshman weight gain: a model for combating the epidemic of obesity, *Int. J. Obes.* (Lond.) 30 (2006)

507. Pirozzo *et al.* Should we recommend low-fat diets for obesity?, *Obes. Rev.* 4 (2003)

508. Nordmann *et al.* Effects of low-carbohydrate vs low-fat diets on weight loss and cardiovascular risk factors: a meta-analysis of randomized controlled trials, *Arch. Intern. Med.* 166 (2006)

509. Hession *et al.* Systematic review of randomized controlled trials of low-carbohydrate vs. low-fat/low-calorie diets in the management of obesity and its comorbidities, *Obes. Rev.* 10 (2009)

510. Klesges *et al.* Effects of dietary restraint, obesity, and gender on holiday eating behavior and weight gain, *J Abnorm Psychol* 98 (1989)

511. Klesges *et al.* Relationship between dietary restraint, energy intake, physical activity, and body weight: a prospective analysis, *J Abnorm Psychol 101* (1992)

512. French *et al.* Predictors of weight change over two years among a population of working adults: the Healthy Worker Project, *Int J Obes Relat Metab Disord* 18 (1994)

513. Korkeila *et al.* Weight-loss attempts and risk of major weight gain: a prospective study in Finnish adults, *Am. J. Clin. Nutr.* 70 (1999)

514. Stice *et al.* Naturalistic weight-reduction efforts prospectively predict growth in relative weight and onset of obesity among female adolescents, *J Consult Clin Psychol* 67 (1999)

515. Stice *et al.* Psychological and behavioral risk factors for obesity onset in adolescent girls: a prospective study, *J Consult Clin Psychol* 73 (2005)

516. Field *et al.* Relation between dieting and weight change among preadolescents and adolescents, *Pediatrics* 112 (2003)

517. Field *et al.* Association of weight change, weight control practices, and weight cycling among women in the Nurses' Health Study II, *Int J Obes Relat Metab Disord* 28 (2004)

518. Levitsky *et al.* The freshman weight gain: a model for the study of the epidemic of obesity, *Int J Obes Relat Metab Disord* 28 (2004)

519. Tanofsky-Kraff *et al.* A prospective study of psychological predictors of body fat gain among children at high risk for adult obesity, *Pediatrics* 117 (2006)

520. Field *et al.* Race and gender differences in the association of dieting and gains in BMI among young adults, *Obesity* (Silver Spring) 15 (2007)

521. Neumark-Sztainer *et al.* Why does dieting predict weight gain in adolescents? Findings from project EAT-II: a 5-year longitudinal study, *J. Am. Diet. Assoc.* 107 (2007)

522. Chaput *et al.* Risk factors for adult overweight and obesity in the Quebec Family Study: have we been barking up the wrong tree?, *Obesity* (Silver Spring) 17 (2009)

523. Heymsfield *et al.* Comparison of weight-loss diets, *JAMA* 298 (2007)

524. Heymsfield *et al.* Why do obese patients not lose more weight when treated with low-calorie diets? A mechanistic perspective, *Am. J. Clin. Nutr.* 85 (2007)

525. Thomas *et al.* Effect of dietary adherence on the body weight plateau: a mathematical model incorporating intermittent compliance with energy intake prescription, *Am. J. Clin. Nutr.* 100 (2014)

526. Del Corral *et al.* Effect of dietary adherence with or without exercise on weight loss: a mechanistic approach to a global problem, *J Clin Endocrinol Metab* 94 (2009)

527. Del Corral *et al.* Dietary adherence during weight loss predicts weight regain, *Obesity* (Silver Spring) 19 (2011)

528. Heatherton *et al.* Why Is It So Difficult to Inhibit Behavior?, *Psychological Inquiry* 9 (1998)

529. Vohs *et al.* Self-regulatory failure: a resource-depletion approach, *Psychol Sci* 11 (2000)

530. Baumeister *et al.* The Strength Model of Self-Control, *Curr Dir Psychol Sci* 16 (2007)

531. Baumeister *et al.* *Willpower,* Penguin Books (2012)

532. Cohen *et al.* Eating as an automatic behavior, *Prev Chronic Dis* 5 (2008)

533. Cohen *et al.* Contextual influences on eating behaviours: heuristic processing and dietary choices, *Obes. Rev.* 13 (2012)

534. Baumeister *et al.* Ego depletion: is the active self a limited resource?, *J. Pers. Soc. Psychol.* 74 (1998)

535. Heatherton *et al.* Effects of physical threat and ego threat on eating behavior, *J. Pers. Soc. Psychol.* 60 (1991)

536. Baucom *et al.* Effect of depressed mood on eating among obese and nonobese dieting and nondieting persons, *J. Pers. Soc. Psychol.* 41 (1981)

537. Ruderman. Dysphoric mood and overeating: A test of restraint theory's disinhibition hypothesis, *J Abnorm Psychol* 94 (1985)

538. Heatherton *et al.* Restraint, weight loss, and variability of body weight, *J Abnorm Psychol* 100 (1991)

539. McGuire *et al.* What predicts weight regain in a group of successful weight losers?, *J Consult Clin Psychol* 67 (1999)

540. Gorin *et al.* Binge eating and weight loss outcomes in overweight and obese individuals with type 2 diabetes: results from the Look AHEAD trial, *Arch Gen Psychiatry* 65 (2008)

541. Chaput *et al.* Risk factors for adult overweight and obesity: the importance of looking beyond the 'big two', *Obes Facts* 3 (2010)

542. Anderson *et al.* Long-term weight-loss maintenance: a meta-analysis of US studies, *Am. J. Clin. Nutr.* 74 (2001)

543. Franz *et al.* Weight-loss outcomes: a systematic review and meta-analysis of weight-loss clinical trials with a minimum 1-year follow-up, *J. Am. Diet. Assoc.* 107 (2007)

544. Miller. How effective are traditional dietary and exercise interventions for weight loss?, *Med Sci Sports Exerc* 31 (1999)

545. Miller *et al.* A meta-analysis of the past 25 years of weight loss research using diet, exercise or diet plus exercise intervention, *Int J Obes Relat Metab Disord* 21 (1997)

546. Wing *et al.* Year-long weight loss treatment for obese patients with type II diabetes: does including an intermittent very-low-calorie diet improve outcome?, *Am. J. Med.* 97 (1994)

547. Wadden *et al.* One-year behavioral treatment of obesity: comparison of moderate and severe caloric restriction and the effects of weight maintenance therapy, *J Consult Clin Psychol* 62 (1994)

548. Wadden *et al.* Efficacy of lifestyle modification for long-term weight control, *Obes. Res.* 12 Suppl (2004)

549. Stunkard *et al.* The results of treatment for obesity: a review of the literature and report of a series, *AMA Arch. Intern. Med.* 103 (1959)

550. Andersen *et al.* Long-term (5-year) results after either horizontal gastroplasty or very-low-calorie diet for morbid obesity, *Int J Obes* 12 (1988)

551. Kramer *et al.* Long-term follow-up of behavioral treatment for obesity: patterns of weight regain among men and women, *Int J Obes* 13 (1989)

552. French *et al.* Weight loss maintenance in young adulthood: prevalence and correlations with health behavior and disease in a population-based sample of women aged 55-69 years, *Int J Obes Relat Metab Disord* 20 (1996)

553. Field *et al.* Relationship of a large weight loss to long-term weight change among young and middle-aged US women, *Int J Obes Relat Metab Disord* 25 (2001)

554. Vogels *et al.* Successful long-term weight maintenance: a 2-year follow-up, *Obesity* (Silver Spring) 15 (2007)

555. Ikeda *et al.* The National Weight Control Registry: a critique, *J Nutr Educ Behav* 37 (2005)

556. Powell *et al.* Effective obesity treatments, *Am. Psychol.* 62 (2007)

557. Douketis *et al.* Systematic review of long-term weight loss studies in obese adults: clinical significance and applicability to clinical practice, *Int. J. Obes.* (Lond.) 29 (2005)

558. Levin. The drive to regain is mainly in the brain, *Am J Physiol Regul Integr Comp Physiol* 287 (2004)

559. Schwartz *et al.* Central nervous system control of food intake, *Nature* 404 (2000)

560. Schwartz *et al.* Is the energy homeostasis system inherently biased toward weight gain?, *Diabetes* 52 (2003)

561. Weineck. *Manuel d'entraînement* (4ᵉ ed.), Vigot (1996)

562. Rowbottom. *in: Exercise and Sport Science* (eds Garrett *et al.*), Periodization of training, 499-514, Lippincott Williams & Wilkins (2000)

563. Zheng *et al.* Appetite control and energy balance regulation in the modern world: reward-driven brain overrides repletion signals, *Int. J. Obes.* (Lond.) 33 Suppl 2 (2009)

564. Rosenbaum *et al.* Energy intake in weight-reduced humans, *Brain Res* 1350 (2010)

565. Rosenbaum *et al.* Adaptive thermogenesis in humans, *Int. J. Obes.* (Lond.) 34 Suppl 1 (2010)

566. Sainsbury *et al.* Role of the arcuate nucleus of the hypothalamus in regulation of body weight during energy deficit, *Mol Cell Endocrinol* 316 (2010)

567. Cornier. Is your brain to blame for weight regain?, *Physiol Behav* 104 (2011)

568. Maclean *et al.* Biology's response to dieting: the impetus for weight regain, *Am J Physiol Regul Integr Comp Physiol* 301 (2011)

569. Byrne *et al.* Biology or Behavior: Which Is the Strongest Contributor to Weight Gain?, *Current Obesity Reports* 2 (2013)

570. Sumithran *et al.* The defence of body weight: a physiological basis for weight regain after weight loss, *Clin Sci* (Lond) 124 (2013)

571. Ochner *et al.* Biological mechanisms that promote weight regain following weight loss in obese humans, *Physiol Behav* (2013)

572. Blomain *et al.* Mechanisms of Weight Regain following Weight Loss, *ISRN Obes* 2013 (2013)

573. Borg *et al.* Food selection and eating behaviour during weight maintenance intervention and 2-y follow-up in obese men, *Int J Obes Relat Metab Disord* 28 (2004)

574. Rosenbaum *et al.* Effects of experimental weight perturbation on skeletal muscle work efficiency in human subjects, *Am J Physiol Regul Integr Comp Physiol* 285 (2003)

575. Rosenbaum *et al.* Low-dose leptin reverses skeletal muscle, autonomic, and neuroendocrine adaptations to maintenance of reduced weight, *J Clin Invest* 115 (2005)

576. Goldsmith *et al.* Effects of experimental weight perturbation on skeletal muscle work efficiency, fuel utilization, and biochemistry in human subjects, *Am J Physiol Regul Integr Comp Physiol* 298 (2010)

577. Bray. Effect of caloric restriction on energy expenditure in obese patients, *Lancet* 2 (1969)

578. Astrup *et al.* Meta-analysis of resting metabolic rate in formerly obese subjects, *Am. J. Clin. Nutr.* 69 (1999)

579. Leibel *et al.* Changes in energy expenditure resulting from altered body weight, *N. Engl. J. Med.* 332 (1995)

580. Leibel *et al.* Diminished energy requirements in reduced-obese patients, *Metabolism* 33 (1984)

581. MacLean *et al.* Enhanced metabolic efficiency contributes to weight regain after weight loss in obesity-prone rats, *Am J Physiol Regul Integr Comp Physiol* 287 (2004)

582. Byrne *et al.* Does metabolic compensation explain the majority of less-than-expected weight loss in obese adults during a short-term severe diet and exercise intervention?, *Int. J. Obes.* (Lond.) 36 (2012)

583. Rosenbaum *et al.* Long-term persistence of adaptive thermogenesis in subjects who have maintained a reduced body weight, *Am. J. Clin. Nutr.* 88 (2008)

584. Rosenbaum *et al.* Low dose leptin administration reverses effects of sustained weight-reduction on energy expenditure and circulating concentrations of thyroid hormones, *J Clin Endocrinol Metab* 87 (2002)

585. Rosenbaum *et al.* Leptin reverses weight loss-induced changes in regional neural activity responses to visual food stimuli, *J Clin Invest* 118 (2008)

586. Cummings *et al.* Plasma ghrelin levels after diet-induced weight loss or gastric bypass surgery, *N. Engl. J. Med.* 346 (2002)

587. Nakazato *et al.* A role for ghrelin in the central regulation of feeding, *Nature* 409 (2001)

588. Abizaid *et al.* Ghrelin modulates the activity and synaptic input organization of midbrain dopamine neurons while promoting appetite, *J Clin Invest* 116 (2006)

589. Sumithran *et al.* Long-term persistence of hormonal adaptations to weight loss, *N. Engl. J. Med.* 365 (2011)

590. Purcell *et al.* The effect of rate of weight loss on long-term weight management: a randomised controlled trial, *Lancet Diabetes Endocrinol* 2 (2014)

591. Kentish *et al.* Altered gastric vagal mechanosensitivity in diet-induced obesity persists on return to normal chow and is accompanied by increased food intake, *Int. J. Obes.* (Lond.) (2013)

592. Verdich *et al.* Effect of obesity and major weight reduction on gastric emptying, *Int J Obes Relat Metab Disord* 24 (2000)

593. Everard *et al.* Intestinal epithelial MyD88 is a sensor switching host metabolism towards obesity according to nutritional status, *Nat Commun* 5 (2014)

594. Hinkle *et al.* Effects of reduced weight maintenance and leptin repletion on functional connectivity of the hypothalamus in obese humans, *PLoS One* 8 (2013)

595. Hill *et al.* The National Weight Control Registry: is it useful in helping deal with our obesity epidemic?, *J Nutr Educ Behav* 37 (2005)

596. Wing *et al.* Long-term weight loss maintenance, *Am. J. Clin. Nutr.* 82 (2005)

597. Wing *et al.* *The National Weight Control Registry.* www.nwcr.ws (accès: 17/03/2013)

598. Puhl *et al.* Psychosocial origins of obesity stigma: toward changing a powerful and pervasive bias, *Obes. Rev.* 4 (2003)

599. Puhl *et al.* Obesity stigma: important considerations for public health, *Am. J. Public. Health* 100 (2010)

600. Pomeranz. A historical analysis of public health, the law, and stigmatized social groups: the need for both obesity and weight bias legislation, *Obesity* (Silver Spring) 16 Suppl 2 (2008)

601. Giel *et al.* Weight bias in work settings – a qualitative review, *Obes Facts* 3 (2010)

602. Sikorski *et al.* The stigma of obesity in the general public and its implications for public health – a systematic review, *BMC Public Health* 11 (2011)

603. Brunello *et al.* Does body weight affect wages? Evidence from Europe, *Econ Hum Biol* 5 (2007)

604. Cawley. The Impact of Obesity on Wages, *J Hum Resour* XXXIX (2004)

605. Jones. *Exclusive interview: Liz Jones grills diet doctor Pierre Dukan, MailOnline,* (18/08/2012). www.dailymail.co.uk/home/you/article-2188699/Exclusive-interview-Liz-Jones-grills-diet-Doctor-Pierre-Dukan.html (accès: 26/03/2013)

606. Rauschenbach *et al.* The influence of change in marital status on weight change over one year, *Obes. Res.* 3 (1995)

607. Vioque *et al.* Time spent watching television, sleep duration and obesity in adults living in Valencia, Spain, *Int J Obes Relat Metab Disord* 24 (2000)

608. Lee *et al.* Effects of marital transitions on changes in dietary and other health behaviours in US women, *Int. J. Epidemiol.* 34 (2005)

609. Eng *et al.* Effects of marital transitions on changes in dietary and other health behaviours in US male health professionals, *J Epidemiol Community Health* 59 (2005)

610. Puhl *et al.* Bias, discrimination, and obesity, *Obes. Res.* 9 (2001)

611. Brixval *et al.* Overweight, body image and bullying--an epidemiological study of 11- to 15-years olds, *Eur J Public Health* 22 (2012)

612. Garcia-Continente *et al.* Bullying among schoolchildren: Differences between victims and aggressors, *Gac Sanit* (2013)

613. Robinson. Victimization of obese adolescents, *J Sch Nurs* 22 (2006)

614. Griffiths *et al.* Obesity and bullying: different effects for boys and girls, *Arch Dis Child* 91 (2006)

615. Janssen *et al.* Associations between overweight and obesity with bullying behaviors in school-aged children, *Pediatrics* 113 (2004)

616. Adam *et al.* Stress, eating and the reward system, *Physiol Behav* 91 (2007)

617. Zellner *et al.* Food selection changes under stress, *Physiol Behav* 87 (2006)

618. Dallman *et al.* Chronic stress and obesity: a new view of "comfort food", *Proc. Natl. Acad. Sci. USA* 100 (2003)

619. Pecoraro *et al.* Chronic stress promotes palatable feeding, which reduces signs of stress: feedforward and feedback effects of chronic stress, *Endocrinology* 145 (2004)

620. Born *et al.* Acute stress and food-related reward activation in the brain during food choice during eating in the absence of hunger, *Int. J. Obes.* (Lond.) 34 (2010)

621. Rutters *et al.* Acute stress-related changes in eating in the absence of hunger, *Obesity* (Silver Spring) 17 (2009)

622. Tryon *et al.* Having your cake and eating it too: A habit of comfort food may link chronic social stress exposure and acute stress-induced cortisol hyporesponsiveness, *Physiol Behav* (2013)

623. Peneau *et al.* Sex and dieting modify the association between emotional eating and weight status, *Am. J. Clin. Nutr.* (2013)

624. Hawkins *et al.* Do negative emotional factors have independent associations with excess adiposity?, *J Psychosom Res* 73 (2012)

625. de Wit *et al.* Depression and obesity: a meta-analysis of community-based studies, *Psychiatry Res* 178 (2010)

626. Eisenberg *et al.* Associations of weight-based teasing and emotional well-being among adolescents, *Arch Pediatr Adolesc Med* 157 (2003)

627. Vander Wal *et al.* Psychological complications of pediatric obesity, *Pediatr Clin North Am* 58 (2011)

628. van der Merwe. Psychological correlates of obesity in women, *Int. J. Obes.* (Lond.) 31 Suppl 2 (2007)

629. Luppino *et al.* Overweight, obesity, and depression: a systematic review and meta-analysis of longitudinal studies, *Arch Gen Psychiatry* 67 (2010)

630. Guh *et al.* The incidence of co-morbidities related to obesity and overweight: a systematic review and meta-analysis, *BMC Public Health* 9 (2009)

631. Arnold *et al.* Global burden of cancer attributable to high body-mass index in 2012: a population-based study, *Lancet Oncol* (2014)

632. SIGN. Management of Obesity: A national clinical guideline, *Scottish Intercollegiate Guidelines Network*, (2010). www.sign.ac.uk/pdf/sign115.pdf (accès: 02/04/2013)

633. Barnes *et al.* The projected effect of risk factor reduction on Alzheimer's disease prevalence, *Lancet Neurol* 10 (2011)

634. Stothard *et al.* Maternal overweight and obesity and the risk of congenital anomalies: a systematic review and meta-analysis, *JAMA* 301 (2009)

635. van Baal *et al.* Estimating health-adjusted life expectancy conditional on risk factors: results for smoking and obesity, *Popul Health Metr* 4 (2006)

636. Peeters *et al.* Obesity in adulthood and its consequences for life expectancy: a life-table analysis, *Ann. Intern. Med.* 138 (2003)

637. Fontaine *et al.* Years of life lost due to obesity, *JAMA* 289 (2003)

638. Moore *et al.* Past body mass index and risk of mortality among women, *Int. J. Obes.* (Lond.) 32 (2008)

639. Berrington de Gonzalez *et al.* Body-mass index and mortality among 1.46 million white adults, *N. Engl. J. Med.* 363 (2010)

640. Finkelstein *et al.* Individual and aggregate years-of-life-lost associated with overweight and obesity, *Obesity* (Silver Spring) 18 (2010)

641. Flegal *et al.* Association of all-cause mortality with overweight and obesity using standard body mass index categories: a systematic review and meta-analysis, *JAMA* 309 (2013)

642. Peeters *et al.* Adult obesity and the burden of disability throughout life, *Obes. Res.* 12 (2004)

643. Reynolds *et al.* The impact of obesity on active life expectancy in older American men and women, *Gerontologist* 45 (2005)

644. Vincent *et al.* Obesity and mobility disability in the older adult, *Obes. Rev.* 11 (2010)

645. Klijs *et al.* Obesity, smoking, alcohol consumption and years lived with disability: a Sullivan life table approach, *BMC Public Health* 11 (2011)

646. Backholer *et al.* Increasing body weight and risk of limitations in activities of daily living: a systematic review and meta-analysis, *Obes. Rev.* 13 (2012)

647. Majer *et al.* Life expectancy and life expectancy with disability of normal weight, overweight, and obese smokers and nonsmokers in Europe, *Obesity* (Silver Spring) 19 (2011)

648. Desmurget *et al.* Contrasting acute and slow-growing lesions: a new door to brain plasticity, *Brain* 130 (2007)

649. Cohen. Neurophysiological pathways to obesity: below awareness and beyond individual control, *Diabetes* 57 (2008)

650. Watzlawick. *Comment réussir à échouer,* Seuil (1991)

651. Phelan *et al.* Are the eating and exercise habits of successful weight losers changing?, *Obesity* (Silver Spring) 14 (2006)

652. Cachelin *et al.* Beliefs about weight gain and attitudes toward relapse in a sample of women and men with obesity, *Obes. Res.* 6 (1998)

653. Jimenez-Cruz *et al.* Beliefs about causes and consequences of obesity among women in two Mexican cities, *J Health Popul Nutr* 30 (2012)

654. McConnon *et al.* Health professionals', expert patients' and dieters' beliefs and attitudes about obesity, *J Hum Nutr Diet* (2013)

655. Sikorski *et al.* Public attitudes towards prevention of obesity, *PLoS One* 7 (2012)

656. Taylor *et al.* Americans See Weight Problems Everywhere But In the Mirror, *Pew Research Center Report,* (2006). www.pewsocialtrends.org/files/2010/10/Obesity.pdf (accès: 29/04/2013)

657. Wang *et al.* Causal beliefs about obesity and associated health behaviors: results from a population-based survey, *Int J Behav Nutr Phys Act* 7 (2010)

658. Bell *et al.* The genetics of human obesity, *Nat Rev Genet* 6 (2005)

659. Walley *et al.* The genetic contribution to non-syndromic human obesity, *Nat Rev Genet* 10 (2009)

660. Bouchard. Childhood obesity: are genetic differences involved?, *Am. J. Clin. Nutr.* 89 (2009)

661. Herrera *et al.* The genetics of obesity, *Curr Diab Rep* 10 (2010)

662. Loos. Recent progress in the genetics of common obesity, *Br J Clin Pharmacol* 68 (2009)

663. Ramachandrappa *et al.* Genetic approaches to understanding human obesity, *J Clin Invest* 121 (2011)

664. O'Rahilly *et al.* Human obesity as a heritable disorder of the central control of energy balance, *Int. J. Obes.* (Lond.) 32 Suppl 7 (2008)

665. Qi. Gene-diet interaction and weight loss, *Curr. Opin. Lipidol.* 25 (2014)

666. Carnell *et al.* Genetic influence on appetite in children, *Int. J. Obes.* (Lond.) 32 (2008)

667. Wardle *et al.* Evidence for a strong genetic influence on childhood adiposity despite the force of the obesogenic environment, *Am. J. Clin. Nutr.* 87 (2008)

668. Lajunen *et al.* Genetic and environmental effects on body mass index during adolescence: a prospective study among Finnish twins, *Int. J. Obes.* (Lond.) 33 (2009)

669. Maes *et al.* Genetic and environmental factors in relative body weight and human adiposity, *Behav Genet* 27 (1997)

670. Segal *et al.* Genetic and environmental contributions to body mass index: comparative analysis of monozygotic twins, dizygotic twins and same-age unrelated siblings, *Int. J. Obes.* (Lond.) 33 (2009)

671. Stunkard *et al.* The body-mass index of twins who have been reared apart, *N. Engl. J. Med.* 322 (1990)

672. Bouchard *et al.* The response to long-term overfeeding in identical twins, *N. Engl. J. Med.* 322 (1990)

673. Hainer *et al.* Intrapair resemblance in very low calorie diet-induced weight loss in female obese identical twins, *Int J Obes Relat Metab Disord* 24 (2000)

674. Mustelin *et al.* Genetic influences on physical activity in young adults: a twin study, *Med Sci Sports Exerc* 44 (2012)

675. van den Bree *et al.* Genetic and environmental influences on eating patterns of twins aged >/=50 y, *Am. J. Clin. Nutr.* 70 (1999)

676. Teucher *et al.* Dietary patterns and heritability of food choice in a UK female twin cohort, *Twin Res Hum Genet* 10 (2007)

677. Keskitalo *et al.* Genetic and environmental contributions to food use patterns of young adult twins, *Physiol Behav* 93 (2008)

678. Hasselbalch *et al.* Studies of twins indicate that genetics influence dietary intake, *J Nutr* 138 (2008)

679. Whitaker *et al.* Predicting obesity in young adulthood from childhood and parental obesity, *N. Engl. J. Med.* 337 (1997)

680. Semmler *et al.* Development of overweight in children in relation to parental weight and socioeconomic status, *Obesity* (Silver Spring) 17 (2009)

681. Kelder *et al.* Longitudinal tracking of adolescent smoking, physical activity, and food choice behaviors, *Am. J. Public. Health* 84 (1994)

682. Schor. *Born to buy,* Scribner (2004)

683. McGinnis *et al.* Food Marketing to Children and Youth: Threat or Opportunity?, *The National Academies Press* (2006)

684. Birch. Development of food preferences, *Annu Rev Nutr* 19 (1999)

685. Beauchamp *et al.* Early flavor learning and its impact on later feeding behavior, *J. Pediatr. Gastroenterol Nutr* 48 Suppl 1 (2009)

686. Ventura *et al.* Early influences on the development of food preferences, *Curr Biol* 23 (2013)

687. Breen *et al.* Heritability of food preferences in young children, *Physiol Behav* 88 (2006)

688. Haller *et al.* The influence of early experience with vanillin on food preference later in life, *Chem Senses* 24 (1999)

689. Mennella *et al.* Prenatal and postnatal flavor learning by human infants, *Pediatrics* 107 (2001)

690. Zimmerman. Using marketing muscle to sell fat: the rise of obesity in the modern economy, *Annu Rev Public Health* 32 (2011)

691. Chandon *et al.* Does food marketing need to make us fat? A review and solutions, *Nutr. Rev.* 70 (2012)

692. Hingle *et al.* Childhood obesity and the media, *Pediatr Clin North Am* 59 (2012)

693. Zimmerman *et al.* Associations of television content type and obesity in children, *Am. J. Public. Health* 100 (2010)

694. NWCR. *The National Weight Control Registry (NWCR).* www.nwcr.ws/ (accès: 20/05/2013)

695. Bouchard. The biological predisposition to obesity: beyond the thrifty genotype scenario, *Int. J. Obes.* (Lond.) 31 (2007)

696. O'Rahilly *et al.* Human obesity: a heritable neurobehavioral disorder that is highly sensitive to environmental conditions, *Diabetes* 57 (2008)

697. Heitmann *et al.* Obesity: lessons from evolution and the environment, *Obes. Rev.* 13 (2012)

698. Keats *et al.* *Future diets: Implications for agriculture and food prices,* Overseas Development Institute, (2014). www.odi.org.uk/future-diets (accès: 04/01/2014)

699. Moss. *Salt, Sugar, Fat. How the food giants hooked us,* WH Allen (2013)

700. Banks *et al.* Serum leptin levels as a marker for a syndrome X-like condition in wild baboons, *J Clin Endocrinol Metab* 88 (2003)

701. Bauer *et al.* Obesity in rhesus and cynomolgus macaques: a comparative review of the condition and its implications for research, *Comp Med* 61 (2011)

702. Altmann *et al.* Body size and fatness of free-living baboons reflect food availability and activity levels, *Am J Primatol* 30 (1993)

703. Wardle *et al.* Changes in the distributions of body mass index and waist circumference in English adults, 1993/1994 to 2002/2003, *Int. J. Obes.* (Lond.) 32 (2008)

704. Rosenquist *et al.* Cohort of birth modifies the association between FTO genotype and BMI, *Proc. Natl. Acad. Sci. USA* (2014)

705. Wyatt *et al.* Resting energy expenditure in reduced-obese subjects in the National Weight Control Registry, *Am. J. Clin. Nutr.* 69 (1999)

706. Edholm *et al.* Food intake and energy expenditure of army recruits, *Br. J. Nutr.* 24 (1970)

707. Edholm *et al.* The energy expenditure and food intake of individual men, *Br. J. Nutr.* 9 (1955)

708. Durnin *et al.* The energy expenditure and food intake of middle-aged Glasgow housewives and their adult daughters, *Br. J. Nutr.* 11 (1957)

709. Tarasuk *et al.* The nature and individuality of within-subject variation in energy intake, *Am. J. Clin. Nutr.* 54 (1991)

710. Donahoo *et al.* Variability in energy expenditure and its components, *Curr Opin Clin Nutr Metab Care* 7 (2004)

711. Levitsky. Constancy of body weight does not mean physiological regulation, paper presented at the Annual Meeting of the Society for the Study of Ingestive Behavior, Naples (FL), *Appetite* 46 (2006)

712. Chow *et al.* Short and long-term energy intake patterns and their implications for human body weight regulation, *Physiol Behav* 134 (2014)

713. Keys. *The biology of human starvation,* University of Minnesota Press (1950)

714. Birch *et al.* The variability of young children's energy intake, *N. Engl. J. Med.* 324 (1991)

715. Shea *et al.* Variability and self-regulation of energy intake in young children in their everyday environment, *Pediatrics* 90 (1992)

716. de Castro. Prior day's intake has macronutrient-specific delayed negative feedback effects on the spontaneous food intake of free-living humans, *J Nutr* 128 (1998)

717. Bray *et al.* Corrective responses in human food intake identified from an analysis of 7-d food-intake records, *Am. J. Clin. Nutr.* 88 (2008)

718. McKiernan *et al.* Short-term dietary compensation in free-living adults, *Physiol Behav* 93 (2008)

719. Apolzan *et al.* Short-term overeating results in incomplete energy intake compensation regardless of energy density or macronutrient composition, *Obesity* (Silver Spring) 22 (2014)

720. Hill. Can a small-changes approach help address the obesity epidemic? A report of the Joint Task Force of the American Society for Nutrition, Institute of Food Technologists, and International Food Information Council, *Am. J. Clin. Nutr.* 89 (2009)

721. Allman-Farinelli *et al.* Age, period and birth cohort effects on prevalence of overweight and obesity in Australian adults from 1990 to 2000, *Eur. J. Clin. Nutr.* 62 (2008)

722. Haapanen *et al.* Association between leisure time physical activity and 10-year body mass change among working-aged men and women, *Int J Obes Relat Metab Disord* 21 (1997)

723. Sheehan *et al.* Rates of weight change for black and white Americans over a twenty year period, *Int J Obes Relat Metab Disord* 27 (2003)

724. Nooyens *et al.* Age, period and cohort effects on body weight and body mass index in adults: The Doetinchem Cohort Study, *Public Health Nutr* 12 (2009)

725. Brown *et al.* Identifying the energy gap: magnitude and determinants of 5-year weight gain in midage women, *Obes. Res.* 13 (2005)

726. Austin *et al.* Trends in carbohydrate, fat, and protein intakes and association with energy intake in normal-weight, overweight, and obese individuals: 1971-2006, *Am. J. Clin. Nutr.* 93 (2011)

727. Hill *et al.* Obesity and the environment: where do we go from here?, *Science* 299 (2003)

728. Levitsky. The non-regulation of food intake in humans: hope for reversing the epidemic of obesity, *Physiol Behav* 86 (2005)

729. Rosenheck. Fast food consumption and increased caloric intake: a systematic review of a trajectory towards weight gain and obesity risk, *Obes. Rev.* 9 (2008)

730. French *et al.* Fast food restaurant use among women in the Pound of Prevention study: dietary, behavioral and demographic correlates, *Int J Obes Relat Metab Disord* 24 (2000)

731. Pereira *et al.* Fast-food habits, weight gain, and insulin resistance (the CARDIA study): 15-year prospective analysis, *Lancet* 365 (2005)

732. Currie *et al.* The Effect of Fast Food Restaurants on Obesity and Weight Gain, *Am Econ J-Econ Polic* 2 (2010)

733. Levitsky *et al.* Imprecise control of energy intake: absence of a reduction in food intake following overfeeding in young adults, *Physiol Behav* 84 (2005)

734. CDC. Low-Energy-Dense Foods and Weight Management: Cutting Calories While Controlling Hunger, *Research to Practice Series* 5 (2011)

735. Prentice *et al.* Fast foods, energy density and obesity: a possible mechanistic link, *Obes. Rev.* 4 (2003)

736. Rolls. The relationship between dietary energy density and energy intake, *Physiol Behav* 97 (2009)

737. Rolls *et al.* Changing the energy density of the diet as a strategy for weight management, *J. Am. Diet. Assoc.* 105 (2005)

738. Stubbs *et al.* Covert manipulation of the ratio of dietary fat to carbohydrate and energy density: effect on food intake and energy balance in free-living men eating ad libitum, *Am. J. Clin. Nutr.* 62 (1995)

739. Astrup *et al.* The role of low-fat diets in body weight control: a meta-analysis of ad libitum dietary intervention studies, *Int J Obes Relat Metab Disord* 24 (2000)

740. Mueller-Cunningham *et al.* An ad libitum, very low-fat diet results in weight loss and changes in nutrient intakes in postmenopausal women, *J. Am. Diet. Assoc.* 103 (2003)

741. Levitsky *et al.* Losing weight without dieting. Use of commercial foods as meal replacements for lunch produces an extended energy deficit, *Appetite* 57 (2011)

742. Schusdziarra *et al.* Impact of breakfast on daily energy intake--an analysis of absolute versus relative breakfast calories, *Nutr. J.* 10 (2011)

743. Levitsky *et al.* Effect of skipping breakfast on subsequent energy intake, *Physiol Behav* 119 (2013)

744. Tsigos *et al.* Management of obesity in adults: European clinical practice guidelines, *Obes Facts* 1 (2008)

745. Blundell *et al.* Effects of exercise on appetite control: loose coupling between energy expenditure and energy intake, *Int J Obes Relat Metab Disord* 22 Suppl 2 (1998)

746. King. The relationship between physical activity and food intake, *Proc. Nutr. Soc.* 57 (1998)

747. Schubert *et al.* Acute exercise and subsequent energy intake. A meta-analysis, *Appetite* 63 (2013)

748. Whybrow *et al.* The effect of an incremental increase in exercise on appetite, eating behaviour and energy balance in lean men and women feeding ad libitum, *Br. J. Nutr.* 100 (2008)

749. Stubbs *et al.* The effect of graded levels of exercise on energy intake and balance in free-living women, *Int J Obes Relat Metab Disord* 26 (2002)

750. Blundell *et al.* Cross talk between physical activity and appetite control: does physical activity stimulate appetite?, *Proc. Nutr. Soc.* 62 (2003)

751. Unick *et al.* Acute effect of walking on energy intake in overweight/obese women, *Appetite* 55 (2010)

752. King *et al.* Influence of prolonged treadmill running on appetite, energy intake and circulating concentrations of acylated ghrelin, *Appetite* 54 (2010)

753. King *et al.* Influence of brisk walking on appetite, energy intake, and plasma acylated ghrelin, *Med Sci Sports Exerc* 42 (2010)

754. Vatansever-Ozen *et al.* The effects of exercise on food intake and hunger: Relationship with acylated ghrelin and leptin, *J Sports Sci Med.* 10 (2011)

755. King *et al.* High dose exercise does not increase hunger or energy intake in free living males, *Eur. J. Clin. Nutr.* 51 (1997)

756. Stubbs *et al.* The effect of graded levels of exercise on energy intake and balance in free-living men, consuming their normal diet, *Eur. J. Clin. Nutr.* 56 (2002)

757. Stubbs *et al.* A decrease in physical activity affects appetite, energy, and nutrient balance in lean men feeding ad libitum, *Am. J. Clin. Nutr.* 79 (2004)

758. King *et al.* Individual variability following 12 weeks of supervised exercise: identification and characterization of compensation for exercise-induced weight loss, *Int. J. Obes.* (Lond.) 32 (2008)

759. Donnelly *et al.* Effects of 16 mo of verified, supervised aerobic exercise on macronutrient intake in overweight men and women: the Midwest Exercise Trial, *Am. J. Clin. Nutr.* 78 (2003)

760. Slentz *et al.* Effects of the amount of exercise on body weight, body composition, and measures of central obesity: STRRIDE--a randomized controlled study, *Arch. Intern. Med.* 164 (2004)

761. Church *et al.* Changes in weight, waist circumference and compensatory responses with different doses of exercise among sedentary, overweight postmenopausal women, *PLoS One* 4 (2009)

762. Broom *et al.* Influence of resistance and aerobic exercise on hunger, circulating levels of acylated ghrelin, and peptide YY in healthy males, *Am J Physiol Regul Integr Comp Physiol* 296 (2009)

763. Broom *et al.* Exercise-induced suppression of acylated ghrelin in humans, *J. Appl. Physiol.* 102 (2007)

764. King *et al.* Exercise-induced suppression of appetite: effects on food intake and implications for energy balance, *Eur. J. Clin. Nutr.* 48 (1994)

765. Lee *et al.* Effect of physical inactivity on major non-communicable diseases worldwide: an analysis of burden of disease and life expectancy, *Lancet* 380 (2012)

766. Wen *et al.* Stressing harms of physical inactivity to promote exercise, *Lancet* 380 (2012)

767. Katzmarzyk *et al.* Sedentary behaviour and life expectancy in the USA: a cause-deleted life table analysis, *BMJ Open* 2 (2012)

768. Sattelmair *et al.* Dose response between physical activity and risk of coronary heart disease: a meta-analysis, *Circulation* 124 (2011)

769. Gaesser *et al.* Exercise and diet, independent of weight loss, improve cardiometabolic risk profile in overweight and obese individuals, *Phys Sportsmed* 39 (2011)

770. Moore *et al.* Leisure time physical activity of moderate to vigorous intensity and mortality: a large pooled cohort analysis, *PLoS Med* 9 (2012)

771. OMS. *Recommandations mondiales sur l'activité physique pour la santé, Organisation Mondiale de la Santé,* (2010). http://whqlibdoc.who.int/publications/2010/9789242599978_fre.pdf (accès: 27/12/2013)

772. Janiszewski *et al.* The utility of physical activity in the management of global cardiometabolic risk, *Obesity* (Silver Spring) 17 Suppl 3 (2009)

773. USDHHS. *Physical Activity Guidelines for Americans, US Department of Health and Human Services,* (2008). www.health.gov/paguidelines/pdf/paguide.pdf (accès: 27/12/2013)

774. Warburton *et al.* Health benefits of physical activity: the evidence, *CMAJ* 174 (2006)

775. Booth *et al.* Lack of exercise is a major cause of chronic diseases, *Compr Physiol* 2 (2012)

776. Lee *et al.* Leisure-Time Running Reduces All-Cause and Cardiovascular Mortality Risk, *J Am Coll Cardiol* 64 (2014)

777. Shaw *et al.* Exercise for overweight or obesity, *Cochrane Database Syst Rev* (2006)

778. Bouchard *et al.* The response to exercise with constant energy intake in identical twins, *Obes. Res.* 2 (1994)

779. Lee *et al.* The impact of five-month basic military training on the body weight and body fat of 197 moderately to severely obese Singaporean males aged 17 to 19 years, *Int J Obes Relat Metab Disord* 18 (1994)

780. Ross *et al.* Reduction in obesity and related comorbid conditions after diet-induced weight loss or exercise-induced weight loss in men. A randomized, controlled trial, *Ann. Intern. Med.* 133 (2000)

781. Ross *et al.* Exercise-induced reduction in obesity and insulin resistance in women: a randomized controlled trial, *Obes. Res.* 12 (2004)

782. Thomas *et al.* Why do individuals not lose more weight from an exercise intervention at a defined dose? An energy balance analysis, *Obes. Rev.* 13 (2012)

783. Oscai *et al.* Effects of weight changes produced by exercise, food restriction, or overeating on body composition, *J Clin Invest* 48 (1969)

784. Racette *et al.* One year of caloric restriction in humans: feasibility and effects on body composition and abdominal adipose tissue, *J Gerontol A Biol Sci Med Sci* 61 (2006)

785. Redman *et al.* Effect of calorie restriction with or without exercise on body composition and fat distribution, *J Clin Endocrinol Metab* 92 (2007)

786. Nicklas *et al.* Effect of exercise intensity on abdominal fat loss during calorie restriction in overweight and obese postmenopausal women: a randomized, controlled trial, *Am. J. Clin. Nutr.* 89 (2009)

787. Garrow *et al.* Meta-analysis: effect of exercise, with or without dieting, on the body composition of overweight subjects, *Eur. J. Clin. Nutr.* 49 (1995)

788. Chaston *et al*. Changes in fat-free mass during significant weight loss: a systematic review, *Int. J. Obes.* (Lond.) 31 (2007)

789. Weinheimer *et al*. A systematic review of the separate and combined effects of energy restriction and exercise on fat-free mass in middle-aged and older adults: implications for sarcopenic obesity, *Nutr. Rev.* 68 (2010)

790. Marks *et al*. The importance of fat free mass maintenance in weight loss programmes, *Sports Med* 22 (1996)

791. Allison *et al*. Differential associations of body mass index and adiposity with all-cause mortality among men in the first and second National Health and Nutrition Examination Surveys (NHANES I and NHANES II) follow-up studies, *Int J Obes Relat Metab Disord* 26 (2002)

792. Bigaard *et al*. Body fat and fat-free mass and all-cause mortality, *Obes. Res.* 12 (2004)

793. Neely. Intrinsic risk factors for exercise-related lower limb injuries, *Sports Med* 26 (1998)

794. Hootman *et al*. Association among physical activity level, cardiorespiratory fitness, and risk of musculoskeletal injury, *Am. J. Epidemiol.* 154 (2001)

795. Berger *et al*. in: *Handbook of Sport Psychology*, Third Edition (eds G *et al*.), Physical Activity and Quality of Life: Key Considerations, 598-620, John Wiley & Sons (2007)

796. Curioni *et al*. Long-term weight loss after diet and exercise: a systematic review, *Int. J. Obes.* (Lond.) 29 (2005)

797. Wu *et al*. Long-term effectiveness of diet-plus-exercise interventions vs. diet-only interventions for weight loss: a meta-analysis, *Obes. Rev.* 10 (2009)

798. Redman *et al*. Metabolic and behavioral compensations in response to caloric restriction: implications for the maintenance of weight loss, *PLoS One* 4 (2009)

799. Kirby *et al*. *Maigrir pour les nuls*, Editions First (2004)

800. Wishnofsky. Caloric equivalents of gained or lost weight, *Am. J. Clin. Nutr.* 6 (1958)

801. Owen *et al*. A reappraisal of the caloric requirements of men, *Am. J. Clin. Nutr.* 46 (1987)

802. Mifflin *et al*. A new predictive equation for resting energy expenditure in healthy individuals, *Am. J. Clin. Nutr.* 51 (1990)

803. Livingston *et al*. Simplified resting metabolic rate-predicting formulas for normal-sized and obese individuals, *Obes. Res.* 13 (2005)

804. Frankenfield *et al*. Comparison of predictive equations for resting metabolic rate in healthy nonobese and obese adults: a systematic review, *J. Am. Diet. Assoc.* 105 (2005)

805. Ainsworth *et al*. 2011 Compendium of Physical Activities: a second update of codes and MET values, *Med Sci Sports Exerc* 43 (2011)

806. Ainsworth *et al*. Compendium of physical activities: classification of energy costs of human physical activities, *Med Sci Sports Exerc* 25 (1993)

807. Saris *et al*. How much physical activity is enough to prevent unhealthy weight gain? Outcome of the IASO 1st Stock Conference and consensus statement, *Obes. Rev.* 4 (2003)

808. Scheers *et al.* Patterns of physical activity and sedentary behavior in normal-weight, over-weight and obese adults, as measured with a portable armband device and an electronic diary, *Clin Nutr* 31 (2012)

809. Klein. Outcome success in obesity, *Obes. Res.* 9 Suppl 4 (2001)

810. Pasanisi *et al.* Benefits of sustained moderate weight loss in obesity, *Nutr Metab Cardiovasc Dis* 11 (2001)

811. Fujioka. Benefits of moderate weight loss in patients with type 2 diabetes, *Diabetes Obes Metab* 12 (2010)

812. Heymsfield *et al.* The calorie: myth, measurement, and reality, A*m. J. Clin. Nutr.* 62 (1995)

813. Hill *et al.* The validity of self-reported energy intake as determined using the doubly labelled water technique, *Br. J. Nutr.* 85 (2001)

814. Livingstone *et al.* Markers of the validity of reported energy intake, *J Nutr* 133 Suppl 3 (2003)

815. Lichtman *et al.* Discrepancy between self-reported and actual caloric intake and exercise in obese subjects, *N. Engl. J. Med.* 327 (1992)

816. Prentice *et al.* High levels of energy expenditure in obese women, *Br Med J* (Clin Res Ed) 292 (1986)

817. Champagne *et al.* Energy intake and energy expenditure: a controlled study comparing dietitians and non-dietitians, *J. Am. Diet. Assoc.* 102 (2002)

818. Black *et al.* Measurements of total energy expenditure provide insights into the validity of dietary measurements of energy intake, *J. Am. Diet. Assoc.* 93 (1993)

819. Beerman *et al.* Sources of error associated with self-repots of food intake, *Nutr Res* 13 (1993)

820. Lieffers *et al.* Dietary assessment and self-monitoring with nutrition applications for mobile devices, *Can J Diet Pract Res* 73 (2012)

821. Long *et al.* Evidence review of technology and dietary assessment, *Worldviews Evid Based Nurs* 7 (2010)

822. Martin *et al.* Measuring food intake with digital photography, *J Hum Nutr Diet* 27 Suppl 1 (2014)

823. Baker *et al.* Self-monitoring may be necessary for successful weight control, *Behavior Therapy* 24 (1993)

824. Dorosz *et al. Table des calories* (5ᵉ éd.), Maloine (2011)

825. Blanc. *Le petit livre de la minceur,* First Editions (2013)

826. Stevens *et al.* Freedom from fat: a contemporary multi-component weight loss program for the general population of obese adults, *J. Am. Diet. Assoc.* 89 (1989)

827. Streit *et al.* Food records: a predictor and modifier of weight change in a long-term weight loss program, *J. Am. Diet. Assoc.* 91 (1991)

828. Boutelle *et al.* Further support for consistent self-monitoring as a vital component of successful weight control, *Obes. Res.* 6 (1998)

829. Hollis *et al.* Weight loss during the intensive intervention phase of the weight-loss maintenance trial, *Am J Prev. Med.* 35 (2008)

830. Carels *et al.* Can following the caloric restriction recommendations from the Dietary Guidelines for Americans help individuals lose weight?, *Eat Behav* 9 (2008)

831. Wadden *et al.* Randomized trial of lifestyle modification and pharmacotherapy for obesity, *N. Engl. J. Med.* 353 (2005)

832. Wang *et al.* Effect of adherence to self-monitoring of diet and physical activity on weight loss in a technology-supported behavioral intervention, *Patient Prefer Adherence* 6 (2012)

833. Helsel *et al.* Comparison of techniques for self-monitoring eating and exercise behaviors on weight loss in a correspondence-based intervention, *J. Am. Diet. Assoc.* 107 (2007)

834. Byrne *et al.* Weight maintenance and relapse in obesity: a qualitative study, *Int J Obes Relat Metab Disord* 27 (2003)

835. Dubbert *et al.* Goal-setting and spouse involvement in the treatment of obesity, *Behav Res Ther* 22 (1984)

836. Perri *et al.* Enhancing the efficacy of behavior therapy for obesity: effects of aerobic exercise and a multicomponent maintenance program, *J Consult Clin Psychol* 54 (1986)

837. Perri *et al.* Maintenance strategies for the treatment of obesity: an evaluation of relapse prevention training and posttreatment contact by mail and telephone, *J Consult Clin Psychol* 52 (1984)

838. Akers *et al.* Daily self-monitoring of body weight, step count, fruit/vegetable intake, and water consumption: a feasible and effective long-term weight loss maintenance approach, *J Acad Nutr Diet* 112 (2012)

839. Carels *et al.* The relationship between self-monitoring, outcome expectancies, difficulties with eating and exercise, and physical activity and weight loss treatment outcomes, *Ann Behav Med* 30 (2005)

840. Ainsworth *et al.* Compendium of physical activities: an update of activity codes and MET intensities, *Med Sci Sports Exerc* 32 (2000)

841. Anjos *et al.* Energy expenditure of walking at different intensities in Brazilian college women, *Clin Nutr* 27 (2008)

842. Gunn *et al.* Determining energy expenditure during some household and garden tasks, *Med Sci Sports Exerc* 34 (2002)

843. Bryan *et al.* Estimating leisure-time physical activity energy expenditure in the Canadian population: a comparison of 2 methods, *Appl Physiol Nutr Metab* 34 (2009)

844. Vaz *et al.* A compilation of energy costs of physical activities, *Public Health Nutr* 8 (2005)

845. Ridley *et al.* Assigning energy costs to activities in children: a review and synthesis, *Med Sci Sports Exerc* 40 (2008)

846. Lyden *et al.* Energy cost of common activities in children and adolescents, *J Phys Act Health* 10 (2013)

847. USDHHS. *Physical Activity Guidelines for Americans,* Committee Report, US Department of Health and Human Services, (2008). www.health.gov/paguidelines/Report/pdf/CommitteeReport.pdf (accès: 27/12/2013)

848. Ainsworth *et al.* *The Compendium of Physical Activities Tracking Guide.* Healthy Lifestyles Research Center, College of Nursing & Health Innovation, Arizona State University. https://sites.google.com/site/compendiumofphysicalactivities/ (accès: 20/10/2014)

849. Brychta *et al.* Energy expenditure: measurement of human metabolism, *IEEE Eng Med Biol Mag* 29 (2010)

850. Bonomi *et al.* Advances in physical activity monitoring and lifestyle interventions in obesity: a review, *Int. J. Obes.* (Lond.) 36 (2012)

851. Butte *et al.* Assessing physical activity using wearable monitors: measures of physical activity, *Med Sci Sports Exerc* 44 (2012)

852. Plasqui *et al.* Daily physical activity assessment with accelerometers: new insights and validation studies, *Obes. Rev.* 14 (2013)

853. Ellery *et al.* Physical activity assessment tools for use in overweight and obese children, *Int. J. Obes.* (Lond.) (2013)

854. Fox. The influence of physical activity on mental well-being, *Public Health Nutr* 2 (1999)

855. Biddle *et al.* *Psychology of Physical Activity* (2nd Edition), Routledge (2008)

856. Elle. Faut-il arrêter de se peser ?, *elle.fr*, (2009). www.elle.fr/Minceur/Dossiers-minceur/Faut-il-arreter-de-se-peser-949595 (accès: 12/01/2014)

857. Coenart. Régime: 10 mauvaises habitudes à perdre, *rtl.be*, (2013). www.rtl.be/pourelle/article/regime-10-mauvaises-habitudes-a-perdre-200144.htm (accès: 12/01/2014)

858. Elle. Régime. Les secrets pour rester motivée, *elle.fr*, (2014). www.elle.fr/Minceur/Special/Operation-Bikini-J-6-semaines/Atteindre-son-objectif/Les-secrets-pour-rester-motivee-2091962 (accès: 12/01/2014)

859. Mazelin-Salvi. Notre balance et nous: une relation toxique, *psychologies.com*, (2008). www.psychologies.com/Nutrition/Equilibre/Regimes/Articles-et-Dossiers/Regimes-en-tout-genre/Notre-balance-et-nous-une-relation-toxique (accès: 12/01/2014)

860. Vaisman. Maigrir sans balance: comment perdre du poids sans stresser ?, *MarieClaire.fr*, (2013). www.marieclaire.fr/,maigrir-sans-balance-comment-maigrir-sans-se-peser,20149,660699.asp (accès: 12/01/2014)

861. Apfeldorfer. Faut-il se peser tous les mois, toutes les semaines, tous les jours… ou jamais ?, *psychologies.com*, (2009). www.psychologies.com/Nutrition/Equilibre/Regimes/Reponses-d-expert/Faut-il-se-peser-tous-les-mois-toutes-les-semaines-tous-les-jours-ou-jamais (accès: 12/01/2014)

862. Khosla *et al.* Measurement of Change in Body-Weight, *Br. J. Nutr.* 18 (1964)

863. Watson *et al.* Variations in Body-Weight of Young Women during the Menstrual Cycle, *Br. J. Nutr.* 19 (1965)

864. Edholm *et al.* Day-to-day weight changes in young men, *Ann Hum Biol* 1 (1974)

865. Truswell. ABC of nutrition. Measuring nutrition, *Br Med J* (Clin Res Ed) 291 (1985)

866. Webel *et al.* Daily variability in dyspnea, edema and body weight in heart failure patients, *Eur J Cardiovasc Nurs* 6 (2007)

867. Dionne *et al.* Monitoring of weight in weight loss programs: a double-edged sword?, *J Nutr Educ Behav* 37 (2005)

868. O'Neil *et al.* Weighing the Evidence: Benefits of Regular Weight Monitoring for Weight Control, *J Nutr Educ Behav* 37 (2005)

869. Linde *et al.* Relation of body mass index to depression and weighing frequency in overweight women, *Prev. Med.* 45 (2007)

870. Wing *et al.* STOP regain: are there negative effects of daily weighing?, *J Consult Clin Psychol* 75 (2007)

871. Welsh *et al.* Is frequent self-weighing associated with poorer body satisfaction? Findings from a phone-based weight loss trial, *J Nutr Educ Behav* 41 (2009)

872. Gokee-Larose *et al.* Behavioral self-regulation for weight loss in young adults: a randomized controlled trial, *Int J Behav Nutr Phys Act* 6 (2009)

873. Larose *et al.* Daily Self-Weighing Within a Lifestyle Intervention: Impact on Disordered Eating Symptoms, *Health Psychol* (2013)

874. Steinberg *et al.* Daily self-weighing and adverse psychological outcomes: a randomized controlled trial, *Am J Prev. Med.* 46 (2014)

875. Dingemans *et al.* Binge eating disorder: a review, *Int J Obes Relat Metab Disord* 26 (2002)

876. Chambers *et al.* Stories of weight management: factors associated with successful and unsuccessful weight maintenance, *Br J Health Psychol* 17 (2012)

877. Fujimoto *et al.* Charting of daily weight pattern reinforces maintenance of weight reduction in moderately obese patients, *Am. J. Med. Sci* 303 (1992)

878. Butryn *et al.* Consistent self-monitoring of weight: a key component of successful weight loss maintenance, *Obesity* (Silver Spring) 15 (2007)

879. Linde *et al.* Self-weighing in weight gain prevention and weight loss trials, *Ann Behav Med* 30 (2005)

880. Wing *et al.* Maintaining large weight losses: the role of behavioral and psychological factors, *J Consult Clin Psychol* 76 (2008)

881. Wing *et al.* A self-regulation program for maintenance of weight loss, *N. Engl. J. Med.* 355 (2006)

882. VanWormer *et al.* Self-weighing frequency is associated with weight gain prevention over 2 years among working adults, *Int J Behav Med* 19 (2012)

883. Yamada *et al.* Charting weight four times daily as an effective behavioural approach to obesity in patients with type 2 diabetes, *Diab Vasc Dis Res* (2013)

884. Oshima *et al.* Effect of weight-loss program using self-weighing twice a day and feedback in overweight and obese subject: a randomized controlled trial, *Obes. Res. Clin Pract* 7 (2013)

885. Brunner *et al.* Reduced food intake after exposure to subtle weight-related cues, *Appetite* 58 (2012)

886. Harvard Medical School. *Harvard to USDA: Check out the Healthy Eating Plate*, (2011). www.health.harvard.edu/blog/harvard-to-usda-check-out-the-healthy-eating-plate-201109143344 (accès: 07/02/2014)

887. USDA. *Let's eat for the health of it*, United States Department of Agriculture, (2011). www.cnpp.usda.gov/Publications/MyPlate/DG2010Brochure.pdf (accès: 07/02/2014)

888. National Health Service (England). *Your guide to the eatwell plate*, National Health Service (England), (2013). www.gov.uk/government/uploads/system/uploads/attachment_data/file/237282/Eatwell_plate_booklet.pdf (accès: 06/02/2014)

889. Department of Health (Australia). *Australian guide to healthy eating,* Australian Government, (2014). www.eatforhealth.gov.au/sites/default/files/files/the_guidelines/n55_agthe_large. pdf (accès: 07/02/2014)

890. Liegeois. *Les bases nutritionnelles de la consommation des fruits et légumes,* CRAAF 87 (2001)

891. Expertise Collective. *Les fruits et légumes dans l'alimentation,* INRA, (2007). http://uprt.fr/ fruits_legumes_alimentation_inra.pdf (accès: 14/02/2014)

892. Slavin *et al.* Health benefits of fruits and vegetables, *Adv Nutr* 3 (2012)

893. Gaby. A Review of the Fundamentals of Diet, *Glob Adv Health Med* 2 (2013)

894. He *et al.* Increased consumption of fruit and vegetables is related to a reduced risk of coronary heart disease: meta-analysis of cohort studies, *J Hum Hypertens* 21 (2007)

895. Martinez-Gonzalez *et al.* Low consumption of fruit and vegetables and risk of chronic disease: a review of the epidemiological evidence and temporal trends among Spanish graduates, *Public Health Nutr* 14 (2011)

896. Briggs *et al.* A statin a day keeps the doctor away: comparative proverb assessment modelling study, *BMJ* 347 (2013)

897. INPES. *Les féculents, un plaisir à chaque repas,* Institut national de prévention et d'éducation pour la santé. www.inpes.sante.fr/30000/pdf/0806_nutrition/feculents.pdf (accès: 15/02/2014)

898. Young *et al.* Plant proteins in relation to human protein and amino acid nutrition, *Am. J. Clin. Nutr.* 59 (1994)

899. Millward. The nutritional value of plant-based diets in relation to human amino acid and protein requirements, *Proc. Nutr. Soc.* 58 (1999)

900. Sathe. Dry bean protein functionality, *Crit Rev Biotechnol* 22 (2002)

901. Dewettinck *et al.* Nutritional value of bread: Influence of processing, food interaction and consumer perception, *J Cereal Sci* 48 (2008)

902. Bouchenak *et al.* Nutritional quality of legumes, and their role in cardiometabolic risk prevention: a review, *J Med Food* 16 (2013)

903. Rebello *et al.* A review of the nutritional value of legumes and their effects on obesity and its related co-morbidities, *Obes. Rev.* (2014)

904. Venn *et al.* Cereal grains, legumes and diabetes, *Eur. J. Clin. Nutr.* 58 (2004)

905. Slavin. Dietary fiber and body weight, *Nutrition* 21 (2005)

906. Seal. Whole grains and CVD risk, *Proc. Nutr. Soc.* 65 (2006)

907. Williams *et al.* Cereal grains, legumes, and weight management: a comprehensive review of the scientific evidence, *Nutr. Rev.* 66 (2008)

908. Satija *et al.* Cardiovascular benefits of dietary fiber, *Curr Atheroscler Rep* 14 (2012)

909. Ye *et al.* Greater whole-grain intake is associated with lower risk of type 2 diabetes, cardiovascular disease, and weight gain, *J Nutr* 142 (2012)

910. Threapleton *et al.* Dietary fiber intake and risk of first stroke: a systematic review and meta-analysis, *Stroke* 44 (2013)

911. Liu. Intake of refined carbohydrates and whole grain foods in relation to risk of type 2 diabetes mellitus and coronary heart disease, *J Am Coll Nutr* 21 (2002)

912. Williams. Evaluation of the evidence between consumption of refined grains and health outcomes, *Nutr. Rev.* 70 (2012)

913. Aune *et al.* Whole grain and refined grain consumption and the risk of type 2 diabetes: a systematic review and dose-response meta-analysis of cohort studies, *Eur J Epidemiol* 28 (2013)

914. Slavin *et al.* Grain processing and nutrition, *Crit Rev Biotechnol* 21 (2001)

915. Bosetti *et al.* Diet and cancer in Mediterranean countries: carbohydrates and fats, *Public Health Nutr* 12 (2009)

916. Sun *et al.* White rice, brown rice, and risk of type 2 diabetes in US men and women, *Arch. Intern. Med.* 170 (2010)

917. Hu *et al.* White rice consumption and risk of type 2 diabetes: meta-analysis and systematic review, *BMJ* 344 (2012)

918. Johnson *et al.* Dietary sugars intake and cardiovascular health: a scientific statement from the American Heart Association, *Circulation* 120 (2009)

919. Johnson *et al.* Weighing in on added sugars and health, *J. Am. Diet. Assoc.* 110 (2010)

920. Stephan *et al.* Increased fructose intake as a risk factor for dementia, *J Gerontol A Biol Sci Med Sci* 65 (2010)

921. Lustig. Fructose: metabolic, hedonic, and societal parallels with ethanol, *J. Am. Diet. Assoc.* 110 (2010)

922. Bray. Fructose and risk of cardiometabolic disease, *Curr Atheroscler Rep* 14 (2012)

923. Leung *et al.* Soda and Cell Aging: Associations Between Sugar-Sweetened Beverage Consumption and Leukocyte Telomere Length in Healthy Adults From the National Health and Nutrition Examination Surveys, *Am. J. Public. Health* (2014)

924. Barclay *et al.* Glycemic index, glycemic load, and chronic disease risk--a meta-analysis of observational studies, *Am. J. Clin. Nutr.* 87 (2008)

925. Brand-Miller *et al.* Dietary glycemic index: health implications, *J Am Coll Nutr* 28 Suppl (2009)

926. Chiu *et al.* Informing food choices and health outcomes by use of the dietary glycemic index, *Nutr. Rev.* 69 (2011)

927. Livesey *et al.* Glycemic response and health--a systematic review and meta-analysis: relations between dietary glycemic properties and health outcomes, *Am. J. Clin. Nutr.* 87 (2008)

928. Fan *et al.* Dietary glycemic index, glycemic load, and risk of coronary heart disease, stroke, and stroke mortality: a systematic review with meta-analysis, *PLoS One* 7 (2012)

929. Ma *et al.* Glycemic load, glycemic index and risk of cardiovascular diseases: meta-analyses of prospective studies, *Atherosclerosis* 223 (2012)

930. Mirrahimi *et al.* Associations of glycemic index and load with coronary heart disease events: a systematic review and meta-analysis of prospective cohorts, *J Am Heart Assoc* 1 (2012)

931. Ball *et al.* Prolongation of satiety after low versus moderately high glycemic index meals in obese adolescents, *Pediatrics* 111 (2003)

932. Chang *et al.* Low glycemic load experimental diet more satiating than high glycemic load diet, *Nutr Cancer* 64 (2012)

933. Bellisle *et al.* Motivational effects of 12-week moderately restrictive diets with or without special attention to the Glycaemic Index of foods, *Br. J. Nutr.* 97 (2007)

934. Agus *et al.* Dietary composition and physiologic adaptations to energy restriction, *Am. J. Clin. Nutr.* 71 (2000)

935. Foster-Powell *et al.* International table of glycemic index and glycemic load values: 2002, *Am. J. Clin. Nutr.* 76 (2002)

936. Harvard School of Public Health. *Carbohydrates and the Glycemic Load.* www.hsph.harvard. edu/nutritionsource/carbohydrates-and-the-glycemic-load/ (accès: 21/02/2014)

937. Brand-Miller *et al.* Glycemic index, postprandial glycemia, and the shape of the curve in healthy subjects: analysis of a database of more than 1,000 foods, *Am. J. Clin. Nutr.* 89 (2009)

938. Kirpitch *et al.* The 3 R's of Glycemic Index: Recommendations, Research, and the Real World, *Clinical Diabetes* 29 (2011)

939. Jenkins *et al.* Glycemic index: overview of implications in health and disease, *Am. J. Clin. Nutr.* 76 (2002)

940. Atkinson *et al.* International tables of glycemic index and glycemic load values: 2008, *Diabetes Care* 31 (2008)

941. ADA. Position of the American Dietetic Association and Dietitians of Canada: vegetarian diets, *Can J Diet Pract Res* 64 (2003)

942. Craig *et al.* Position of the American Dietetic Association: vegetarian diets, *J. Am. Diet. Assoc.* 109 (2009)

943. Walter. Effects of Vegetarian Diets on Aging and Longevity, *Nutr. Rev.* 55 (1997)

944. Fraser. Associations between diet and cancer, ischemic heart disease, and all-cause mortality in non-Hispanic white California Seventh-day Adventists, *Am. J. Clin. Nutr.* 70 (1999)

945. Barnard *et al.* Vegetarian and vegan diets in type 2 diabetes management, *Nutr. Rev.* 67 (2009)

946. Berkow *et al.* Vegetarian diets and weight status, *Nutr. Rev.* 64 (2006)

947. Berkow *et al.* Blood pressure regulation and vegetarian diets, *Nutr. Rev.* 63 (2005)

948. Tonstad *et al.* Type of vegetarian diet, body weight, and prevalence of type 2 diabetes, *Diabetes Care* 32 (2009)

949. McEvoy *et al.* Vegetarian diets, low-meat diets and health: a review, *Public Health Nutr* 15 (2012)

950. Yokoyama *et al.* Vegetarian Diets and Blood Pressure: A Meta-analysis, *JAMA Intern Med* (2014)

951. Gerber. Background review paper on total fat, fatty acid intake and cancers, *Ann Nutr Metab* 55 (2009)

952. Chowdhury *et al.* Association between fish consumption, long chain omega 3 fatty acids, and risk of cerebrovascular disease: systematic review and meta-analysis, *BMJ* 345 (2012)

953. Takata *et al.* Fish intake and risks of total and cause-specific mortality in 2 population-based cohort studies of 134,296 men and women, *Am. J. Epidemiol.* 178 (2013)

NOTES BIBLIOGRAPHIQUES

954. Zheng *et al.* Intake of fish and marine n-3 polyunsaturated fatty acids and risk of breast cancer: meta-analysis of data from 21 independent prospective cohort studies, *BMJ* 346 (2013)

955. Lund. Health benefits of seafood; is it just the fatty acids?, *Food Chem* 140 (2013)

956. Zheng *et al.* Fish consumption and CHD mortality: an updated meta-analysis of seventeen cohort studies, *Public Health Nutr* 15 (2012)

957. Xun *et al.* Fish consumption and risk of stroke and its subtypes: accumulative evidence from a meta-analysis of prospective cohort studies, *Eur. J. Clin. Nutr.* 66 (2012)

958. SACN. *Advice on fish consumption: benefits & risks,* Food Standards Agency and Department of Health (England), (2004). www.sacn.gov.uk/pdfs/fics_sacn_advice_fish.pdf (accès: 27/02/2014)

959. Mozaffarian *et al.* Fish intake, contaminants, and human health: evaluating the risks and the benefits, *JAMA* 296 (2006)

960. Afssa. *Étude des consommations alimentaires de produits de la mer et imprégnation aux éléments traces, polluants et Oméga 3,* Agence française de sécurité sanitaire des aliments, (2006). www.anses.fr/fr/documents/PASER-Ra-Calipso.pdf (accès: 27/02/2014)

961. Costa. Contaminants in fish: risk-benefit considerations, *Arh Hig Rada Toksikol* 58 (2007)

962. Mahaffey *et al.* Balancing the benefits of n-3 polyunsaturated fatty acids and the risks of methylmercury exposure from fish consumption, *Nutr. Rev.* 69 (2011)

963. ANSES. *Consommation de poissons et exposition au méthylmercure,* Agence nationale de sécurité sanitaire, (2013). www.anses.fr/fr/content/consommation-de-poissons-et-exposition-au-m%C3%A9thylmercure (accès: 27/02/2014)

964. ANSES. *Consommation de poisson d'eau douce et imprégnation aux PCB, une étude nationale,* Agence nationale de sécurité sanitaire, (2013). www.anses.fr/fr/content/consommation-de-poisson-deau-douce-et-impr%C3%A9gnation-aux-pcb-une-%C3%A9tude-nationale (accès: 27/02/2014)

965. IOM. *Dietary Reference Intakes for Calcium and Vitamin D,* The National Academies Press, (2011). www.iom.edu/Reports/2010/Dietary-Reference-Intakes-for-calcium-and-vitamin-D.aspx (accès: 02/02/2014)

966. NHS. *Calcium,* National Health Service, (2012). www.nhs.uk/Conditions/vitamins-minerals/Pages/Calcium.aspx (accès: 02/03/2014)

967. ANSES. *Le calcium,* Agence Nationale de Sécurité Sanitaire, (2013). www.anses.fr/fr/content/le-calcium (accès: 02/03/2014)

968. Harvard School of Public Health. *Calcium and Milk: What's Best for Your Bones and Health?,* (2011). www.hsph.harvard.edu/nutritionsource/calcium-full-story/ (accès: 02/03/2014)

969. Harvard School of Public Health. *Healthy Eating Plate vs. USDA's MyPlate,* (2011). www.hsph.harvard.edu/nutritionsource/healthy-eating-plate-vs-usda-myplate/ (accès: 02/03/2014)

970. Owen *et al.* Olive-oil consumption and health: the possible role of antioxidants, *Lancet Oncol* 1 (2000)

971. Psaltopoulou *et al.* Olive oil intake is inversely related to cancer prevalence: a systematic review and a meta-analysis of 13,800 patients and 23,340 controls in 19 observational studies, *Lipids Health Dis* 10 (2011)

972. Alonso *et al.* Monounsaturated fatty acids, olive oil and blood pressure: epidemiological, clinical and experimental evidence, *Public Health Nutr* 9 (2006)

973. Ros. Health benefits of nut consumption, *Nutrients* 2 (2010)

974. Bertoli *et al.* Adherence to the Mediterranean diet is inversely related to binge eating disorder in patients seeking a weight loss program, *Clin Nutr* (2014)

975. Covas *et al.* Olive oil and cardiovascular health, *J Cardiovasc Pharmacol* 54 (2009)

976. Trichopoulou *et al.* Olive oil and longevity, *Mol Nutr Food Res* 51 (2007)

977. Estruch *et al.* Primary prevention of cardiovascular disease with a Mediterranean diet, *N. Engl. J. Med.* 368 (2013)

978. Kris-Etherton *et al.* The role of tree nuts and peanuts in the prevention of coronary heart disease: multiple potential mechanisms, *J Nutr* 138 (2008)

979. Lopez-Miranda *et al.* Olive oil and health: summary of the II international conference on olive oil and health consensus report, Jaen and Cordoba (Spain) 2008, *Nutr Metab Cardiovasc Dis* 20 (2010)

980. Martin-Pelaez *et al.* Health effects of olive oil polyphenols: recent advances and possibilities for the use of health claims, *Mol Nutr Food Res* 57 (2013)

981. Samieri *et al.* Olive oil consumption, plasma oleic acid, and stroke incidence: the Three-City Study, *Neurology* 77 (2011)

982. Urpi-Sarda *et al.* Virgin olive oil and nuts as key foods of the Mediterranean diet effects on inflammatory biomakers related to atherosclerosis, *Pharmacol Res* 65 (2012)

983. Planchard. L'obsession de manger sain, *20 Minutes* (04/03/2014)

984. Renaud *et al.* Cretan Mediterranean diet for prevention of coronary heart disease, *Am. J. Clin. Nutr.* 61 (1995)

985. Rubba *et al.* in: *More on Mediterranean Diets* (eds Simopoulos *et al.*), The Mediterranean Diet in Italy: AnUpdate, Karger (2007)

986. De Lorenzo *et al.* Food habits in a southern Italian town (Nicotera) in 1960 and 1996: still a reference Italian Mediterranean diet?, *Diabetes Nutr Metab* 14 (2001)

987. Odermatt. The Western-style diet: a major risk factor for impaired kidney function and chronic kidney disease, *Am J Physiol Renal Physiol* 301 (2011)

988. Naska *et al.* Back to the future: The Mediterranean diet paradigm, *Nutr Metab Cardiovasc Dis* (2013)

989. Keys. *Seven Countries: A multivariate analysis of death and coronary heart disease,* Harvard University Press (1980)

990. Matalas *et al. The Mediterranean Diet: Constituents and Health Promotion,* CRC Press (2001)

991. Verberne *et al.* Association between the Mediterranean diet and cancer risk: a review of observational studies, *Nutr Cancer* 62 (2010)

992. Sofi *et al.* Accruing evidence on benefits of adherence to the Mediterranean diet on health: an updated systematic review and meta-analysis, *Am. J. Clin. Nutr.* 92 (2010)

993. Sofi *et al.* Mediterranean diet and health status: an updated meta-analysis and a proposal for a literature-based adherence score, *Public Health Nutr* (2013)

994. Dalen *et al.* Diets to Prevent Coronary Heart Disease 1957- 2013: What Have We Learned?, *Am. J. Med.* (2013)

995. Trichopoulou *et al.* Adherence to a Mediterranean diet and survival in a Greek population, *N. Engl. J. Med.* 348 (2003)

996. Tsivgoulis *et al.* Adherence to a Mediterranean diet and risk of incident cognitive impairment, *Neurology* 80 (2013)

997. Martinez-Gonzalez *et al.* Dietary patterns, Mediterranean diet, and cardiovascular disease, *Curr. Opin. Lipidol.* 25 (2014)

998. Willett. The Mediterranean diet: science and practice, *Public Health Nutr* 9 (2006)

999. Schroder. Protective mechanisms of the Mediterranean diet in obesity and type 2 diabetes, *J Nutr Biochem* 18 (2007)

1000. Schroder *et al.* Adherence to the traditional mediterranean diet is inversely associated with body mass index and obesity in a spanish population, *J Nutr* 134 (2004)

1001. Mendez *et al.* Adherence to a Mediterranean diet is associated with reduced 3-year incidence of obesity, *J Nutr* 136 (2006)

1002. Panagiotakos *et al.* Association between the prevalence of obesity and adherence to the Mediterranean diet: the ATTICA study, *Nutrition* 22 (2006)

1003. Buckland *et al.* Obesity and the Mediterranean diet: a systematic review of observational and intervention studies, *Obes. Rev.* 9 (2008)

1004. Garaulet *et al.* Behavioural therapy in the treatment of obesity (II): role of the Mediterranean diet, *Nutr Hosp* 25 (2010)

1005. Kastorini *et al.* Mediterranean diet and coronary heart disease: is obesity a link? - A systematic review, *Nutr Metab Cardiovasc Dis* 20 (2010)

1006. Burlingame *et al.* Sustainable diets: the Mediterranean diet as an example, *Public Health Nutr* 14 (2011)

1007. Bargh *et al.* Automaticity in social-cognitive processes, *Trends Cogn Sci* 16 (2012)

1008. Dijksterhuis *et al.* The perception-behavior expressway: Automatic effects of social perception on social behavior, *Adv Exp Soc Psychol* 33 (2001)

1009. Kahneman. *Thinking, Fast and Slow*, Farrar, Straus and Giroux (2011)

1010. Mlodinow. *Subliminal: How Your Unconscious Mind Rules Your Behavior*, Vintage (2012)

1011. Cohen. Obesity and the built environment: changes in environmental cues cause energy imbalances, *Int. J. Obes.* (Lond.) 32 Suppl 7 (2008)

1012. Wansink. Environmental factors that increase the food intake and consumption volume of unknowing consumers, *Annu Rev Nutr* 24 (2004)

1013. Marteau *et al.* Changing human behavior to prevent disease: the importance of targeting automatic processes, *Science* 337 (2012)

1014. Wansink. From mindless eating to mindlessly eating better, *Physiol Behav* 100 (2010)

1015. Kral *et al.* Energy density and portion size: their independent and combined effects on energy intake, *Physiol Behav* 82 (2004)

1016. Ello-Martin *et al.* The influence of food portion size and energy density on energy intake: implications for weight management, *Am. J. Clin. Nutr.* 82 (2005)

1017. Ledikwe *et al.* Portion sizes and the obesity epidemic, *J Nutr* 135 (2005)

1018. Prentice. Manipulation of dietary fat and energy density and subsequent effects on substrate flux and food intake, *Am. J. Clin. Nutr.* 67 (1998)

1019. Cheskin *et al.* Lack of energy compensation over 4 days when white button mushrooms are substituted for beef, *Appetite* 51 (2008)

1020. Roe *et al.* Salad and satiety. The effect of timing of salad consumption on meal energy intake, *Appetite* 58 (2012)

1021. Rolls *et al.* Salad and satiety: energy density and portion size of a first-course salad affect energy intake at lunch, *J. Am. Diet. Assoc.* 104 (2004)

1022. Rolls *et al.* Water incorporated into a food but not served with a food decreases energy intake in lean women, *Am. J. Clin. Nutr.* 70 (1999)

1023. Ledikwe *et al.* Reductions in dietary energy density are associated with weight loss in overweight and obese participants in the PREMIER trial, *Am. J. Clin. Nutr.* 85 (2007)

1024. de Oliveira *et al.* A low-energy-dense diet adding fruit reduces weight and energy intake in women, *Appetite* 51 (2008)

1025. Lapointe *et al.* Dietary intervention promoting high intakes of fruits and vegetables: short-term effects on eating behaviors in overweight-obese postmenopausal women, *Eat Behav* 11 (2010)

1026. Raynor *et al.* Dietary energy density and successful weight loss maintenance, *Eat.Behav.* 12 (2011)

1027. Ello-Martin *et al.* Dietary energy density in the treatment of obesity: a year-long trial comparing 2 weight-loss diets, *Am. J. Clin. Nutr.* 85 (2007)

1028. Raynor *et al.* The effects of an energy density prescription on diet quality and weight loss: a pilot randomized controlled trial, *J Acad Nutr Diet* 112 (2012)

1029. Ledikwe *et al.* Dietary energy density is associated with energy intake and weight status in US adults, *Am. J. Clin. Nutr.* 83 (2006)

1030. Stroebele *et al.* Effect of ambience on food intake and food choice, *Nutrition* 20 (2004)

1031. Harvard Medical School. Keeping portions in proportion, *Harvard Women's Health Watch* 15 (2007)

1032. Rolls. Plenary Lecture 1: Dietary strategies for the prevention and treatment of obesity, *Proc. Nutr. Soc.* 69 (2010)

1033. Young *et al.* Reducing portion sizes to prevent obesity: a call to action, *Am J Prev. Med.* 43 (2012)

1034. Briefel *et al.* Secular trends in dietary intake in the United States, *Annu Rev Nutr* 24 (2004)

1035. Kerr *et al.* Snacking patterns among adolescents: a comparison of type, frequency and portion size between Britain in 1997 and Northern Ireland in 2005, *Br. J. Nutr.* 101 (2009)

1036. Piernas *et al.* Food portion patterns and trends among U.S. children and the relationship to total eating occasion size, 1977-2006, *J Nutr* 141 (2011)

1037. Piernas *et al.* Increased portion sizes from energy-dense foods affect total energy intake at eating occasions in US children and adolescents: patterns and trends by age group and sociodemographic characteristics, 1977-2006, *Am. J. Clin. Nutr.* 94 (2011)

1038. Young *et al.* Expanding portion sizes in the US marketplace: implications for nutrition counseling, *J. Am. Diet. Assoc.* 103 (2003)

1039. Chandon *et al.* How Biased Household Inventory Estimates Distort Shopping and Storage Decisions, *J Marketing* 70 (2006)

1040. Wansink *et al.* Portion size me: downsizing our consumption norms, *J. Am. Diet. Assoc.* 107 (2007)

1041. Nielsen *et al.* Patterns and trends in food portion sizes, 1977-1998, *JAMA* 289 (2003)

1042. Eidner *et al.* Calories and portion sizes in recipes throughout 100 years: an overlooked factor in the development of overweight and obesity?, *Scand J Public Health* 41 (2013)

1043. Wansink *et al.* Bottomless bowls: why visual cues of portion size may influence intake, *Obes. Res.* 13 (2005)

1044. Rolls *et al.* Portion size of food affects energy intake in normal-weight and overweight men and women, *Am. J. Clin. Nutr.* 76 (2002)

1045. Rolls *et al.* Serving portion size influences 5-year-old but not 3-year-old children's food intakes, *J. Am. Diet. Assoc.* 100 (2000)

1046. Orlet Fisher *et al.* Children's bite size and intake of an entree are greater with large portions than with age-appropriate or self-selected portions, *Am. J. Clin. Nutr.* 77 (2003)

1047. Rolls *et al.* Increasing the portion size of a sandwich increases energy intake, *J. Am. Diet. Assoc.* 104 (2004)

1048. Wansink *et al.* Bad popcorn in big buckets: portion size can influence intake as much as taste, *J Nutr Educ Behav* 37 (2005)

1049. Rolls *et al.* Increasing the portion size of a packaged snack increases energy intake in men and women, *Appetite* 42 (2004)

1050. van Kleef *et al.* Just a bite: Considerably smaller snack portions satisfy delayed hunger and craving, *Food Qual Prefer* 27 (2013)

1051. Wansink *et al.* Larger bowl size increases the amount of cereal children request, consume, and waste, *J. Pediatr.* 164 (2014)

1052. Levitsky *et al.* The more food young adults are served, the more they overeat, *J Nutr* 134 (2004)

1053. Rolls *et al.* Larger portion sizes lead to a sustained increase in energy intake over 2 days, *J. Am. Diet. Assoc.* 106 (2006)

1054. Jeffery *et al.* Effects of portion size on chronic energy intake, *Int J Behav Nutr Phys Act* 4 (2007)

1055. French *et al.* Portion size effects on weight gain in a free living setting, *Obesity* (Silver Spring) (2014)

1056. Wansink *et al.* Mindless Eating: The 200 Daily Food Decisions We Overlook, *Environ Behav* 39 (2007)

1057. Raynor *et al.* Greater variety of fruit served in a four-course snack increases fruit consumption, *Appetite* 59 (2012)

1058. Hetherington *et al.* Understanding variety: tasting different foods delays satiation, *Physiol Behav* 87 (2006)

1059. Norton *et al.* Volume and variety: relative effects on food intake, *Physiol Behav* 87 (2006)

1060. Brondel *et al.* Variety enhances food intake in humans: role of sensory-specific satiety, *Physiol Behav* 97 (2009)

1061. Rolls *et al.* Variety in a meal enhances food intake in man, *Physiol Behav* 26 (1981)

1062. Kahn *et al.* The Influence of Assortment Structure on Perceived Variety and Consumption Quantities, *J Consum Res* 30 (2004)

1063. Wansink *et al.* Eating behavior and obesity at Chinese buffets, *Obesity* (Silver Spring) 16 (2008)

1064. Leong *et al.* Faster self-reported speed of eating is related to higher body mass index in a nationwide survey of middle-aged women, *J. Am. Diet. Assoc.* 111 (2011)

1065. Otsuka *et al.* Eating fast leads to obesity: findings based on self-administered questionnaires among middle-aged Japanese men and women, *J Epidemiol* 16 (2006)

1066. Murakami *et al.* Self-reported rate of eating and risk of overweight in Japanese children: Ryukyus Child Health Study, *J Nutr Sci Vitaminol* (Tokyo) 58 (2012)

1067. Ohkuma *et al.* Impact of eating rate on obesity and cardiovascular risk factors according to glucose tolerance status: the Fukuoka Diabetes Registry and the Hisayama Study, *Diabetologia* 56 (2013)

1068. Sasaki *et al.* Self-reported rate of eating correlates with body mass index in 18-y-old Japanese women, *Int J Obes Relat Metab Disord* 27 (2003)

1069. Tanihara *et al.* Retrospective longitudinal study on the relationship between 8-year weight change and current eating speed, *Appetite* 57 (2011)

1070. Mesas *et al.* Selected eating behaviours and excess body weight: a systematic review, *Obes. Rev.* 13 (2012)

1071. Andrade *et al.* Eating slowly led to decreases in energy intake within meals in healthy women, *J. Am. Diet. Assoc.* 108 (2008)

1072. Scisco *et al.* Slowing bite-rate reduces energy intake: an application of the bite counter device, *J. Am. Diet. Assoc.* 111 (2011)

1073. Smit *et al.* Does prolonged chewing reduce food intake? Fletcherism revisited, *Appetite* 57 (2011)

1074. Zijlstra *et al.* Effect of bite size and oral processing time of a semisolid food on satiation, *Am. J. Clin. Nutr.* 90 (2009)

1075. Li *et al.* Improvement in chewing activity reduces energy intake in one meal and modulates plasma gut hormone concentrations in obese and lean young Chinese men, *Am. J. Clin. Nutr.* 94 (2011)

1076. Zhu *et al.* Increasing the Number of Chews before Swallowing Reduces Meal Size in Normal-Weight, Overweight, and Obese Adults, *J Acad Nutr Diet* (2013)

1077. Kokkinos *et al.* Eating slowly increases the postprandial response of the anorexigenic gut hormones, peptide YY and glucagon-like peptide-1, *J Clin Endocrinol Metab* 95 (2010)

1078. Zhu *et al.* Increasing the number of masticatory cycles is associated with reduced appetite and altered postprandial plasma concentrations of gut hormones, insulin and glucose, *Br. J. Nutr.* 110 (2013)

1079. Higgs *et al.* Prolonged chewing at lunch decreases later snack intake, *Appetite* 62 (2013)

1080. Cassady *et al.* Mastication of almonds: effects of lipid bioaccessibility, appetite, and hormone response, *Am. J. Clin. Nutr.* 89 (2009)

1081. Hetherington *et al.* Short-term effects of chewing gum on snack intake and appetite, *Appetite* 48 (2007)

1082. Hetherington *et al.* Effects of chewing gum on short-term appetite regulation in moderately restrained eaters, *Appetite* 57 (2011)

1083. Gueguen. *100 petites expériences de psychologie du consommateur,* Dunod (2005)

1084. Cornell *et al.* Stimulus-induced eating when satiated, *Physiol Behav* 45 (1989)

1085. Harris *et al.* Priming effects of television food advertising on eating behavior, *Health Psychol* 28 (2009)

1086. Channouf *et al.* Les effets non spécifiques de la publicité subliminale, *Eur Rev Appl Psychol* 49 (1999)

1087. Gueguen *et al.* Exposition subliminale d'un stimulus verbal lié à un besoin physiologique et effet sur le comportement, *Cahiers Romans de Sciences Cognitives* 2 (2004)

1088. Prinsen *et al.* Eating by example. Effects of environmental cues on dietary decisions, *Appetite* 70 (2013)

1089. Wansink *et al.* Fine as North Dakota wine: sensory expectations and the intake of companion foods, *Physiol Behav* 90 (2007)

1090. North *et al.* The Influence of In-Store Music on Wine Selections, *J Appl Psychol* 84 (1999)

1091. Gueguen *et al.* Sound level of environmental music and drinking behavior: a field experiment with beer drinkers, *Alcohol Clin Exp Res* 32 (2008)

1092. Gueguen *et al.* Sound level of background music and alcohol consumption: an empirical evaluation, *Percept Mot Skills* 99 (2004)

1093. Tetley *et al.* Individual differences in food-cue reactivity. The role of BMI and everyday portion-size selections, *Appetite* 52 (2009)

1094. Ferriday *et al.* How does food-cue exposure lead to larger meal sizes?, *Br. J. Nutr.* 100 (2008)

1095. Ferriday *et al.* 'I just can't help myself': effects of food-cue exposure in overweight and lean individuals, *Int. J. Obes.* (Lond.) 35 (2011)

1096. Wansink *et al.* The office candy dish: proximity's influence on estimated and actual consumption, *Int. J. Obes.* (Lond.) 30 (2006)

1097. Wansink *et al.* Counting bones: environmental cues that decrease food intake, *Percept Mot Skills* 104 (2007)

1098. Higgs. Memory and its role in appetite regulation, *Physiol Behav* 85 (2005)

1099. Higgs. Memory for recent eating and its influence on subsequent food intake, *Appetite* 39 (2002)

1100. Lowe *et al.* Hedonic hunger: a new dimension of appetite?, *Physiol Behav* 91 (2007)

1101. Schachter. Some extraordinary facts about obese humans and rats, *Am. Psychol.* 26 (1971)

1102. Schachter *et al. Obese humans and rats,* Lawrence Erlbaum (1974)

1103. Brunner. It takes some effort. How minimal physical effort reduces consumption volume, *Appetite* 71 (2013)

1104. Cheema *et al.* The Effect of Partitions on Controlling Consumption, *J Market Res* 45 (2008)

1105. Painter *et al.* How visibility and convenience influence candy consumption, *Appetite* 38 (2002)

1106. Engell *et al.* Effects of effort and social modeling on drinking in humans, *Appetite* 26 (1996)

1107. Meyers *et al.* Food accessibility and food choice. A test of Schachter's externality hypothesis, *Arch Gen Psychiatry* 37 (1980)

1108. Wansink *et al.* Slim by design: serving healthy foods first in buffet lines improves overall meal selection, *PLoS One* 8 (2013)

1109. van Ittersum *et al.* Plate Size and Color Suggestibility: The Delboeuf Illusion's Bias on Serving and Eating Behavior, *J Consum Res* 39 (2012)

1110. Wansink. Can package size accelerate usage volume?, *J Marketing* 60 (1996)

1111. Wansink *et al.* Ice cream illusions bowls, spoons, and self-served portion sizes, *Am J. Prev. Med.* 31 (2006)

1112. DiSantis *et al.* Plate size and children's appetite: effects of larger dishware on self-served portions and intake, *Pediatrics* 131 (2013)

1113. Wansink *et al.* Super Bowls: serving bowl size and food consumption, *JAMA* 293 (2005)

1114. Chandon *et al.* When Are Stockpiled Products Consumed Faster?, *J Mark Res* 39 (2002)

1115. Wansink *et al.* Bottoms Up! The Influence of Elongation on Pouring and Consumption Volume, *J Consum Res* 30 (2003)

1116. Wansink *et al.* Fluid consumption and the potential role of canteen shape in minimizing dehydration, *Mil Med* 170 (2005)

1117. Zick *et al.* Trends in Americans' food-related time use: 1975-2006, *Public Health Nutr* 13 (2010)

1118. Zick *et al.* Time use choices and healthy body weight: a multivariate analysis of data from the American Time Use Survey, *Int J Behav Nutr Phys Act* 8 (2011)

1119. Bellisle *et al.* Cognitive restraint can be offset by distraction, leading to increased meal intake in women, *Am. J. Clin. Nutr.* 74 (2001)

1120. Poothullil. Role of oral sensory signals in determining meal size in lean women, *Nutrition* 18 (2002)

1121. Bellisle *et al.* Non food-related environmental stimuli induce increased meal intake in healthy women: comparison of television viewing versus listening to a recorded story in laboratory settings, *Appetite* 43 (2004)

1122. Stroebele *et al.* Listening to music while eating is related to increases in people's food intake and meal duration, *Appetite* 47 (2006)

1123. Boulos *et al.* ObesiTV: how television is influencing the obesity epidemic, *Physiol Behav* 107 (2012)

1124. Temple *et al.* Television watching increases motivated responding for food and energy intake in children, *Am. J. Clin. Nutr.* 85 (2007)

1125. Hetherington *et al.* Situational effects on meal intake: A comparison of eating alone and eating with others, *Physiol Behav* 88 (2006)

1126. Bellissimo *et al.* Effect of television viewing at mealtime on food intake after a glucose preload in boys, *Pediatr Res* 61 (2007)

1127. Lyons *et al.* Energy intake and expenditure during sedentary screen time and motion-controlled video gaming, *Am. J. Clin. Nutr.* 96 (2012)

1128. Lumeng *et al.* Eating in larger groups increases food consumption, *Arch Dis Child* 92 (2007)

1129. Ogden *et al.* Distraction, the desire to eat and food intake. Towards an expanded model of mindless eating, *Appetite* 62 (2013)

1130. Braude *et al.* Watching television while eating increases energy intake. Examining the mechanisms in female participants, *Appetite* 76 (2014)

1131. Blass *et al.* On the road to obesity: Television viewing increases intake of high-density foods, *Physiol Behav* 88 (2006)

1132. Tal *et al.* Watch What You Eat: Action-Related Television Content Increases Food Intake, *JAMA Intern Med* (2014)

1133. de Castro *et al.* The amount eaten in meals by humans is a power function of the number of people present, *Physiol Behav* 51 (1992)

1134. de Castro. Eating behavior: lessons from the real world of humans, *Nutrition* 16 (2000)

1135. Wansink *et al.* Dinner rituals that correlate with child and adult BMI, *Obesity* (Silver Spring) 22 (2014)

1136. Mittal *et al.* Snacking while watching TV impairs food recall and promotes food intake on a later TV free test meal, *Appl Cogn Psychol* 25 (2011)

1137. Higgs *et al.* Television watching during lunch increases afternoon snack intake of young women, *Appetite* 52 (2009)

1138. Oldham-Cooper *et al.* Playing a computer game during lunch affects fullness, memory for lunch, and later snack intake, *Am. J. Clin. Nutr.* 93 (2011)

1139. Robinson *et al.* Eating attentively: a systematic review and meta-analysis of the effect of food intake memory and awareness on eating, *Am. J. Clin. Nutr.* 97 (2013)

1140. Pliner *et al.* Eating, social motives, and self-presentation in women and men, *J Exp Soc Psychol* 26 (1990)

1141. Salvy *et al.* Effects of social influence on eating in couples, friends and strangers, *Appetite* 49 (2007)

1142. Zajonc. Social Facilitation, *Science* 149 (1965)

1143. De Castro. Social facilitation of duration and size but not rate of the spontaneous meal intake of humans, *Physiol Behav* 47 (1990)

1144. Feunekes *et al*. Social facilitation of food intake is mediated by meal duration, *Physiol Behav* 58 (1995)

1145. Bell *et al*. Time to eat: the relationship between the number of people eating and meal duration in three lunch settings, *Appetite* 41 (2003)

1146. Hébel. Le petit-déjeuner anglo-saxon s'installe peu à peu, *Consommations et modes de vie* (Credoc) 204 (2007)

1147. Nielsen. *An era of growth: the cross plateform report* (march 2014), nielsen.com, (2014). http:// www.nielsen.com/us/en/reports/2014/an-era-of-growth-the-cross-platform-report.html (accès: 06/05/2014)

1148. Mediametrie. *Mediamat annuel 2014, Mediametrie*, (2015). www.mediametrie.fr/television/communiques/l-audience-de-la-television-en-2014.php?id=1187#.VShERJM8WQk (acces: 10/04/2015)

1149. Hu *et al*. Television watching and other sedentary behaviors in relation to risk of obesity and type 2 diabetes mellitus in women, *JAMA* 289 (2003)

1150. Jakes *et al*. Television viewing and low participation in vigorous recreation are independently associated with obesity and markers of cardiovascular disease risk: EPIC-Norfolk population-based study, *Eur. J. Clin. Nutr.* 57 (2003)

1151. Bowman. Television-viewing characteristics of adults: correlations to eating practices and overweight and health status, *Prev Chronic Dis* 3 (2006)

1152. Shields *et al*. Sedentary behaviour and obesity, *Health Rep* 19 (2008)

1153. Meyer *et al*. Television, physical activity, diet, and body weight status: the ARIC cohort, *Int J Behav Nutr Phys Act* 5 (2008)

1154. Morgenstern *et al*. Relation between socioeconomic status and body mass index: evidence of an indirect path via television use, *Arch Pediatr Adolesc Med* 163 (2009)

1155. Inoue *et al*. Television viewing time is associated with overweight/obesity among older adults, independent of meeting physical activity and health guidelines, *J Epidemiol* 22 (2012)

1156. Raynor *et al*. Television viewing and long-term weight maintenance: results from the National Weight Control Registry, *Obesity* (Silver Spring) 14 (2006)

1157. Mamun *et al*. Television watching from adolescence to adulthood and its association with BMI, waist circumference, waist-to-hip ratio and obesity: a longitudinal study, *Public Health Nutr* 16 (2013)

1158. Cameron *et al*. Overweight and obesity in Australia: the 1999-2000 Australian Diabetes, Obesity and Lifestyle Study (AusDiab), *Med J Aust* 178 (2003)

1159. Catenacci *et al*. Physical activity patterns in the National Weight Control Registry, *Obesity* (Silver Spring) 16 (2008)

1160. Catenacci *et al*. Physical activity patterns using accelerometry in the National Weight Control Registry, *Obesity* (Silver Spring) 19 (2011)

1161. Davis *et al*. Physical activity compliance: differences between overweight/obese and normal-weight adults, *Obesity* (Silver Spring) 14 (2006)

NOTES BIBLIOGRAPHIQUES

1162. Hemmingsson *et al.* Is the association between physical activity and body mass index obesity dependent?, *Int. J. Obes.* (Lond.) 31 (2007)

1163. Strath *et al.* Objective physical activity accumulation in bouts and nonbouts and relation to markers of obesity in US adults, *Prev Chronic Dis* 5 (2008)

1164. Yoshioka *et al.* Long-period accelerometer monitoring shows the role of physical activity in overweight and obesity, *Int. J. Obes.* (Lond.) 29 (2005)

1165. Tudor-Locke *et al.* Accelerometer profiles of physical activity and inactivity in normal weight, overweight, and obese U.S. men and women, *Int J Behav Nutr Phys Act* 7 (2010)

1166. Elbelt *et al.* Differences of energy expenditure and physical activity patterns in subjects with various degrees of obesity, *Clin Nutr* 29 (2010)

1167. INPES. *La santé des collégiens en France / 2010,* Institut national de prévention et d'éducation pour la santé, (2012). www.inpes.sante.fr/CFESBases/catalogue/pdf/1412.pdf (accès: 26/05/2014)

1168. INSV. *9ᵉ Journée nationale du sommeil,* Institut national du sommeil et de la vigilance, (2009). www.institut-sommeil-vigilance.org/documents/Presse-JNS-2009.pdf (accès: 26/05/2014)

1169. IOM. *Sleep Disorders and Sleep Deprivation: An Unmet Public Health Problem,* Institute of Medicine / National Academy Press, (2006). www.nap.edu/catalog.php?record_id=11617 (accès: 26/05/2014)

1170. Bryant *et al.* Sick and tired: Does sleep have a vital role in the immune system?, *Nat Rev Immunol* 4 (2004)

1171. Schultes *et al.* Sleep loss and the development of diabetes: a review of current evidence, *Exp Clin Endocrinol Diabetes* 113 (2005)

1172. Giordanella. *Rapport sur le thème du sommeil à M. Xavier Bertrand,* ministère de la Santé et des Solidarités, Ministère de la Santé et des Solidarités, (2006). www.sante.gouv.fr/IMG/pdf/rapport-5.pdf (accès: 27/05/2014)

1173. Patel *et al.* Short sleep duration and weight gain: a systematic review, *Obesity* (Silver Spring) 16 (2008)

1174. Chaput *et al.* The association between sleep duration and weight gain in adults: a 6-year prospective study from the Quebec Family Study, *Sleep* 31 (2008)

1175. Malina *et al.* Sleep and breast cancer: is there a link?, *Gynecol Obstet Fertil* 41 (2013)

1176. Knutson. Does inadequate sleep play a role in vulnerability to obesity?, *Am J Hum Biol* 24 (2012)

1177. Ford *et al.* Sleep duration and body mass index and waist circumference among U.S. adults, *Obesity* (Silver Spring) 22 (2014)

1178. Tahara *et al.* Chronobiology and nutrition, *Neuroscience* 253 (2013)

1179. Spiegel *et al.* Effects of poor and short sleep on glucose metabolism and obesity risk, *Nat Rev Endocrinol* 5 (2009)

1180. Van Cauter *et al.* Sleep and the epidemic of obesity in children and adults, *Eur J Endocrinol* 159 Suppl 1 (2008)

1181. Knutson *et al.* Associations between sleep loss and increased risk of obesity and diabetes, *Ann N Y Acad Sci* 1129 (2008)

1182. Buxton *et al.* Adverse metabolic consequences in humans of prolonged sleep restriction combined with circadian disruption, *Sci Transl Med* 4 (2012)

1183. Schmid *et al.* A single night of sleep deprivation increases ghrelin levels and feelings of hunger in normal-weight healthy men, *J Sleep Res* 17 (2008)

1184. Orzel-Gryglewska. Consequences of sleep deprivation, *Int J Occup Med Environ Health* 23 (2010)

1185. Hanlon *et al.* Quantification of sleep behavior and of its impact on the cross-talk between the brain and peripheral metabolism, *Proc. Natl. Acad. Sci. USA* 108 Suppl 3 (2011)

1186. Roenneberg *et al.* Social jetlag and obesity, *Curr Biol* 22 (2012)

1187. Benedict *et al.* Acute sleep deprivation reduces energy expenditure in healthy men, *Am. J. Clin. Nutr.* 93 (2011)

1188. Benedict *et al.* Acute sleep deprivation enhances the brain's response to hedonic food stimuli: an fMRI study, *J Clin Endocrinol Metab* 97 (2012)

1189. Schmid *et al.* The metabolic burden of sleep loss, *Lancet Diabetes Endocrinol* (2014)

1190. Greer *et al.* The impact of sleep deprivation on food desire in the human brain, *Nat Commun* 4 (2013)

1191. Brondel *et al.* Acute partial sleep deprivation increases food intake in healthy men, *Am. J. Clin. Nutr.* 91 (2010)

1192. Schmid *et al.* Short-term sleep loss decreases physical activity under free-living conditions but does not increase food intake under time-deprived laboratory conditions in healthy men, *Am. J. Clin. Nutr.* 90 (2009)

1193. Dinges *et al.* Cumulative sleepiness, mood disturbance, and psychomotor vigilance performance decrements during a week of sleep restricted to 4-5 hours per night, *Sleep* 20 (1997)

1194. Sivak. Sleeping more as a way to lose weight, *Obes. Rev.* 7 (2006)

1195. Winkielman *et al.* Unconscious affective reactions to masked happy versus angry faces influence consumption behavior and judgments of value, *Pers Soc Psychol Bull* 31 (2005)

1196. J-P Claris de Florian. La guenon, le singe et la noix *in: Œuvres complètes* (tome septième), Fr. Dufart (1803)

1197. Lartigot. *Eat. Chroniques d'un fauve dans le jungle alimentaire,* WinterFields (2013)

1198. Gardner *et al.* Making health habitual: the psychology of 'habit-formation' and general practice, *Br J Gen Pract* 62 (2012)

1199. Ajzen. The theory of planned behavior, *Org Behav Hum Decis Process* 50 (1991)

1200. Conner *et al.* in: *Predicting health behaviour: Research and practice with social cognition models.* 2nd ed. (eds Conner *et al.*), Predicting health behaviour: A social cognition approach, 1-27, Open University Press (2005)

1201. Schwarzer. Modeling Health Behavior Change: How to Predict and Modify the Adoption and Maintenance of Health Behaviors, *Applied Psychol* 57 (2008)

1202. Godin *et al.* The theory of planned behavior: a review of its applications to health-related behaviors, *Am J Health Promot* 11 (1996)

NOTES BIBLIOGRAPHIQUES

1203. Armitage *et al*. Efficacy of the Theory of Planned Behaviour: a meta-analytic review, *Br J Soc Psychol* 40 (2001)

1204. Fitzsimons *et al*. *in: Handbook of selfregulation: Research, theory, and applications* (eds Baumeister *et al*.), Automatic self-regulation, 151-170, Guilford (2004)

1205. Webb *et al*. Does changing behavioral intentions engender behavior change? A meta-analysis of the experimental evidence, *Psychol Bull* 132 (2006)

1206. de Ridder *et al*. Taking stock of self-control: a meta-analysis of how trait self-control relates to a wide range of behaviors, *Pers Soc Psychol Rev* 16 (2012)

1207. Hall *et al*. Temporal self-regulation theory: A model for individual health behavior, *Health Psychol. Rev.* 1 (2007)

1208. Gardner *et al*. A systematic review and meta-analysis of applications of the Self-Report Habit Index to nutrition and physical activity behaviours, *Ann Behav Med* 42 (2011)

1209. Gardner. A review and analysis of the use of habit' in understanding, predicting and influencing health-related behaviour, *Health Psychol. Rev.* (2014)

1210. Lally *et al*. Experiences of habit formation: a qualitative study, *Psychol Health* Med 16 (2011)

1211. Lally *et al*. Healthy habits: efficacy of simple advice on weight control based on a habit-formation model, *Int. J. Obes.* (Lond.) 32 (2008)

1212. Lally *et al*. How are habits formed: Modelling habit formation in the real world, *Eur J Soc Psychol* 40 (2010)

1213. Mattes. Fat preference and adherence to a reduced-fat diet, *Am. J. Clin. Nutr.* 57 (1993)

1214. Grieve *et al*. Desire to eat high- and low-fat foods following a low-fat dietary intervention, *J Nutr Educ Behav* 35 (2003)

1215. Ledikwe *et al*. A reliable, valid questionnaire indicates that preference for dietary fat declines when following a reduced-fat diet, *Appetite* 49 (2007)

1216. Martin *et al*. Change in food cravings, food preferences, and appetite during a low-carbohydrate and low-fat diet, *Obesity* (Silver Spring) 19 (2011)

1217. Deckersbach *et al*. Pilot randomized trial demonstrating reversal of obesity-related abnormalities in reward system responsivity to food cues with a behavioral intervention, *Nutr Diabetes* 4 (2014)

1218. Jansen *et al*. Decreased salivation to food cues in formerly obese successful dieters, *Psychother Psychosom* 79 (2010)

1219. Robinson *et al*. Changing memory of food enjoyment to increase food liking, choice and intake, *Br. J. Nutr.* 108 (2012)

1220. Robinson *et al*. Recall of vegetable eating affects future predicted enjoyment and choice of vegetables in British University undergraduate students, *J. Am. Diet. Assoc.* 111 (2011)

1221. Sierra-Johnson *et al*. Eating meals irregularly: a novel environmental risk factor for the metabolic syndrome, *Obesity* (Silver Spring) 16 (2008)

1222. Farshchi *et al*. Decreased thermic effect of food after an irregular compared with a regular meal pattern in healthy lean women, *Int J Obes Relat Metab Disord* 28 (2004)

1223. Farshchi *et al.* Beneficial metabolic effects of regular meal frequency on dietary thermogenesis, insulin sensitivity, and fasting lipid profiles in healthy obese women, *Am. J. Clin. Nutr.* 81 (2005)

1224. Leidy *et al.* The effect of eating frequency on appetite control and food intake: brief synopsis of controlled feeding studies, *J Nutr* 141 (2011)

1225. Bachman *et al.* Effects of manipulating eating frequency during a behavioral weight loss intervention: a pilot randomized controlled trial, *Obesity* (Silver Spring) 20 (2012)

1226. Bachman *et al.* Eating frequency is higher in weight loss maintainers and normal-weight individuals than in overweight individuals, *J. Am. Diet. Assoc.* 111 (2011)

1227. Duhigg. *The power of habits*, Random House (2014)

1228. Wood *et al.* Changing circumstances, disrupting habits, *J. Pers. Soc. Psychol.* 88 (2005)

1229. Just *et al.* The Flat-Rate Pricing Paradox: Conflicting Effects of "All-You-Can-Eat" Buffet Pricing, *Rev Econ Stat* 93 (2010)

1230. Anonyme. *L'imitation de Jésus-Christ,* Seuil (1979)

1231. Westenhoefer *et al.* Behavioural correlates of successful weight reduction over 3 y. Results from the Lean Habits Study, *Int J Obes Relat Metab Disord* 28 (2004)

Table

TABLE

Imprimé en France par Chirat – 42540 Saint-Just-la-Pendue
N° d'imprimeur : 201506.0180 – Dépôt légal : mai 2015
N° d'édition : 70119500-03/juin2015